TRISTAN TZARA

L'homme qui inventa la révolution Dada

FRANÇOIS BUOT

TRISTAN TZARA

L'homme qui inventa la révolution Dada

BERNARD GRASSET

PARIS

à Emmanuelle.

à Georges Bernier.

« Un jeune homme est le seul
être qui ait le cœur de
tout exiger et de se croire
volé s'il n'a pas tout ».

PAUL NIZAN.

AVANT-PROPOS

Ce livre répond à une angoisse partagée par plus d'une génération. Comment ne pas démériter de ses vingt ans ? Comment ne pas dégénérer en chien de garde de l'ordre établi quand on a aimé la révolte absolue à l'aube de sa vie ?

De Tzara, j'ai gardé quelques souvenirs précis : ces brûlots dada lancés à la face d'un monde en ruine, ce jeune homme dans le tourbillon des années folles, le théoricien d'un surréalisme triomphant et l'antifasciste sur les tribunes de l'entre-deux-guerres.

Impossible d'oublier l'allure étonnante de Tzara. C'est l'homme au monocle et aux costumes sombres qui s'impose sur les tableaux et autres photos de l'époque. Ce chic fin de siècle allié à son rejet sans concession du monde tel qu'il est le place dans le cercle très étroit des vrais dandys. Le sérieux et le côté intransigeant du personnage confortent cette idée. Sa petite taille avec laquelle il joue habilement lui permet d'être toujours décalé par rapport aux autres. Tzara n'est jamais là où on l'attend, toujours un peu seul, sur les marges. Sur le célèbre tableau de Max Ernst Au rendez-vous des amis, *il traverse la toile en dansant alors que ses complices dada sont statiques. Sur un cliché des années 30, pris lors d'un meeting antifasciste, il n'est pas à la tribune, mais assis juste à côté. Malicieux, il en fait juste assez pour ne jamais passer inaperçu. Il aime séduire et cela se voit. Quand une amie Thora Dardel le surprend au cœur des années 20, il prend la pose dans sa chambre de Montparnasse au milieu de ses revues dada. Devant l'objectif de Man Ray, il pratique le baisemain avec les égéries de l'avant-garde parisienne.*

Tzara est aussi un homme pressé, ambitieux, aux goûts les plus éclectiques. On le voit ainsi allier un costume noir et une écharpe aux couleurs simultanées signées Sonia Delaunay, comme un clin d'œil à la modernité. Quelques années plus tard, il se plie bien volontiers aux photos de groupe si chères aux surréalistes. Sûr de lui, souriant, il est visiblement heureux de participer à cette aventure collective. Mais il est toujours un homme libre. Et si la vieillesse semble le marquer tout en faisant disparaître le monocle, elle ne laisse pas de trace trop voyante. Je me souviens d'une dernière photo prise dans son appartement à la fin des années 50... Costume strict, sourire discret, Tzara n'a rien perdu de son charme.

Autant de portraits pour un homme qui a eu plusieurs vies...

Et pourtant Tzara est depuis longtemps au purgatoire. Alors que les biographies s'accumulent sur ceux qui furent ses compagnons de route, lui semble classé au rayon dadaïsme dans les multiples anthologies publiées sur le sujet. Pour le reste pas grand-chose... Tzara fait partie des grands indésirables. Mais les temps changent et le monde d'aujourd'hui me semble plus ouvert pour redécouvrir la voix de ce « barbare auto-stylé » selon l'expression de son

12

copain dada Richard Huelsenbeck. *La révolte sans concession ne fait plus forcément sourire et la jeunesse est souvent sensible à l'injustice du monde tel qu'il est.*

La société est en train de bouger. Il n'est donc pas inutile de relire les appels incendiaires des jeunes dadaïstes. Retrouvons les chaudes nuits du Cabaret Voltaire où tout a commencé. Redécouvrons aussi le lyrisme sombre de cet « Homme approximatif ». Essayons enfin de comprendre les combats de l'entre-deux-guerres et les doutes de la guerre froide. Certes, Tzara n'a pas évité les contradictions et les errements, mais il a choisi de rester un homme mûr à jamais fidèle à sa jeunesse insoumise.

Ce livre raconte ce jeune Roumain né avec le siècle qui exigeait de tout repenser à neuf. Une grande lessive salutaire que Tzara voulait mener jusqu'au bout. Mais comme toute révolte finit toujours par être récupérée, il lui a fallu résister à sa façon en solitaire. Ce livre est une longue enquête commencée il y a longtemps. Beaucoup de témoins cités ici ont disparu. Ils avaient tous accepté de me parler de ce drôle d'insurgé. Qu'il me soit permis ici de remercier Georges Bernier avec qui j'ai souvent parlé de Tzara. Ce livre lui doit beaucoup. Merci également à Philippe Soupault, Michel Leiris, Jacques Baron, René Hilsum, Louis Aragon, Maurice Nadeau, Georges-Emmanuel Clancier, Daniel Guérin, Claude Courtot, Charles Dobzinski, Raymond Aghion, Myrtille Hugnet, Jacques Gaucheron, Francis Crémieux, Jean Rousselot, Madeleine Marcoussis, Marguerite Bonnet, Bruno Marcenac, Georgette Camille de Gérando...

Ce livre n'existerait pas sans le concours de toutes les équipes de la bibliothèque littéraire Jacques

Doucet et de la Bibliothèque de France, ainsi que Iona Popa pour toutes les traductions.

Un grand merci à Marie Chalin et à Manuel Carcassonne.

Il faut aussi mentionner le fidèle soutien de Marie-Thérèse et Christophe Tzara. Qu'ils trouvent ici l'expression de ma gratitude.

Et comment ne pas associer à ce livre, ceux qui ont permis la redécouverte de Tzara : Claude Sernet, Serge Fauchereau et Henri Béhar.

J'aurai enfin une pensée pour tous les amis de Tzara, ceux qu'il aimait et qui ne sont plus là pour m'en parler, dont René Crevel pour lequel je garde une tendresse particulière.

Que ce livre soit enfin l'occasion de se replonger l'espace d'un instant dans l'atmosphère enivrante des boîtes de Montparnasse, des apéritifs rituels du Cyrano, des bals du comte de Beaumont, ou des cafés de Saint-Germain-des-Prés.

Il y a beaucoup de musique et de fêtes dans ce livre parce que Tzara aimait la vie et les rencontres. Il y a aussi les rumeurs de l'Histoire, les engagements et les combats pour la liberté.

A l'heure où j'écris ces lignes, des jeunes gens à Zurich occupent l'immeuble où se trouvait le Cabaret Voltaire. Ils refusent le projet immobilier du nouveau propriétaire, une compagnie d'assurances. Ils exigent l'ouverture d'un centre culturel et d'un musée pour tous les dadaïsmes.

Il est temps de redécouvrir Tzara.

Une enfance roumaine

Pas facile de retrouver la trace de Samuel Rosenstock, né le 16 avril 1896 à Moinesti dans la province de Bacau, en Roumanie. Entretenant un certain mystère sur ses années de jeunesse, le futur Tristan Tzara a voulu se construire une autre vie très loin de ces premiers contreforts des Carpates. « A quel moment commence ma jeunesse, s'interroge-t-il bien plus tard, je ne le sus jamais. Quoique j'eusse des données exactes sur le sentiment que ce changement d'âges mineurs déterminera en moi et que je fusse si accessible à son style coulant et délicieux. Des lueurs myopes seulement, par instants, se creusent dans le passé déjà lointain, avec des mélodies rudimentaires de vers et de reptiles insignifiants embrouillés, elles continuent à nager dans le sommeil des veines[1]. » La mémoire est défaillante et le passé très embrumé. Tzara a déjà fait le tri pour nous. Il reste pourtant quelques photos jaunies retrouvées dans la bibliothèque familiale.

Le jeune Samuel y est toujours très sérieux et bien habillé, comme un gamin de cette bourgeoisie fin de siècle qui raffole des portraits sépia. Au milieu de la campagne roumaine, il prend la pose[2]. Ses parents

---

1. Tristan Tzara, « Faites vos jeux », *Les Feuilles libres* n° 31, mars-avril 1923.
2. Archives Christophe Tzara.

15

Philippe et Emilie font partie de ces quelques privilégiés qui ont réussi dans l'exploitation pétrolière.

Ils ont su habilement profiter de la timide modernisation d'un pays encore très archaïque. Faute de capitaux, l'industrialisation ne fait guère de progrès. L'aventure pétrolière a commencé vers 1870 avec des moyens dérisoires. Très vite, ce sont les Allemands qui ont pris les choses en main. Ils ont l'argent, le savoir-faire et ne dédaignent pas utiliser la main-d'œuvre locale. Philippe Rosenstock est ainsi devenu au fil des années cadre, puis directeur d'une société pétrolière. Mais la fièvre de l'or noir ne doit pas faire illusion. Le reste du pays n'a pas suivi le mouvement. Les classes dirigeantes ultraconservatrices maintiennent la population hors du jeu politique. Le roi Carol a bien du mal à cacher le désastre d'une économie arriérée. Il tente d'imposer son pays dans le concert des nations, au milieu d'une Europe orientale en proie au vertige nationaliste. C'est d'ailleurs grâce à la guerre russo-turque de 1876 que la Roumanie a définitivement acquis son indépendance. Encouragés par les autorités les mouvements nationalistes se développent. Les Rosenstock font partie de cette communauté juive forte de huit cent mille personnes qui devient une cible toute trouvée[1]. Ils sont fréquemment montrés du doigt comme les pires représentants du capitalisme sauvage, des ennemis dangereux pour les masses paysannes et chrétiennes. Le code civil en vigueur conforte cette idée largement répandue que les juifs sont des étrangers, puisqu'il leur interdit de devenir citoyen roumain. L'exemple de la Révolution française ne semble pas inspirer les autorités. Quand les puissances occidentales prennent la défense des juifs rou-

---

1. Pierre Pachet, *Conversation à Jassy*, Paris, Nadeau (1997).

mains, on assiste à une levée de boucliers pour dénoncer un diktat inacceptable ! Les Rosenstock se font donc discrets. D'ailleurs les origines juives du jeune Samuel n'ont à l'évidence pas directement influencé sa formation. Cette filiation n'en a pas moins pesé sur son attitude face à l'antisémitisme et au nationalisme roumains. Samuel sait, par exemple, que son grand-père qui gère une exploitation forestière ne pourra jamais devenir propriétaire. Les juifs n'ont aucun droit sur les terres roumaines[1] !...

Pendant les vacances scolaires, il aime retrouver la maison familiale perdue au fond des bois. Il regarde ce grand-père entouré de son armée de bûcherons. Une photo découverte dans les archives familiales les montre au travail. La vie n'est pas toujours facile pour ces hommes, mais Samuel, lui, ne manque de rien. Il évolue dans un monde de sentiers, de ruisseaux et de soleil, une enfance champêtre et bucolique. Les vacances finies, il retourne à Moinesti ; un autre monde. Sur la grande place ou aux terrasses des guinguettes on rêve de modernisme. Dans ce petit bourg de province bien tranquille, le pétrole et les « saxons » ont entraîné une petite révolution. La ville change et attire les convoitises.

Samuel n'est pas le seul enfant de la famille. Il doit tout partager avec sa sœur, et c'est là sa première angoisse. « Je n'avais qu'une sœur, précise-t-il, et la lime stridente de ma jalousie rongeait l'enfance de mon cœur absurde et turbulent[2]. » La « calamité » n'apparaît jamais sur les photos de l'époque. Samuel savoure ces moments où il est le centre du monde. Impossible de faire des concessions quand on a une

---

1. *Les Juifs en Roumanie*, Paris-Louvain, Peeters (1996).
2. Tristan Tzara, « Faites vos jeux », *op. cit.*

17

haute idée de soi-même. « J'ai devant le cadran de mes yeux la scène où ayant perdu ma balle, je crevai froidement celle de ma sœur. Jamais proie ne fut chargée de tant de lourde désolation ; réduit à l'impuissance par les remontrances que m'attira cette subite méchanceté, aggravée du fait que je la croyais légitime, j'allai dans une remise comblée de distractions et de débris et je gravai avec un clou sur une caisse la date et l'objet de mon désagrément. » Dans ce pavillon familial un peu austère, où la vie semble un rituel immuable, Samuel découvre les premiers tourments de l'enfance... l'ennui des journées trop longues, les bonheurs de la tendresse d'une mère qu'il adore, les signes de la bêtise et de la méchanceté et surtout la peur d'un père qu'il juge trop distant et trop intransigeant. Après l'école primaire de Moinesti, il a droit aux rigueurs de la capitale Bucarest.

Un univers qu'il voit de loin. Comme toutes les familles bourgeoises, ses parents l'ont placé en internat à l'institut privé Schemitz-Tierin, une grande caserne où la seule ouverture sur le monde est sans doute ce cours sur la culture française. Quand il rentre au lycée Saint-Sava, Samuel est déjà un bon élève. C'est là, au milieu de ces couloirs interminables et dans ces salles de classe tristes à mourir qu'il se passionne pour la littérature. Mais il est encore loin d'avoir choisi sa voie. Quand il s'inscrit au certificat de fin d'études au lycée Milhaiu-Viteazul, on le retrouve en section scientifique. Dans son dossier scolaire, ses enseignants notent son ouverture d'esprit et sa curiosité infatigable... Quand il a une autorisation de sortie, Samuel en profite pour découvrir les plaisirs de la capitale.

On imagine bien ce garçon timide et réservé flâner sur la Calea Vitoriei, les Champs-Elysées de Bucarest. Avec distance il observe cette faune élégante et cravatée qui fait la fortune des magasins de luxe et des grands cafés comme le Caspa avec ses faux Louis XV ou le Corso... Curieuse atmosphère où l'argent coule à flots dans un décor de folies parisiennes à deux pas de quartiers lépreux à la chaussée défoncée. « Plutôt qu'une capitale, écrira plus tard Paul Morand, Bucarest est un lieu de rencontre. C'est une place publique où l'on vient régler ses affaires, protester ou quémander, frapper à la porte, hier du prince, aujourd'hui de l'Etat. On y vide sa bourse et on s'y emplit des idées et des mœurs de l'Occident[1]. » Il en va ainsi pour le jeune Samuel pris dans le tourbillon de Bucarest.

Sur ses années de formation, le futur Tzara se fera le plus discret possible. A tel point que Claude Sernet, qui se charge après sa mort de publier et de présenter ses premiers poèmes, écrira : « C'est à croire que le trouble-fête, le féroce trouble-conscience qui se démenait sur la place publique eût l'ascendant privilégié d'un mystérieux personnage sans passé[2]. » En cherchant bien, on retrouve pourtant la trace de Samuel Rosenstock dans quelques publications. Ce sont ces premiers textes que le futur Tzara reniera par la suite...

1. Paul Morand, *Bucarest*, Paris, Plon (1965).
2. Tristan Tzara, *Premiers poèmes*, trad. Claude Sernet, Paris, Seghers (1965).

Samyro

Lorsque Samuel va commencer à écrire, la littérature roumaine est sous l'emprise du symbolisme, mouvement importé de France par l'écrivain Alexandre Macedonski. Dès 1892, ce dernier a violemment attaqué la tradition romantique et a présenté, dans la revue *Literatorul*, les principaux écrivains français et belges du moment, de Baudelaire à Joseph Péladan, de Mallarmé à Maeterlinck. Dans ses articles, il rend compte du manifeste de Jean Moréas et de l'instrumentalisme de René Ghil. Le prestige de Macedonski est alors très grand. Emporté par la fièvre symboliste, il a créé son propre cénacle fin de siècle pour cultiver un certain dandysme avec quelques disciples triés sur le volet. Avec ses copains de lycée, Samuel se rêve en ange noir du symbolisme triomphant[1]. Cultivant son « snobisme de la mélancolie » il se réfugie dans cet univers de légendes, de donjons moyenâgeux ou de palais orientaux. Tout de noir vêtu, il marque sa différence en organisant son petit groupe à l'intérieur même du lycée. Mais Samuel, comme le futur Tzara, a l'esprit pratique. Pas question de s'en tenir à des réunions de chambrée qui ne débouchent sur rien. Il faut créer une revue. Avec son copain Marcel

---

1. OV.S Crohmalniceanu, « Tristan Tzara en Roumanie », *Revue roumaine* n° 221, année 1967.

Janco, qui a la chance d'avoir des parents plutôt aisés, il imagine *Simbolul*. Pour cela, il prend contact avec tous les représentants de la nouvelle poésie roumaine. Même Macedonski donne son accord, et dès 1912 le numéro 1 de la revue paraît. Janco finance, le professeur de dessin Iser a donné quelques conseils de dernière minute et Samuel, sous le pseudonyme de Samyro, assure à lui seul toute la rédaction.

A 16 ans, Samyro vient de gagner son premier pari en distribuant *Simbolul* sous le préau du lycée. On y trouve des traductions d'Albert Samain et d'Henri de Régnier, pas toujours du meilleur goût, mais qu'importe... « Sur la rivière de la vie » est bien le premier poème publié par Tzara. Très inspiré du « passeur » de Verhaeren avec ce goût prononcé pour les allégories et autres incantations. Comme l'explique Serge Fauchereau qui est, avec Sernet, l'un des premiers à avoir retrouvé ces textes, « il ne faut pas accorder trop d'importance à ces imitations, elles ne sont que les premiers tâtonnements d'une sensibilité qui n'a pas encore trouvé son expression [1] ». D'ailleurs, le jeune garçon qui signe Samyro mûrit très vite et peu après répudie ses premiers textes.

---

1. Serge Fauchereau, « Tristan Tzara et l'avant-garde roumaine », *Critique* n° 300, mai 1972. — Entretien avec Serge Fauchereau (2002).

Naissance de Tzara

En 1913, se produit un changement radical. Samuel en a conscience et pour marquer la rupture avec les premiers essais littéraires de *Simbolul*, il cherche un nouveau pseudonyme. Il songe d'abord à Tristan Ruia, comme l'attestent les manuscrits de l'époque, puis signe quelque temps Tristan, avant d'opter définitivement en 1915 pour Tristan Tzara. Le prénom Tristan, non usité en roumain, a du prestige auprès des symbolistes, à cause de l'opéra de Wagner ; le nom de Tzara correspond au mot roumain terre (ou pays) mais écrit en orthographe occidentalisée.

En fait, le jeune Tzara, dès 1913, semble s'affirmer en écrivant des textes plus audacieux, voire plus insolents. C'en est fini de la sagesse et de l'imitation. Certains de ses poèmes reproduits bien plus tard ne jureront pas avec les brûlots dadaïstes. Avec un côté certes encore très potache, le Tzara nouveau ne déteste pas choquer le bourgeois... Il se moque de la famille et propose de passer les vacances tout nu sur la colline « pour scandaliser le prêtre et amuser les filles ». Dans *Les Faubourgs* il évoque « l'Ouragan dévastateur de la folie » et dans *Doute* insiste sur le rôle du hasard et du rêve dans la création poétique : « J'ai sorti mon vieux rêve de sa boîte, comme tu prends un chapeau (...) le sommeil est un jardin entouré de doutes. On ne distingue pas la vérité du mensonge. »

Les poèmes qu'il écrit dorénavant, Tzara les reconnaîtra plus tard comme siens puisqu'il acceptera de les voir repris dans *Primele Pœme* de 1934, alors qu'il écartera les poèmes de *Simbolul*. A Sasa Pana, responsable de cette édition, il écrira : « Je ne vois pas la nécessité de voir figurer dans ce recueil les poèmes parus dans *Le Symbole*, non parce que symbolistes comme vous dites, mais — autant que je puisse m'en rappeler — parce que franchement dépourvus d'intérêt. J'avais moins de seize ans quand je les avais écrits. Il y aura toujours assez de croque-morts, quand je serai crevé, pour déterrer les épluchures et les scories, mais de là à m'associer dès maintenant à cette sorte de plaisir de mauvais goût... Ce serait une erreur de notre part de donner à notre plaquette un autre sens que celui d'une signification d'ordre poétique[1]. »

---

1. Correspondance Tristan Tzara-Sasa Pana. Cité par Serge Fauchereau, *op. cit.*

Des êtres au soleil

A cette époque, Tzara subit l'influence de son ami proche, Ion Vinea, avec qui il a partagé toute l'aventure de *Symbolul*[1]. Après avoir débuté par des vers symbolistes où l'on retrouve les traces de Samin, Vinea sacrifie tout pour une poésie follement osée pour l'époque dans laquelle les couleurs stridentes se proposent d'initier les esprits obtus. Le poème intitulé « Un bâillement au crépuscule » en fournit le meilleur exemple. Il est destiné à provoquer l'indignation en mêlant des notations très crues, des associations mentales et des automatismes verbaux... Il semble bien révolu le temps des savantes compositions poétiques... « Dans ton corps j'ai planté, ma très chère, la fleur qui éparpillera sur le cou sur les joues sur les mains des pétales et fera bourgeonner demain tes seins — le printemps[2]. » Dans d'autres textes, les images s'accordent la plus entière liberté. On imagine bien les deux copains se lancer dans des exercices poétiques incendiaires. Ils passent leurs vacances ensemble et échangent leurs projets. C'est à Girceni, le village évoqué par Vinea dans « Un bâillement au crépuscule » que Tzara écrit « Viens avec moi à la campagne ». Quelques vers y rappel-

---

1. Revue *Aldebaran*. Association des amis de Tzara, Bucarest, 1996.
2. Tristan Tzara, *Premiers poèmes, op. cit.*

lent les occupations auxquelles ils consacraient le plus clair de leur temps : Tzara note : « Sous les noyers, où passe le vent lourd comme un jardin de tempêtes/, Nous jouerons aux échecs/Tels deux vieux pharmaciens. »

Vinea confirme le renseignement en y ajoutant des précisions supplémentaires... « Il faisait chaud, des sofas profonds, du café sur la table. Tristan Tzara, tandis que tu prêtais l'oreille à l'événement/le garde forestier sifflait son chien/et les cerfs le museau plongé dans les eaux du lac, y buvaient des étoiles/ Mais j'écris ces vers/en souvenir des heures consacrées aux échecs dans la forêt où j'ai lu Nietzsche[1]. »

Tzara garde en mémoire ces vacances comme des parenthèses ensoleillées. Il écrira plus tard : « C'est assez curieux que les êtres aient tracé dans ma tête de plus clairs dessins que les autres saisons, et en appelant mon enfance, je ne vois que ce qui se passe sous les auspices du soleil[2]. »

Ce sont aussi les premiers émois, la découverte du désir et de la sensualité à l'ombre des parents... « Quel est le garçon qui n'a pas senti des courants suspects ondoyer dans sa sensualité quand, pleurant, sa mère lui serrait la figure contre son sein, et prolongé cette sensation pour se venger de la dureté du père ? Le frôlement de la chaleur des jupes soulève en lui d'obscures insinuations qui se dévoilent pendant l'adolescence en soupçons incestueux. L'attraction est intense et d'ailleurs réciproque. »

Les deux garçons regardent les filles, tombent amoureux sans jamais oser l'avouer. C'est l'époque

---

1. Cité par OV.S Crohmalniceanu, *op. cit.*
2. Tristan Tzara, « Faites vos jeux », *op. cit.*

d'un certain désordre sentimental avec ces amitiés particulières dans l'ombre des dortoirs et des salles de classe. Tzara avouera plus tard... « Les eaux se brouillèrent plusieurs fois à l'âge où séparé des miens, j'avais besoin d'éprouver la fragilité et la tendresse des corps subtiles. Mon meilleur ami de Collège ne fut pas le plus intelligent, mais celui qui avait le plus beau teint, la plus agréable voix, les plus fraîches mains. D'un pas lent, le garçon dont la sensibilité s'habillait volontiers en jeune folle, prenait de doux élans pour consolider son cœur bruissant, broutait la chaleur humaine, en tâtant, en cherchant les pôles magnétiques et subtiles d'une ténébreuse affection[1]. »

1. Tristan Tzara, « Faites vos jeux », *op. cit.*

Le *Club des pendus*

1913 est une année bien agitée pour nos jeunes gens qui continuent leurs expériences. Toujours avec son ami Vinea, Tzara publie dans des revues poétiques comme *Noua Revista Romana* ou *Chemanera*. Janco n'est jamais très loin. Lui dessine et les autres écrivent des textes. On corrige, on déplace les vers et on discute des nuits entières de Laforgue ou de Walt Whitman. Une photographie de 1914 nous montre un Tzara sérieux, appliqué : costume croisé, cravate, manchette et lorgnon[1] ; c'est le petit jeune homme « gentil, mais pas très amusant comme un cousin de province en visite » que Gertrude Stein, dix ans plus tard, verra arriver chez elle, du côté de Montparnasse. Enfin, on se passionne pour Rimbaud. On se repasse les livres et on s'en inspire... C'est d'ailleurs à Rimbaud que Tzara emprunte le titre de l'un de ses poèmes « Les Sœurs de charité ». Tirant les leçons des *Illuminations*, son écriture est presque automatique, et les trouvailles se multiplient au fil de la plume. Parfois, pour se détendre, Tzara écrit quelques chansons, façon ballade pseudo-populaire, composées en quatrains aux vers brefs vaguement mesurés. On retrouvera tout au long de son œuvre ce penchant pour la chanson humoristique et mélancolique. Le symbolisme est bien loin

---

1. Archives Christophe Tzara.

et Tzara préfère d'autres sources d'inspiration comme le poète allemand Christian Morgenstern dont les *Galgenlieder* (Chants du gibet) ont rapidement connu le succès ; des chansons grotesques ou sinistres que Morgenstern avait composées pour son petit cercle d'amis qui formaient le « Club des pendus ». Or, dans les poèmes-ballades de Tzara, on retrouve fréquemment le thème des pendus et du suicide[1].

Il est probable que Tzara ait également subi l'influence d'un personnage singulier : Urmuz[2]. Derrière ce pseudonyme, il y a Demetru Demetrescu Buzau, un petit-bourgeois plutôt conformiste, greffier à la cour de cassation de Bucarest. C'est pourtant cette figure peu exaltante que les futurs surréalistes roumains revendiqueront en chef de file car, explique Eugène Ionesco, il créa « peut-être dès 1907 ou 1908, date à laquelle il composait les premières "pages bizarres", un véritable langage surréaliste ». En fait, les histoires d'Urmuz circulaient dans les milieux littéraires de Bucarest.

Le scandale et les succès mondains n'intéressent pas Urmuz qui veut laisser l'image d'un bon magistrat, d'un bon fils et d'un bon célibataire... Et pourtant son œuvre, plutôt mince, une soixantaine de pages, représente une subversion délibérée de la littérature du début du siècle. Mais l'humour noir et l'absurde ne forment pas l'essentiel de ses récits torturés. Comme le suggère Ionesco l'agencement de l'ensemble permet plutôt de voir en Urmuz « une sorte de Kafka plus mécanique et plus grotesque ». Et Ionesco, son grand admirateur, de conclure : « En

---

1. Serge Fauchereau, « Tristan Tzara et l'avant-garde roumaine », *op. cit.*

2. Eugène Ionesco, « Les Précurseurs roumains du surréalisme », *Les Lettres nouvelles*, janvier-février 1965.

tout cas Urmuz est bien un des précurseurs de la révolte littéraire universelle, un des prophètes de la dislocation des formes sociales de pensée et de langage de ce monde, qui aujourd'hui sous nos yeux se désagrège, absurde comme les héros de notre auteur. »

Tzara et Vinea retiennent la leçon de ce grand indésirable qui finira suicidé dans un jardin public comme Vaché ou Cravan auxquels il fait irrésistiblement penser.

Hugo Bacher semble aussi avoir marqué le jeune Tzara. Homme à tout faire, mi-journaliste, mi-aventurier, Bacher est un provocateur professionnel. Il passe pour l'inventeur de la tasse à café ayant l'anse à gauche ainsi que des pantoufles à répétition qui font clap, clap... Bacher aime s'entourer de jeunes gens avides de sensations fortes pour réaliser quelques « happenings ». Tzara relativise toujours la portée de ce genre de loufoquerie mais en tire la leçon que le scandale n'est jamais inutile pour faire avancer les idées. Le jeune homme apprend beaucoup au contact de cette petite avant-garde roumaine. Influençable comme on peut l'être à 20 ans, il ne sait pas toujours faire le tri.

Hugo Ball et Fritz Glauser, qui le croiseront un peu plus tard à Zurich, confirment qu'il accablait souvent ses auditeurs par une avalanche de noms illustres ou inconnus qu'il brandissait toujours comme des références essentielles ou des exemples à suivre.

Une autre vie ?

Toutes ces activités ne l'ont pas empêché de mener à bien ses études. En septembre 1914, il reçoit son certificat de fin d'études établi par le lycée Milhaiu-Viteazul, section sciences. Tzara décide alors de s'inscrire à l'université de Bucarest pour y suivre des cours de mathématiques et de philosophie. Mais ses projets sont ailleurs. Il étouffe dans cette atmosphère un peu provinciale. Avec Janco qui est inscrit à l'Ecole polytechnique, ils rêvent de voyages... Mais comment faire dans une Europe en guerre. Et puis, il y a cette famille qui, en se voulant protectrice, a fini par se rendre détestable. Un étrange sentiment de platitude, de médiocrité l'emporte bien souvent. Il est toujours dur d'accepter cette vie réglée, sans fantaisie. Le jeune garçon connaît bien ce vertige de l'ennui. Il écrira plus tard : « Mes années exagérément déprimées me barraient la route. Leur volume était insuffisant pour contenir les vibrations et la chaleur dont je me sentais capable[1]. » Dans cette atmosphère confinée d'une famille bien tranquille, comment expliquer cette envie de révolte et de grand air ? « Jamais, écrit-il, je n'aurais osé parler à quelqu'un de mes passions séditieuses. La brume douloureusement comprimée dans la première force qui

---

1. Tristan Tzara, « Faites vos jeux », *op. cit.*

30

m'attacha à la vie fit que je les assimile à une analo-
gie de tristesse. Je me rappelle avec quelle insistance
l'idée de suicide m'affectait — une chanson parasite
d'arrière-boutique qui nous régit par sa répétition
automatique, mais qui un jour brûle les ailes à une
chandelle et meurt[1]. » Pas de suicide, mais une
longue migraine qui fait languir ce jeune homme
trop pressé.

Il faut beaucoup de courage pour oser franchir le
pas et annoncer à ses parents aveuglés par leur petite
vie que l'existence est bien ailleurs. Tzara racontera
ses derniers moments à Moinesti : « Lambeaux de
muscles, doublures déchirées saupoudrées d'odeurs
vieillottes, impuissance et indignité, sang douteux et
compromis ; ainsi paraissent aux yeux du monde les
revirements de l'ordre social, quand un de ses
enfants, après avoir annulé sa vie, cherche avec des
dépenses d'inquiétude et de volonté que la famille
juge inutiles, une autre conscience que celle qui fut
mise gratuitement à sa disposition. Je passe sous
silence un chapitre douloureux d'injures, de terreur,
de malédiction, de fureur, d'intrigues, d'outrages,
d'horreur, de haine. Car au dernier moment, avant
le départ, mon père sentit l'infranchissable barrière
couper le lien de nos deux vies, et devant cette rupture qu'il savait définitive, il pleura. J'étais mort
pour lui, crispant des mains acides dans sa gorge,
j'emportais une vie amère qui ne lui appartenait
plus, pour alimenter un long voyage si amèrement
mendié aux bizarres calembours du sort. L'inconnu
aurifère éblouissait déjà l'incandescence d'un rêve
écervelé[2]. »

Lui aussi, Tzara, avec sa valise a sans doute pleuré

---

1. Tristan Tzara, « Faites vos jeux », *op. cit.*
2. *Ibid.*

31

sur le chemin qui le mène à Bucarest. Seul, il n'aurait pas osé, mais poussé par son copain Janco qui a déjà claqué la porte pour tenter sa chance à Zurich, Tzara se lance dans l'inconnu.

Un refuge zurichois

Sur le quai de la grande gare de Bucarest, Tzara a vraiment l'allure d'un cousin de province en transit. Il semble perdu et tout se bouscule dans sa tête : ses parents encore et toujours, le rêve d'un Paris inaccessible, et cette envie de rejoindre la Suisse, comme une oasis de liberté au milieu d'une Europe en flammes.

Nous sommes à l'automne 1915. Dans sa valise, il a un peu d'argent pour s'installer, des livres et une poignée de poèmes. Le voyage est long et fatigant, mais Janco l'attend à l'arrivée. Bien sûr, il y a les promesses d'une grande ville pour apaiser son inquiétude. L'euphorie de la découverte est de courte durée.

Passé la première impression de fraîcheur et de diversité, l'angoisse reprend le dessus... « L'ennui m'envahit, écrit-il, avec des mélanges douloureux de mélancolie. Les sensations de bien-être devinrent rares et tous les plaisirs étaient catalogués : les excursions, les cafés, les amis[1]. » Tzara veut tout plaquer à nouveau mais Janco essaie de le retenir. « Ce fut d'abord le désir de ne pas être seul à s'ennuyer qui fit que mon ami insista avec une force de séduction et d'artifice singulière pour que je restasse. Il fit jouer devant moi, dans un cadre de faits char-

---

1. Tristan Tzara, « Faites vos jeux », *op. cit.*

nels, les avantages d'une vie intellectuelle, qui, au point de détresse où je me trouvais, me semblait encore une occupation honorable. » Janco est déjà bien installé, et il ne manque pas de présenter à Tzara ses nouveaux copains croisés dans les cafés et les boîtes de nuit. Avec les premiers rayons de soleil du printemps qui arrive, Tzara se laisse aller : « Plusieurs réunions de camarades qui n'avaient rien que leur gaîté à m'offrir, accommodées de nos soifs communes de légère dissolution mentale, au plaisir confus de donner l'alarme à nos émotions subites, trouvaient dans l'alcool l'équivalent inoffensif des stupéfiants naïvement redoutés. Mais le soleil s'ajustait au lendemain en chaîne et faisait vite s'arrêter la fermentation du dégoût. »

Comment résister à cette atmosphère délirante qui secoue les vieilles habitudes de la cité alémanique ? Traditionnellement vouée à la banque, la ville est devenue, au fil des mois, le rendez-vous d'une jeunesse qui refuse la guerre. C'est une plaque tournante de toutes les rébellions et un véritable eldorado pour tous ceux qui n'ont pas l'intention de mourir sur les champs de bataille. Dans les halls d'hôtel, aux terrasses des grands cafés du centre-ville, on parle de paix et de révolution, on refait le monde sur les débris de l'ordre ancien, dans les brumes les plus alcoolisées. Zurich est une fête permanente.

La police helvétique surveille attentivement ce petit peuple de déserteurs et de comploteurs. Comme beaucoup d'autres, Tzara est ainsi arrêté en septembre 1919, à la terrasse du café Splendid. Emmené au commissariat, il doit s'expliquer sur les raisons exactes de son séjour et sur ses fréquentations. Les interrogatoires donnent lieu à plusieurs rapports de police qui nous permettent de suivre le jeune homme presque à la trace[1]. En arrivant, il s'est inscrit dans une école privée, mais rapidement il choisit l'université pour y faire des études de philosophie. Après plusieurs pensions de famille, il prend une chambre à l'hôtel Sechef où il établit une déclaration de séjour le 20 novembre 1916. Il ne donne aucune précision sur ses moyens de subsistance, on peut penser qu'il dilapide ses petites économies. Il fait surtout un réel effort, qu'il racontera par la suite, pour s'intégrer, non sans difficulté... « J'ai fait de fréquentes concessions à ma pudeur et donné des preuves empressées d'indulgence en acceptant des réjouissances ornementales et des rapports avec ces jeunes gens heureux et satisfaits. Mais malgré mon désir d'assimilation, je restai un étranger pour eux. A force de vivre isolé, quoique entouré du bruit vide, mais frais, essayant de prendre part à leurs farces et cérémonies de camaraderie, je devins peu à peu un étranger pour moi-même[2]. »

Tzara, qui se considère toujours comme un paria, n'a d'autre solution que de se perdre lui-même pour aller au contact des autres.

Jusque dans les soirées les plus arrosées, Tzara fait souvent triste figure. Habillé de noir, le regard sombre, il semble rappeler à tous ces naïfs que la vie n'a rien de drôle. Il avoue : « J'étais méfiant, incrédule, obscur, soupçonneux, taciturne. »

Il cultive d'emblée un refus du monde qui le place naturellement du côté des dandys. Loin de tout, égaré au milieu de l'agitation zurichoise, il échafaude déjà, tout seul, ses machines de guerre contre la vulgarité qui l'entoure. « C'est ainsi que naquit

---

1. Marc Dachy, *Tristan Tzara dompteur des acrobates Dada*, Zurich, Paris, L'Echoppe (1992).
2. Tristan Tzara, « Faites vos jeux », *op. cit.*

mon dégoût, explique-t-il, sans haine et sans système de perfectionnement sociaux, il s'était enraciné en moi, renforcé par les refoulements de mon enfance, il s'adapta à ma vie qu'il accompagnait parallèlement et devint un élément poétique de révolte latente et sans appel. Je tenais à mon dégoût avec une secrète jalousie comme à une acquisition précieuse et passionnée, consacrée par une douleur dont je me croyais le seul dépositaire[1]. »

Tzara est bien un nihiliste sans calcul qui a largué les amarres vers des rivages dont il ne sait rien. Individualiste forcené, il sait qu'il ne peut compter que sur lui-même. Tzara en étonne plus d'un quand il explique tranquillement qu'il veut tout détruire. Richard Huelsenbeck qu'il croise dans les cafés zurichois se souvient... « C'était une espèce de barbare auto-stylé qui voulait pourfendre et brûler les choses que nous avions désignées, les buts et les objets qu'il s'avérait nécessaire d'anéantir — toute une série de valeurs artistiques et culturelles qui avaient perdu substance et sens. » Tzara a d'abord un compte à régler avec lui-même. Faire table rase du passé signifie rompre définitivement avec cette vie provinciale déjà si lointaine. Rien ne le retient. Et Huelsenbeck de constater qu'aucune forme d'humanisme ne semble calmer ses ardeurs destructrices... « Il n'eut jamais à souffrir que si la culture devait être détruite en même temps, quelque chose d'irremplaçable, de précieux, de mystérieux, pourrait très bien ne jamais ressurgir des ruines. Dans ses sentiments sans inhibition (à juste titre) contre la culture, il ne ressentit jamais la nécessité de s'incliner avec son flambeau devant le problème ontologique de base de l'homme et de la société. Originaire des Balkans, il ne pouvait

---

1. *Ibid.*

ressentir une telle nécessité ; il vivait et chevauchait la vie comme le chef d'une armée invisible de Lombards indifférents aux bonnes choses qui auraient pu être jetées avec l'eau du bain » [1].

De temps à autre, au cours de ses virées nocturnes, il repère, sans illusion, des incendiaires sans foi ni loi qui lui ressemblent. « Parmi les personnes que je connaissais, explique-t-il, j'ai vite fait une sélection conforme à mes intérêts plus spécialisés. Ma sympathie se dirigeait vers ces imprudents pour qui les réalisations artistiques n'étaient qu'une tentative de s'échapper, un gage insuffisant, un emprunt d'impossible auquel on souscrit, par faiblesse et par commodité, avec la pointe du cœur dédaignée, sans se soucier du prix et de l'insomnie ultérieure que le geste coûte. » Hugo Ball fait bien partie de ces aventuriers dont l'action fascine le jeune Tzara. Le côté austère du personnage a de quoi séduire. Ball n'a rien d'un plaisantin. C'est un agitateur hors pair. D'origine allemande, il a été marqué par l'expressionnisme et le catholicisme social ; au début de la guerre, il déserte et passe en Suisse. On le retrouve donc à Zurich où il se présente volontiers comme un révolutionnaire professionnel qui n'a pas l'intention de transiger avec l'ordre ancien. Disciple de Bakourine, il a déjà eu quelques problèmes avec la police allemande pour incitations à l'émeute... Mais contrairement à beaucoup d'autres, il ne se contente pas de beaux discours. Il souhaite créer un lieu ouvert à toutes les dissidences. Il imagine un cabaret pour se retrouver, débattre et danser. Avec sa femme, la danseuse Hemmy Hennings, il trouve un local, une ancienne auberge. L'endroit n'est pas mer-

---

1. Richard Huelsenbeck, *Memoirs of a Date Drummer*, New York, The Viking Press (1947). Traduction Marc Dachy.

veilleux, mais qu'importe, il y a quand même une petite scène, un bar, et pour la décoration on fera appel aux bonnes volontés. Ce nouveau cabaret, il le nomme non par ironie, mais par déférence envers une gloire consacrée : « Cabaret Voltaire ». « Lorsque je fondai le Cabaret, raconte Ball, j'étais convaincu qu'il y aurait en Suisse quelques jeunes gens qui voudraient, comme moi, non seulement jouir de leur indépendance, mais aussi la prouver[1]. » Parmi ceux-là, ilpeut compter sur Marcel Janco.

1. Hugo Ball, *La Fuite hors du temps*, Lucerne, Stocker (1946).

Coup de folie au Cabaret

Les temps sont durs pour nos jeunes gens sans ressources. Pour survivre, Marcel Janco chante dans les cafés et les boîtes de nuit de Zurich. Il donne dans la chanson populaire française ou roumaine avec son frère qui l'accompagne. Un soir, il croise Hugo Ball. « J'ai connu la figure fantastique du directeur Ball, raconte-t-il, un très long personnage, très asymétrique, aussi instruit comme poète que comme penseur [1]. »

Son projet de créer un cabaret littéraire le séduit tout de suite et comme Janco est avant tout peintre, il se propose de décorer la vieille auberge... Emballé par le projet, il en parle immédiatement à Tzara.

Il n'a pas besoin de faire un long discours pour convaincre son copain un peu désœuvré. Dans leur chambre d'hôtel, ils imaginent déjà les premières soirées et en parlent autour d'eux. Un jeune Alsacien réfractaire, Hans Arp, croisé dans une fête les suit. Il est peintre, sculpteur et poète à ses heures et se lance sans réfléchir dans l'aventure du Cabaret. Le 2 février 1916, après quelques nuits blanches, toute l'équipe rédige un premier communiqué destiné à la presse. Fièrement, il annonce la création d'un « Centre de divertissement artistique ». L'invitation

---

1. Cité par Marc Dachy, *Journal du mouvement Dada*, Paris, Skira (1989).

s'adresse à tout le monde et refuse délibérément les petites mondanités de l'avant-garde...

Rendez-vous au Meierei, Spiegelstrasse, pour des soirées quotidiennes. Ball mène la danse en imposant l'éclectisme pour les programmes et ce côté totalement spontané dans l'organisation des fêtes. Tzara suit et prend beaucoup de notes qu'il publiera par la suite. Quand il raconte la première nuit du Cabaret, tout est un peu décousu, comme une joyeuse pagaille... « 1916 — février. Dans la plus obscure rue sous l'ombre des côtés architecturaux, où l'on trouve des détectives discrets parmi les lanternes rouges — Naissance — naissance du Cabaret Voltaire [1]. »

Sur les murs l'art nouveau, le futurisme et l'abstraction se mêlent, et sur scène c'est de la folie pure... « Chaque soir, poursuit Tzara, on chante, on récite — le peuple — l'art nouveau le plus grand au peuple — (...) balalaïka, soirée russe, soirée française — des personnages édition unique apparaissent récitent ou se suicident, va et vient, la joie du peuple, cris ; le mélange cosmopolite de dire et de BORDEL, le cristal et la plus grosse femme "sous les ponts de Paris". » Très rapidement, on se bouscule pour participer à une telle nouba. Il faut refuser du monde à la porte, gérer un public ivre de bonheur d'être là, en vie, au milieu d'un monde en perdition. A l'aube, il faut aussi calmer le jeu, car la police helvétique n'est jamais loin.

Tout le monde s'y met. Un soir c'est Janco qui s'occupe du bar pendant que Tzara règle les derniers préparatifs du « spectacle ». On improvise en permanence et on boit beaucoup jusqu'aux premières

---

1. Tristan Tzara, « Chroniqueur zurichois », *Œuvres complètes*, tome I, Paris, Flammarion.

lueurs du jour. Sur la piste de danse c'est bientôt l'hystérie collective, rythmée par des percussions africaines. Bien plus tard, en 1948, Hans Arp remercie son copain Janco d'avoir fixé à jamais sur un tableau ces moments de bonheur : « En cachette, écrit-il, dans sa petite chambre, Janco se dévouait à un naturalisme en zigzag. Je lui pardonne ce vice secret car il a évoqué et fixé Le Cabaret sur la toile de l'un de ses tableaux. Dans un local bariolé et surpeuplé se tiennent sur une estrade quelques personnages fantastiques qui sont censés représenter Tzara, Janco, Ball, Huelsenbeck, Madame Hennings et votre serviteur. Nous sommes en train de mener un grand sabbat. Les gens autour de nous crient, rient et gesticulent[1]. »

Dans son Journal, Hugo Ball raconte presque au jour le jour la folie ambiante : 26 février : « Une ivresse indéfinissable s'est emparée de tout le monde. Le petit cabaret risque d'éclater et de devenir le terrain de jeu d'émotions folles. » Le 2 mars : « Nous sommes tellement pris de vitesse par les attentes du public que toutes nos forces créatives et intellectuelles sont mobilisées. » Le 14 mars : « Aussi longtemps que toute la ville ne sera pas soulevée par le ravissement, Le Cabaret n'aura pas atteint son but »[2]. « C'était la légende de la liberté, explique Greil Marcus dans son *Histoire secrète du* XXe *siècle* publiée en 1989, Dada c'était l'idée que dans un décor construit au milieu d'un espace temporairement clos — en l'occurrence une boîte de

---

1. Cité par Marc Dachy, *Journal du mouvement Dada*, op. cit.
2. Hugo Ball, *Die Flucht aus der Zeit*, Munich, Duncker et Humblot (1927).

nuit — tout pouvait être nié. C'était l'idée que là, tout pouvait arriver, ce qui signifiait en fin de compte que dans le monde entier, transposé artistiquement, tout pouvait arriver aussi[1]. »

On oublie trop souvent de le dire, mais toute l'aventure dada a commencé par une fête, avec une formidable envie de danser, de hurler, et de ne plus dormir. Combien de fois nos jeunes gens finiront épuisés, mais grisés sur la scène du Cabaret. Et comme un tel tapage ne peut jamais s'arrêter, ils terminent souvent en petit comité dans la chambre de l'un d'entre eux. Avec ce besoin incroyable de liberté et de plaisir, ils découvrent aussi l'amour. On trouve en effet beaucoup de jolies filles au Cabaret car l'école du chorégraphe Rudolf von Laban est toute proche et les danseuses, après les cours, ne manquent aucune soirée. L'une tombe sous le charme de Tzara. Elle s'appelle Maya Chrusecz. Le jeune homme est encore très timide et semble dépassé par les événements, mais cela plaît beaucoup. Un copain d'Hugo Ball, Emil Szittya, le confirme : « Sa maladresse même contribuait à créer une ambiance extraordinaire. Il avait beaucoup de succès auprès des femmes[2]... »

Aragon, pour son projet d'histoire littéraire destiné au collectionneur mécène Jacques Doucet, a mené l'enquête sur les années zurichoises de Tzara. L'ensemble est rédigé en 1923 et confirme l'atmosphère particulièrement libre du Cabaret... « On racolait pour attirer le client, toutes les femmes de la ville. Il y avait des danses, des scènes de Tabarin, des farces d'atelier auxquelles la hâblerie de Janco

---

1. Greil Marcus, *Lipstick traces. Une histoire secrète du* XXᵉ *siècle*, Paris, Allia (1998).
2. Cité par Marc Dachy, *Tristan Tzara dompteur des acrobates*, *op. cit.*

prêtait une grande envergure : on y voyait un singulier et stupéfiant Tzara payant de sa personne et les premiers dadaïstes partageant leur temps entre la danse et l'excitation à la débauche, le permanganate de potasse d'autre part [1]. »

On sent bien chez Aragon comme un regret d'avoir raté une telle fête... Il ajoute un peu plus loin... « Au fond, je crois que nous regrettions un peu cette belle atmosphère de bordel d'où Tzara dominant un orchestre insensé eût lancé au bruit des klaxons cet évangile noir qu'il attendait comme nous. » Mais Aragon fait aussi allusion aux moments plus difficiles... Les angoisses du jeune homme « qui le courbent pendant une journée », ses maux de tête, la chambre d'hôtel qu'il trouve horrible, les journées perdues à traîner n'importe comment, et les parties d'échecs aux terrasses des grands cafés.

Mais la grande cité semble lui faire du bien. Il note : « La circulation et le bruit des grandes villes sont devenus un complément indispensable à mes défauts nerveux. Mes yeux ont besoin de cette distraction impersonnelle, mes jambes, mes bras, mon cerveau, ne fonctionnent que s'il y a autour d'eux un mouvement similaire. De ce stimulant, en apparence cérébral, sont parties chez moi les plus hardies initiatives [2]. »

« Nous voulons rendre les hommes meilleurs, écrit Tzara en 1917, qu'ils comprennent que la seule fraternité est dans un moment d'intensité où le beau est la vie concentrée sur la hauteur d'un fil de fer montant vers l'éclat, tremblement bleu lié à la terre

---

1. Louis Aragon, *Projet d'histoire littéraire contemporaine*, 1923, Paris, Mercure de France (1994).
2. Cité par Georges Hugnet, *Dictionnaire du Dadaïsme*, Paris, Jean-Claude Simoën (1976).

par nos regards aimants qui couvrent de neige le pic [1]. » Ces mots sont écrits dans l'emballement de la jeunesse. Une excitation qui transparaît bien à travers les quelques photos prises à l'époque. Ce sont souvent des mises en scène où l'on retrouve les habitués du Cabaret. On est assez drôles, pas loin du chahut estudiantin, et Tzara est souvent adulé par ses amis. Il est vrai qu'il joue un rôle essentiel dans cette activité créatrice qui mobilise ces jeunes gens en colère.

---

1. Tristan Tzara, « Faites vos jeux », *op. cit.*

Naissance de Dada

Si le Cabaret donne l'impression d'un grand cafouillage franchement sympathique, le mouvement, qui semble se dessiner, part d'une protestation radicale. Ces jeunes garçons hurlent leur défiance vis-à-vis de l'art et des complaisances qu'il charrie. De façon confuse, ils refusent de créer une nouvelle école d'art moderne. Au Cabaret, c'est le grand lâchage. « Ceux qui appartiennent à nous gardent leur liberté, précise Tzara, nous ne reconnaissons aucune théorie. Nous en avons assez des académies cubistes et futuristes : laboratoires d'idées formelles (...). Que chaque homme crie, il y a un grand travail destructif, négatif, à accomplir. Balayer, nettoyer [1]. »

Hans Arp va encore plus loin en précisant qu'au milieu des « abattoirs de la guerre mondiale, nous cherchions un art élémentaire qui devait sauver les hommes de la folie furieuse de ces temps ».

Dans ce travail de dynamitage, on trouve quelques fanatiques comme Johanes Baader. Avec ses allures de moine-soldat, il est sans cesse au combat. Prédicateur de rue, illuminé et sans scrupules. Il se précipite au Cabaret pour y manier l'art de la provocation et du scandale... Candidat aux élections, président de la Société Anonyme du

---

1. Tristan Tzara, « Manifeste Dada 1918 », *Œuvres complètes*, tome I.

45

Christ, Baader distribue ses communiqués aux salles de rédaction. Tzara regarde avec une certaine fascination ce tumulte orchestré de main de maître. Il saura retenir la leçon.

Richard Huelsenbeck est un autre militant de l'avant-garde. Il a fui l'Allemagne et entre en contact avec ce groupe où couve la révolte contre toute forme de conformisme. Dans son Journal, Ball note que ce nouvel arrivant aimerait tambouriner jusqu'à ce que la littérature disparaisse sous terre. Tzara note le 26 février : « Arrivée Huelsenbeck, pan ! pan ! pa ta pan ! Sans opposition au parfum initial — Grande soirée — poème simultané trois langues, protestations, bruit, musique nègre[1]. »

Huelsenbeck fait du bruit et accélère le rythme. Dans l'euphorie, on invente des poèmes abstraits, de la poésie avec des mots inconnus. Dans la salle bondée, Ball est engoncé dans un costume cubiste, tout en carton, lit des poèmes. Hans Richter présent ce soir-là raconte... « Il était immobile, comme une tour (il lui était impossible de bouger dans son costume de carton) devant cette foule de jolies filles et de petits-bourgeois sérieux qui éclataient de rire et applaudissaient en riant, immobile comme Savonarole, fantastique et pur. »

Un peu plus tard, tout le monde se passionne pour l'art primitif. Marcel Janco dessine, crée des masques, Tzara écrit des « poèmes nègres » avec quelques emprunts amusants à la langue roumaine. Après un travail de recherche pour retrouver des textes d'origines africaine, malgache et océanienne, il intègre ces documents aux soirées du Cabaret. Les programmes annoncent des vers de tribus Aranda

---

1. Tristan Tzara, « Chroniques zurichoises », *Œuvres complètes*, tome I.

Kinya ou Loritja... Hugo Ball est toujours aux percussions et Maya Chrusecz accepte de danser avec des masques de Janco, sur des textes de... Tristan. Le mouvement est vraiment lancé. « Tous les soirs, constate Janco, de nouveaux amis s'ajoutaient à notre groupe [1]. » L'appellation Dada est bien trouvée par hasard en feuilletant un dictionnaire. Et qu'importent les querelles ridicules qui éclateront plus tard pour savoir qui a vraiment la paternité de cette trouvaille. Le Cabaret Voltaire peut fermer ses portes, Dada continue sur sa lancée et Tzara a déjà accumulé une drôle d'expérience.

---

1. Marcel Janco, *op. cit.*

Une partie d'échecs avec Lénine

Dans le chaudron zurichois, les bolcheviques russes sont très actifs. Lénine, Radek et Zinoviev ont transformé la ville en quartier général pour préparer la prise du pouvoir en Russie.

Sur le papier, le fossé paraît considérable entre la rigueur bolchevique et la furie nihiliste de Dada. On a du mal à imaginer l'état-major de la révolution mondiale dans le tohu-bohu du Cabaret Voltaire. Et pourtant la rencontre Lénine-Tzara a bien eu lieu ! L'intermédiaire est un certain Willy Müzenberg, un proche de Lénine. En fait, un personnage aux multiples casquettes, révolutionnaire professionnel, patron de presse, fondateur du Secours Ouvrier International, Müzenberg est aussi très lié au milieu de l'avant-garde artistique. Il utilise dans ses journaux les fameux photomontages d'Heartfield, multiplie les audaces typographiques et prendra même le temps d'organiser une grande exposition russe à Berlin en 1922 [1].

A Zurich, il ne rate pas les soirées du Cabaret et repère tout de suite Tzara. Un soir, il entraîne avec lui Vladimir Illitch. Marcel Janco n'en revient pas et confirme dans son Journal la visite... « Dans la fumée épaisse, au milieu du bruit, des déclamations ou d'une chanson populaire, il y eut des apparitions

---

1. Marc Dachy, *Tristan Tzara dompteur des acrobates*, op. cit.

soudaines comme celle de l'impressionnante figure mongole de Lénine, encadré d'un groupe[1]. » On prête même à Karl Radek l'idée d'avoir soufflé aux jeunes gens du Cabaret le mot Dada (voir le *da da* russe qui signifie oui oui...). Hans Kleinschmidt dans sa préface aux écrits de Huelsenbeck rapporte que Arp, Ball et Huelsenbeck ne rencontrèrent jamais Lénine mais que Tzara raconta plus tard à ses amis parisiens qu'il avait « échangé des idées avec lui ».

Hugo Ball apporte une précision supplémentaire dans son Journal publié en 1927 : « D'étranges choses arrivent pendant que nous avions notre cabaret, à Zurich, au 1 Spiegelstrasse, vivait, de l'autre côté de la même Spiegelstrasse, au n° 6 si je ne me trompe, M. Oulianov Lénine. Chaque soir il devait entendre notre musique, nos tirades, je ne sais si c'est avec plaisir et profit[2]. » En fait Lénine s'est installé au 14. Richter confirme cette indication même s'il se trompe lui aussi sur l'adresse : « Le Cabaret Voltaire avec ses représentations et son tapage était situé au n° 1 de la Spiegelstrasse. Un peu plus haut dans la même ruelle, où avaient lieu tous les soirs des orgies de chansons, de poèmes et de danse, au n° 12 habitait Lénine. Radek, Lénine et Sinowjew (Zinoviev) pouvaient se promener librement. Je vis Lénine plusieurs fois à la bibliothèque et l'ai entendu parler une fois à Berne au cours d'un meeting. Il parlait bien l'allemand[3]. »

Georges Hugnet, qui n'est pas un témoin direct mais qui a mené une enquête sérieuse sur la question, est prudent... « Le Cabaret se tenait au n° 1 de la Spiegelstrasse. Or Lénine et sa femme habitaient

---

1. Marcel Janco, Collection particulière.
2. Hugo Ball, *Die Flucht aus der Zeit*, *op. cit.*
3. Hans Richter, *Dada, art et anti-art*, Bruxelles, Ed. de la Connaissance (1965).

dans la même rue. Lénine jouait des parties d'échecs au café Terrasse, certains dadaïstes aussi. Ils s'ignoraient cordialement[1]. »

Bien plus tard, en 1975, Soljenitsyne, dans une reconstitution romanesque, *Lénine à Zurich*, mentionne l'existence du Cabaret « un peu plus loin, écrit-il, près de la rue de la Cathédrale se trouve la "Laiterie" où était le Cabaret Voltaire dans lequel, au début de février 1916, naquit le dadaïsme », et d'ajouter ce détail concernant les dirigeants bolcheviques... « Ils passent devant le Voltaire, un cabaret qui fait l'angle du carrefour voisin, la bohème y a passé la nuit à chahuter[2]. » L'écrivain Dominique Noguez dans un essai publié en 89 veut croire à la rencontre entre le théoricien de la dictature du prolétariat et les jeunes dada. Ecoutons Noguez qui reconstitue la scène : « Dans le local enfumé les spectateurs debout se pressent jusqu'au pied de la petite estrade elle-même débordante d'une faune joyeuse. Deux projecteurs font des ombres gigantesques aux lutins farceurs qui y mènent le grand sabbat... C'est alors que sur le rythme impitoyablement régulier de la grosse caisse, Tzara se met à tanguer, puis à osciller lascivement comme une danseuse orientale. Au deuxième rang un gaillard en casquette, dont la moustache et la petite barbe dissimulent un peu les traits mongoloïdes, rouge d'alcool et d'excitation, et tout en frappant dans ses mains approuve d'une voix forte les trémoussements de la bayadère[3]... »

Tzara lui-même est resté très discret sur cette affaire, mais il donne quelques précisions en 1959, au micro de la BBC : « Je peux dire que j'ai connu

1. Georges Hugnet, *L'Aventure Dada*, Paris, Galerie de l'Institut (1957).
2. Alexandre Soljenitsyne, *Lénine à Zurich*, Paris, Seuil (1975).
3. Dominique Noguez, *Lénine dada*, Paris, Robert Laffont (1989).

personnellement Lénine à Zurich avec lequel je jouais aux échecs. Mais à ma grande honte, je dois avouer à ce moment-là, je ne savais pas que Lénine était Lénine. Je l'ai appris bien plus tard[1]. »

---

1. Enregistrement du 10 février 1959 (BBC).

Le dompteur des acrobates

Les choix idéologiques viendront effectivement plus tard. En ce mois de juillet 1916, le travail de décomposition de tout ce qui flanche continue. Place à la rage, à la provocation. Le Cabaret étant fermé, le mouvement investit une grande salle d'exposition : Zur Waag. Tzara est plus que jamais présent. On le voit frapper sur une grosse caisse, danser avec des gloussements d'ours, se dandiner dans un sac un tuyau sur la tête pour un exercice appelé « noir cacadou », il invente aussi des poèmes chimiques. Il est partout. Dans son journal intime, il note « nous voulons pisser en couleurs diverses », un peu plus loin « on proteste, on crie, on casse les vitres, on se tue, on démolit, on se bat avec la police[1]... ».

On sent toute la fougue du jeune homme, son énergie désespérée, sa volonté de s'affirmer comme le porte-parole incontesté de cette entreprise iconoclaste. Hugo Ball ne l'a pas supporté et, après quelques coups d'éclat, a fermé le Cabaret et entamé sa traversée du désert loin de Zurich, dans le Tessin.

Hans Richter qui fut témoin de ces empoignades résume parfaitement les enjeux du débat : « Comme Tzara était un individualiste — et plutôt dans un certain sens un cynique — Ball était idéaliste et comme il l'a prouvé dans sa vie un croyant qui a

---

1. Tristan Tzara, *Œuvres complètes*, tome I.

des idées métaphysiques, idées qui manquaient chez Tzara. » Même constat chez Huelsenbeck : « Au contraire de Ball, Arp et moi-même, Tzara n'avait pas grandi à l'ombre de l'humanisme allemand. Aucun Schiller, aucun Goethe ne lui avait jamais dit dans sa petite ville natale que le beau, le noble, le bien devaient ou pouvaient conduire le monde. » Et Huelsenbeck de poursuivre en comparant Tzara à « un barbare du plus haut niveau mental et esthétique, un génie sans scrupules ».

En cet été 1916, le jeune Tristan fonce tête baissée, sûr de lui, il est plus que jamais « Monsieur Dada » pour reprendre l'expression de Hans Richter. Infatigable, il démontre ses qualités d'organisateur.

Le 9 avril 1916, il est associé à un écrivain autrichien Walter Serner qui se charge de la mise en scène. La salle est encore plus grande et on attend plus de quinze cents personnes. Tzara est monsieur Loyal ou « dompteur des acrobates ». Rires, cris, danses, bousculades, on frôle l'émeute car la salle n'apprécie pas toujours le délire ambiant... « Victoire définitive de Dada[1] », note Tzara satisfait d'avoir perturbé tous les usages et toutes les conventions. Richter précise qu'à force d'insulter le public celui-ci a réagi violemment : « Les gens étaient tellement enragés par toutes nos productions, spécialement celles de Tzara et Serner, qu'il y a eu une vraie bagarre[2]. »

---

1. Tristan Tzara, « Chroniques zurichoises », *op. cit.*
2. Philippe Sers, *Sur Dada. Entretiens avec Hans Richter*, Paris, Chambon.

Déceptions futuristes

« Mon cher confrère. Voici des poésies futuristes parmi les plus avancées. Nous ne pouvons pas vous donner des vers libres étant donné que le vers libre n'a plus aujourd'hui raison d'être pour nous. Je vous envoie donc des mots en liberté, lyrisme absolu, délivré de toute prosodie et de toute syntaxe. Je tiens absolument à ce que le futurisme soit représenté dans votre intéressante anthologie lyrique par des œuvres vraiment futuristes[1]. » Cette lettre est signée Marinetti. Elle doit passablement agacer le jeune Tzara. Et pourtant c'est bien lui qui a cherché à nouer des contacts avec les tenants de l'avant-garde italienne. Pendant des mois, il a essayé de briser son isolement. A Zurich, dès son arrivée, il rencontre un jeune poète, grand admirateur de Marinetti : Albert Spaïni. Correspondant de presse à Berlin dès 1912, ce dernier a fréquenté les intellectuels groupés autour de *Der Sturm* et connaît bien Hugo Ball. C'est lui qui renseigne le groupe de Zurich sur les performances du mouvement futuriste.

Il apparaît bien que Tzara fait tout pour multiplier les contacts, pour se donner une dimension internationale. Dans l'euphorie zurichoise, si l'on parle toutes les langues, Tzara se verrait bien à la

---

1. Correspondance Tzara, Bibliothèque Doucet, Lettre de Marinetti, juillet 1915.

tête d'une véritable avant-garde européenne. Il en rêve aux terrasses des cafés et passe une partie de son temps à envoyer des courriers... Dans un document rédigé en 1922 pour le collectionneur Jacques Doucet, Tzara précise : « J'étais en correspondance avec A. Savinio qui vivait à ce moment avec son frère G. De Chirico à Ferrare. Par lui mon adresse se répandit en Italie comme une maladie contagieuse. Je fus bombardé de lettres de toutes les contrées d'Italie. Presque toutes commençaient avec "caro amico", mais la plupart de mes correspondants me nommaient "carissimo e illustrissimo poeta". Cela me décida de rompre les relations avec ce peuple trop enthousiaste[1]. » Et de fait le projet d'un livre de littérature nègre préparé avec le futuriste Mériano tourne court. Dans une lettre au même Mériano, Tzara fait part de sa déception pour une poésie qui n'a jamais réussi à surpasser « le moment sentimental, ou l'étalage romantique et affairé dans les conjonctures[2] ».

Tzara est rapidement fatigué par le lyrisme facile, l'esprit de dogme qui caractérisent Marinetti et ses amis. En revanche, il paraît fasciné par le sens du spectacle, l'enthousiasme et surtout la confrontation directe avec le public. Il en tire des leçons essentielles pour son propre combat.

---

1. Correspondance Tzara, Lettre à Jacques Doucet, Bibliothèque Doucet.
2. Cité par Marc Dachy, *Journal du mouvement Dada*, op. cit.

Le dernier cri de l'avant-garde

Les revues du groupe portent trace de ces tâtonnements. Dès juin 1916, ils fêtent la sortie du premier
numéro de *Cabaret Voltaire*. Cette plaquette plutôt
sobre d'une trentaine de pages porte la marque
d'Hugo Ball. Préparé avec les moyens du bord, l'ensemble se présente sérieusement comme « un recueil
littéraire et artistique ». Pour la première fois on y
trouve le mot dada sans autre précision. On serait
d'ailleurs bien en peine d'y lire un seul texte théorique qui préciserait les objectifs du mouvement en
gestation. La revue est conçue comme le dernier cri
de l'avant-garde [1].

On y trouve essentiellement des poèmes qui ont
été lus au Cabaret, ainsi qu'en témoigne « L'Amiral
cherche une maison à vendre », un texte « simultané » de Janco, Huelsenbeck et Tzara représenté au
Cabaret le 31 mars 1916. Sur les recommandations
de Ball, on a évité tout débordement. On reste donc
très loin de l'agit-prop ultra-gauche... L'ensemble
paraît bien sage et s'inspire fortement de l'esthétique
cubiste ou expressionniste. Les futuristes sont là en
force. On le devine, l'internationalisme est bien la
seule outrance revendiquée. Ce qui se retrouve d'ailleurs au sommaire... On y croise des Français
comme Apollinaire, des Italiens avec Marinetti ou

---

1. Georges Hugnet, *Dictionnaire du Dadaïsme*, *op. cit.*

Modigliani, des Espagnols avec Picasso, un Russe Kandinsky, des Allemands, des Roumains et même des sans-patrie...

En lisant « Dialogue entre un cocher et une alouette » signé Huelsenbeck et Tzara, on y apprend la publication prochaine d'une nouvelle revue spécifiquement dada. Une réplique fait dire à l'alouette : « Parce que le premier numéro de la revue dada paraît le 1er août 1916. Prix 1 Fr. Rédaction et administration Spiegelstrasse 1, Zurich, elle n'a aucune relation avec la guerre et tente une activité moderne, internationale hi hi hi hi. »

Le petit groupe se prend au jeu de la surenchère. Le ton donné par Hugo Ball semble bien trop timoré. Il faut frapper beaucoup plus fort ! Avec des moyens toujours aussi dérisoires, on rédige des textes enflammés et on les teste sur les spectateurs au cours des chaudes soirées zurichoises. Avec ses talents d'agitateur et son nihilisme à toute épreuve, Tzara prend la direction des opérations. Dès le mois de juillet 1916, le *Dada 1* sort des presses. L'ensemble a belle allure sous une couverture orange vif conçue par Janco. On y retrouve toujours une partie littéraire éclectique et internationale. Le *Dada 2*, qui paraît en décembre 1916, est de la même veine. Plusieurs articles rappellent l'intérêt que porte Dada au futurisme et plus généralement à toutes les expressions de l'avant-garde sur le plan de la poésie, aussi bien que sur le plan de la peinture.

Il faut attendre le numéro 3 en décembre 1918 pour voir apparaître Dada tel qu'en lui-même. La mention « Recueil littéraire et poétique » a bien disparu, remplacé par « Directeur : Tristan Tzara ». *Dada 3* est un brûlot anarchiste à la typographie radicalement nouvelle. Cubisme et futurisme sont jetés aux orties avec « le bon sens » et la « salade bourgeoise ».

Mais le principal intérêt de ce *Dada 3* est bien la publication du « Manifeste Dada 1918 » de Tzara. Une véritable bombe incendiaire balancée par un jeune homme au culot incroyable. Tout y est : la violence, la provocation et le défi. Après un bref rappel des expériences des artistes contemporains, il définit ce qu'il entend par esprit dada en même temps qu'il exalte le renversement des valeurs admises. Jamais la protestation dada n'avait été jusque-là formulée avec autant de netteté et de force. Eloge du nettoyage par le vide et de la spontanéité artistique, le texte restera pour toujours comme un classique de la rébellion carabinée. Mais soyons clairs, l'appel de Tzara n'a rien de suicidaire. Le mouvement qu'il veut impulser reste ouvert à tous les acteurs de la modernité. Il ne se contente pas de faire le vide, il garde une certaine foi dans le futur, mais un futur libéré de toutes les impostures partisanes et ouvert à la véritable utopie.

Il faudrait citer intégralement ce flot d'appels vengeurs et ce déluge de mots en liberté. Toute la jeunesse du monde peut encore se retrouver dans ce bel incendie. Pour le plaisir voici quelques perles dada...

« Je suis contre les systèmes, le plus acceptable des systèmes est celui de n'en avoir par principe aucun (...)

Il nous faut des œuvres fortes, droites, précises à jamais incomprises. La logique est complication. La logique est toujours fausse. Elle a tiré les fils des notions, paroles dans leur extérieur formel, vers des bouts, des centres illusoires (...)

Je proclame l'opposition de toutes les facultés cosmiques à cette blennorragie d'un soleil putride sorti

des usines de la pensée philosophique, la lutte acharnée avec tous les moyens du dégoût DADAISTE (...)
Liberté : DADA, DADA, DADA, hurlement des couleurs crispées, entrelacement des contraires, et de toutes les contradictions des grotesques, des inconséquences : LA VIE. »

A-t-on vraiment fait mieux dans le genre ? Combien de plagiaires ont essayé de s'en inspirer ? Pour un coup d'essai, c'est un coup de maître ! Et Zurich est en ébullition. Aux terrasses des cafés on se refile le Manifeste avec un plaisir non dissimulé. La légende de Tzara commence vraiment. Elle est parfois alimentée par quelques trouvailles géniales, comme cette méthode pour écrire un poème dada : « Prenez un journal. Prenez des ciseaux. Choisissez dans ce journal un article ayant la longueur que vous comptez donner à votre poème. Découpez l'article. Découpez ensuite avec soin chacun des mots qui forment cet article et mettez-le dans un sac. Agitez doucement. Sortez ensuite chaque coupure l'une après l'autre. Copiez consciencieusement dans l'ordre... » Quel succès ! Ses copains n'hésitent pas à porter Tzara en triomphe et les bruits les plus insensés circulent sur sa véritable identité... Alberto Savinio, dont le nom apparaît au sommaire de *Dada 1*, le reconnaît : « Plus qu'un être de chair et d'os, Tristan Tzara est un nom, un sigle, un cri de bataille. A tel point que le soupçon a commencé de se répandre selon lequel Tristan Tzara est un personnage inventé, un homme nominal, une espèce de batterie camouflée pour tromper l'ennemi et dissimuler les patrouilles qui opèrent à son abri[1]. »

Tzara est bien une machine infernale à lui tout seul et Dada est encore une énigme pour beaucoup...

---

1. Cité par Marc Dachy, *Journal du mouvement Dada, op. cit.*

L'homme pressé

Il est sur le pied de guerre. Au fil des semaines, il a mis en place l'équivalent d'un véritable bureau de relations publiques. Avec des moyens dérisoires, bricolant ses envois à partir de sa petite chambre, il passe une partie de son temps à envoyer des messages dans toutes les capitales d'Europe. Il raconte les dernières manifestations dada et met en place un système astucieux d'échanges de poèmes et d'illustrations avec d'autres revues. Il tisse peu à peu un réseau de diffusion pour ses propres revues et sollicite l'adhésion d'autres artistes.

Quelques semaines ont suffi pour faire connaître les grandes soirées du Cabaret Voltaire. Tout cela n'est pas toujours simple dans une Europe ravagée par la guerre, obsédée par l'espionnite et la censure. Mais Tzara tient bon. À l'image des révolutionnaires qu'il croise — son combat rejoint le leur —, il est naturellement sans frontières.

Cependant le départ d'Huelsenbeck pour l'Allemagne en février 1917 et la défection de Ball furent quand même un choc pour Tzara. On est loin des grandes heures du Cabaret, le mouvement connaît un passage à vide. Plongé dans une forte dépression, Tzara a du mal à sortir de sa chambre. Les difficultés matérielles n'arrangent rien. Il mise justement sur tous ses contacts pour rebondir sur autre chose.

Le retour de Picabia est pour lui une véritable

aubaine. En 1917, ce n'est pas un nouveau venu dans les milieux de l'avant-garde. Tout le monde connaît Picabia, avec sa corpulence, son côté sud-américain, ses voitures décapotables et ses jolies femmes. Il ressemble plus à Sacha Guitry qu'à Rudoph Valentino et son côté homme pressé en ferait un personnage idéal pour le futur roman de Paul Morand. Mais prenons garde à l'image qu'il donne.

Cet habitué des transatlantiques dilapidant sa fortune est aussi et surtout un peintre de talent. Après des débuts qui sacrifient à la manière impressionniste, il subit l'influence du cubisme teinté plus tard de futurisme. Très vite dépris des théories et des écoles, il rompt nettement avec les volontés constructives d'un certain esprit moderne pour se lancer dans une entreprise systématique de négation de l'art. En introduisant dans ses tableaux des éléments mécaniques agrémentés d'inscriptions plutôt scandaleuses, il se pose au même titre que son ami Marcel Duchamp en précurseur de Dada. Le grand bourgeois vient de mettre le feu à l'Académie et avec son humour dévastateur tire sur tout ce qui bouge. Voilà de quoi pimenter les grandes soirées parisiennes ! En 1915, il se fait réformer et part pour New York.

Avec la complicité d'Alfred Stieglitz, marchand de tableaux et éditeur, qui met à sa disposition sa galerie et sa revue, Picabia fait merveille à Manhattan. Rebelle, chic, snob, désinvolte et violent, il séduit ou déclenche le scandale. Dans ses livres, avec son humour, il insulte toute forme d'esthétique et anéantit toute notion de beauté. Comment ne plairait-il pas au jeune Tzara ? A l'automne 1917, il est en Suisse, non pas à Zurich, mais à Bex pour une cure de désintoxication éthylique. Désœuvré, il traîne d'interminables journées et occupe ses loisirs forcés en écrivant des poèmes. Le 29 août 1918, il répond à une circulaire envoyée par Tzara et propose ses services au mouvement Dada. C'est le début d'une longue correspondance. Picabia explique qu'il est isolé. Les lettres de Tzara lui font du bien. Achats de tableaux, lectures de poèmes, analyses de revues, tout y passe. En janvier 1919, il reçoit *Dada 3* avec le Manifeste Dada. « Bravo, c'est épatant, écrit-il, il m'a fait un bien énorme, enfin voir et lire en Suisse quelque chose qui ne soit pas une connerie. Votre Manifeste est l'expression de toutes les philosophies qui cherchent la vérité. »

Emporté par son exaltation, il tente de rejoindre Zurich pour y passer quelques jours. En fait, le séjour va durer trois semaines, du 22 janvier au 8 février. C'est le coup de foudre immédiat. Les conversations sont interminables, tout comme les parties d'échecs. Les deux hommes scellent leur amitié en composant ensemble le huitième numéro de la revue de Picabia, *391*. Ravi, il peut rejoindre Paris où il compte s'installer dans les beaux quartiers, avenue Charles-Floquet.

Il pose ses valises et envoie une lettre à Tzara... « Je pense beaucoup à vous et je vous aime passionnément. » En juin 1919, Picabia insiste... « Votre présence me ferait du bien, car vraiment vous ne ressemblez pas à tous ces hommes qui font profession d'intelligence et d'art, tous ces individus qui travaillent pour être des grands hommes et c'est tout. » Picabia a bien compris ce qui fait l'originalité de ce jeune homme : sa volonté de ne pas s'enliser dans l'ornière qui l'eût fatalement conduit à n'être qu'un chef d'une nouvelle école littéraire.

Avec son sens du travail collectif et ses talents d'imprésario de la cause dada, Tzara pose les bases d'un « anti-art poétique », d'un nouveau langage primitif et incohérent, délivré des contraintes de la syntaxe et de la logique, plus apte à traduire les mouvements de son être intérieur. Avec toujours cette idée que la provocation est nécessaire, vis-à-vis du lecteur, du spectateur et de la société tout entière. On est loin d'une stratégie qui aurait pour but ultime un sacre littéraire à l'Académie française. A son ami, Picabia peut donc écrire : « Quelle vie maussade parmi tous ces artistes qui ne rêvent que de gloire académique. Tzara je vous aime, vous pensez comme moi, courage ! » Il le presse de faire le voyage à Paris. Il lui réserve une chambre avec « un lit poivre et sel » dans son nouvel appartement. Mais la Ville lumière est bien décevante. « A Paris, il ne se passe rien, précise-t-il, il y a des articles sur dada. Dada veut dire "au revoir" chez les enfants, et pour les adultes dada veut dire "gaga". C'est tout ce qui se dit pour le moment. »

Pas de quoi précipiter le départ de Zurich d'un Tzara déjà hésitant. Des raisons matérielles l'empêchent pour l'instant de prendre son billet mais aussi une réelle inquiétude le paralyse. Paris, c'est le grand saut dans l'inconnu. Zurich, un microcosme coupé d'un monde effrayant. Paname est la capitale des cinq continents où il n'y a pas d'autre alternative que le succès retentissant ou l'oubli. Et pourtant, Tzara a bien préparé le terrain.

L'enchanteur

Si en 1919 la capitale n'est guère excitante, elle reste quand même la ville qui fait rêver le jeune Tzara. On se souvient de la découverte enthousiaste du cubisme et d'Apollinaire considéré comme la référence absolue. On sait que le jeune Tzara est admiratif. Une sorte de fascination pour ce poète capable de magnifier la vie, et surtout pour celui qui crée cette poésie moderne, ce langage nouveau. Guillaume est un inventeur magnifique avec ses calligrammes et poèmes-conversations. On est loin des conventions qui pèsent sur la littérature européenne. Vue de Roumanie, la silhouette du poète est déjà une légende vivante pour le jeune Tzara.

Grâce au poète symboliste Ion Minulesco[1], toujours à l'affût des dernières nouveautés, Tzara a pu découvrir les vers d'Apollinaire. Il ramène en effet de France tous les derniers ouvrages parus. Pour un esprit curieux, il devenait indispensable de rejoindre Paris, celui d'Apollinaire, d'André Salmon, du Douanier Rousseau, de Picasso... Montparnasse et le Dôme, Montmartre et son Bateau-lavoir donnent envie de partir.

A Zurich, Tzara ne manque pas d'envoyer à Apollinaire ses premières publications et il sollicite un

---

1. *Revue roumaine*, « Tristan Tzara en Roumanie », par OV.S Crohmalniceanu (1967).

poème. En retour, l'auteur d'*Alcools*, qui a l'habitude de répondre aux jeunes gens qui lui écrivent, renvoie une carte postale : « J'ai reçu votre publication. Merci. Je vous enverrai un poème un de ces jours. Ecrivez-moi [1]. »

Nous sommes en septembre 1919. Bien sûr il y a la guerre et surtout les prudences du poète qui — du fait de sa naturalisation — refuse d'écrire dans une revue avec des collaborateurs... allemands.

Qu'importe. Dans *Dada 2*, Tzara publie une note plus élogieuse... « Pour ce poète la vie est un jeu tournant et sérieux de farces, de tristesse, de bonhomie, de naïveté, de modernisme tour à tour... (...) L'imprévu est l'étoile explosive de partout et la vitesse se marie au conteur tranquille curieux en affirmation naturelle et constante nouveauté [2]. »

Apollinaire n'est pas en reste, il lui demande des poèmes pour une revue qu'il veut fonder. Il les transmet à l'écrivain Pierre Reverdy pour les faire paraître dans la revue *Nord-Sud*. La réponse favorable de Tzara est interceptée par la censure. Celui-ci racontera plus tard : « Le bruit s'était répandu à Paris que j'étais sur la liste noire (vendu aux Allemands, espion que sais-je...) Apollinaire et Reverdy qui avaient peur s'accusèrent réciproquement et dans des termes violents de m'avoir demandé ma collaboration pour *Nord-Sud*. Ces bruits furent très probablement lancés par l'*Intransigeant*. » Cela n'empêche pas Apollinaire de contacter aussi Pierre Albert-Birot pour des parutions dans une autre revue, *Sic*.

Apollinaire semble séduit par ce jeune Roumain

---

1. Correspondance Guillaume Apollinaire-Tristan Tzara, Bibliothèque Doucet.
2. Tristan Tzara, *Dada 2*.

qui bouscule toutes les conventions. En décembre 1917, il ne cache pas son admiration : « J'aime votre talent depuis longtemps et je l'aime d'autant plus que vous m'avez fait l'honneur de le diriger dans une voie où je vous précède mais ne vous dépasse point [1]. »

Quelques mois auparavant, dans une lettre retrouvée, mais que Tzara n'a jamais pu lire, Apollinaire félicitait le jeune garçon et Hugo Ball pour leur Cabaret Voltaire. Ils sont nombreux les écrivains de la jeune génération à rêver d'une telle correspondance et ils se précipitent pour solliciter un entretien ou un soutien.

Depuis son hospitalisation après sa blessure de guerre du 17 mars 1916, on revoit Apollinaire de temps en temps aux terrasses du Flore, à Saint-Germain-des-Prés, ou du côté de Montparnasse. Il a repris sa chronique du *Mercure de France* et publie dans les jeunes revues de l'époque quelques poèmes. Comment ne pas être impressionné par ce personnage presque promu héros national avec son volumineux bandage autour du front, comme une auréole. Pour le réveillon, Paul Dermée, futur activiste dada organise en son honneur un banquet au palais d'Orléans [2]...

Tzara est au courant de tout, mais il n'aura pas le temps de rencontrer le « poète assassiné ». En novembre 1918, quand il apprend la nouvelle de sa mort, Tzara prévient tout de suite son ami Picabia, qui lui répond : « Oui, je savais la mort de mon vieil ami Apollinaire. Ce fut un choc. C'est dur de perdre ses véritables amis. »

1. Michel Sanouillet, *Dada à Paris*, Paris, Ed. Centre du XXᵉ siècle (1980).
2. Correspondance Francis Picabia-Tristan Tzara, Bibliothèque Doucet.

A travers les années, Tzara gardera une fidélité absolue à Apollinaire. Sa bibliothèque en conserve la trace évidente. Comme s'il voulait effacer ce rendez-vous manqué, sur ses étagères demeureront quelques documents uniques[1]. On y trouve le manuscrit original de *Simon Mage*, les épreuves corrigées de *Méditations esthétiques*, de multiples éditions originales, et surtout ce précieux exemplaire des premières éditions corrigées d'*Alcools* pour le *Mercure de France* — Apollinaire y supprime toute la ponctuation, comme un manifeste insolent de la poésie moderne —, un document offert en son temps à Robert et Sonia Delaunay, relié par une peinture simultanée de Sonia, qui à son tour en fit don à Tzara. En 1953, le Club du Meilleur Livre procédera à une nouvelle édition d'*Alcools* avec la reproduction des premières épreuves commentées par Tzara lui-même.

---

1. Catalogue de la vente de la bibliothèque Tristan Tzara, 4 mars 1989, Hôtel Drouot.

Ce cher Max

Avant d'arriver à Paris, Tzara a pris soin de prendre les contacts qu'il fallait. Marqué, on l'a vu, par le Paris cubiste, il a joint très rapidement Max Jacob. Au début du siècle, ce dernier se fait connaître comme critique d'art. Il fréquente Salmon ou Apollinaire, publie des contes pour enfants et campe dans la misère à bord du Bateau-lavoir. Le parrainage spectaculaire de Picasso à son baptême, le 18 février 1914, a eu un énorme retentissement. Max s'en trouvait publiquement inféodé au cubisme. C'est par ce biais que Tzara en a entendu parler. Quand il lui écrit, il croit trouver en Max Jacob un relais efficace. En fait, il tombe sur un dandy mystique qui joue avec les mondains, traîne à la brasserie Graff, place Blanche, et termine au Sacré-Cœur. Une sorte de comédien extravagant et grave qui hante les rues et les ateliers de la butte Montmartre. Ses amis sont des compositeurs fauchés, des danseurs du Moulin-Rouge, ou de beaux garçons oiseaux de nuit[1].

Dès sa première lettre, en date du 26 février 1916, Max Jacob recadre un peu le jeune homme. Les provocations dada, ce n'est pas son style : « J'aime en vous un grand poète, écrit-il, mais je crois qu'il faut

---

1. Correspondance Max Jacob-Tristan Tzara, Bibliothèque Doucet.

68

revenir aux constructions rigoureuses et à l'ordre. La décomposition agrandit l'art, mais la recomposition le fortifie. Je crois que vous êtes un poète, évitez tout ce qui est petit[1]. » Voilà de quoi rafraîchir les ardeurs du jeune Tzara.

Qu'importe, il passe outre pour aussitôt lui demander de le mettre en contact avec ceux qui font l'avant-garde parisienne. Picasso bien sûr arrive sur le devant de la scène... Max Jacob est alors très fier de lui raconter sa vie et son amitié avec le Catalan : « J'ai connu Picasso en 1901. J'avais été étudiant chic, précepteur, employé de commerce, critique d'art, puis balayeur, puis jeune homme riche, amateur de coulisses, mais ce n'est qu'en 1905 que j'ai été poète.

En 1909, j'ai vu Notre Seigneur sur le mur de ma chambre. Picasso a été mon ami depuis 16 ans. Nous nous sommes haïs et nous nous sommes fait autant de mal que de bien, mais il est indispensable à ma vie. » (Et Max d'ajouter qu'il fait partie de la catégorie des « braves gens », qu'il est très pieux et qu'il adore ses amis.) Dans cette lettre pleine d'émotion et de naïveté, Max fait tout son possible pour retenir l'attention de ce jeune poète qui lui demande de l'aide pour conquérir la capitale. A la fin de sa lettre, après avoir beaucoup parlé de lui-même, il ne manque pas d'ajouter : « Vous savez, je connais beaucoup de monde. »

Tzara pendra un peu de recul et quand le « Cher Max » ira s'installer au monastère de Saint-Benoît-sur-Loire, il aura bien du mal à s'y rendre. Max lui envoie des lettres enflammées... « Je souffre d'être

---

1. Correspondance Max Jacob-Tristan Tzara, Bibliothèque Doucet.

séparé de toi, car je t'ai toujours formidablement aimé[1]. »

Alors Tzara envoie ses livres, invite Max à Paris et ne se prive pas de lui faire quelques remarques. La réponse est rapide... « Je n'irai pas chez toi. Il ne s'agit ni d'admiration mutuelle, ni de littérature. Tu me comprends ? Il s'agit d'amitié. Comment serais-je l'ami de quelqu'un qui me croit "complexé" c'est-à-dire à double face. Je t'aime car moi je te connais. Je t'admire parce que je m'y connais[2]. »

Jusqu'en 1931, l'admiration de Max est intacte avec sans doute la nostalgie des débuts, des premières lettres de ce jeune homme qui voulait tout connaître, tout changer... Ces lettres malheureusement aujourd'hui introuvables, puisque volées par un visiteur indélicat au monastère de Saint-Benoît. Max explique qu'elles avaient « la couleur du sang » et qu'elles « resteront longtemps dans ses yeux », il ajoute, admiratif : « Il y a des hommes nouveaux et personne ne l'a été comme vous... »

1. Correspondance Max Jacob-Tristan Tzara, Bibliothèque Doucet.
2. *Ibid.*

Monsieur Antipyrine

Pour convaincre ses interlocuteurs, Tzara envoie ses textes. Le premier est bien sorti dès 1916 dans la toute nouvelle collection Dada. *La Première Aventure céleste de monsieur Antipyrine* comporte dix exemplaires de luxe sur Hollande et surtout des bois gravés et coloriés par son ami Marcel Janco.

Cette première plaquette montre bien que Dada Zurich pulvérise les genres littéraires. Reflet de cette grande confusion savamment organisée par les jeunes gens du Cabaret Voltaire, ce livre est aussi un manifeste de la jeunesse.

Ce texte est bien destiné à être lu en public. Les noms des personnages sont distribués au hasard du discours. Cela évoque un cirque dont le directeur Mr. Boumboum a pour mission de faire le plus de bruit possible. La poésie doit être une manière de vivre, bien plus que la manifestation accessoire de l'intelligence et de la volonté. Dada, comme la jeunesse, c'est avant tout la spontanéité. La racine profonde de l'activité poétique se confond avec la structure primitive de la vie. D'où cette tentative pour mettre en contact l'homme contemporain et l'art africain. Le livre contient donc des chants nègres. Ce qui n'ira pas sans poser quelques problèmes lors des représentations publiques dans une Europe où le Noir passe avant tout pour un « sauvage ». *La Première Aventure* sera, en effet, interprétée

71

au théâtre de la Maison de l'Œuvre, le 27 mars 1920.

Le deuxième livre de Tzara rassemble ses poèmes, toujours pour la collection Dada, en 1918. C'est un autre ami et compagnon du Cabaret qui se charge de l'illustration, Hans Arp. *Vingt-cinq poèmes* est un livre réussi grâce au bois qui figure en couverture. Etrange dessin de Hans Arp qui rend l'ouvrage « étrange presque abstrait ». Le manuscrit original sera vendu au collectionneur Jacques Doucet en 1922. Tzara en profitera pour revenir longuement sur les circonstances de la réalisation de cet ouvrage... Il confirme que tous les textes ont été écrits en Suisse (sauf « Un Froid Jaune » rédigé en 1915). Il affirme que ces poèmes de 1916 étaient d'une brutalité excessive avec des cris, des rythmes accentués.

A cette date, écrit-il, « je tâchais de détruire les genres littéraires, j'introduisais dans les poèmes des éléments jugés indignes d'en faire partie, comme des phrases de journal, des bruits et des sous[1] ». Il rappelle à Doucet qu'à la même époque, les cubistes employaient dans leurs tableaux des matières différentes et que ses recherches à lui allaient bien dans le même sens. Il conclut en expliquant que ces poèmes ont entraîné quelques réactions — plutôt positives, à son grand étonnement. Dans la liste de ses premiers lecteurs fervents on retrouve Apollinaire, Reverdy ou Braque... Voici donc comment avec peu de moyens et beaucoup d'efficacité le jeune auteur a su faire parler de lui.

---

1. Correspondance Tristan Tzara-Jacques Doucet (1922). — Henri Béhar, *Le Théâtre dada et surréaliste*, Paris, Gallimard (1979).

Le Parmentier du jazz-band

Avant de créer l'événement à Paris, Tzara n'a voulu oublier personne. Le problème est que le jeune homme a bien du mal à faire le tri entre toutes les avant-gardes et autres entreprises modernes. Mais il sait aussi que dans une telle bataille de séduction, il faut voir très large. Ainsi il envoie sa carte et souvent ses *Vingt-cinq poèmes* à des personnalités aussi différentes que les galeristes Paul Guillaume ou Léonce Rosenberg, les libraires Adrienne Monnier et Sylvia Beach, le grand couturier Paul Poiret. Ce qui n'est pas sans risque. Ce dernier, par exemple, renvoie une lettre cinglante au jeune impertinent : « Je reçois aujourd'hui votre carte postale datée de Zurich, 23 janvier 18, que je ne puis comprendre. Je n'ai jamais reçu de vous aucune édition, ni aucune facture, et j'espère n'en pas recevoir, car je redoute les Suisses même dans leurs éditions de luxe. Je ne veux rien savoir de votre mouvement Dada. Salutations neutres[1]. » Voilà qui a le mérite de la franchise.

Il y en a un, en revanche, que le jeune homme ne pouvait manquer de contacter : le déjà célèbre... Jean Cocteau. Tzara le connaît depuis la Roumanie. Le prince frivole est depuis longtemps dans le sillage

---

1. Correspondance Paul Poiret-Tristan Tzara, Bibliothèque Doucet.

73

de Picasso[1]. « Pour un tel poids plume, écrit John Richardson, il eut de 1916 au début des années vingt une influence considérable sur Picasso. C'est grâce à lui que le peintre rejoignit Diaghilev et connut Olga. Quand Picasso fut marié à cette jolie ballerine qui aspirait à devenir une femme du monde, Cocteau ouvrit au ménage les portes d'un "Tout-Paris" ne demandant d'ailleurs qu'à l'accueillir. » « Parade », le spectacle donné au théâtre du Châtelet le 18 mai 1917, rassemble à l'affiche Diaghilev, Satie, Massine, Cocteau et Picasso. De loin, Tzara a eu des échos de toute l'affaire.

Il sait que Cocteau est partout, emporté dans une sorte de tourbillon mondain et moderne à la fois. Aux soirées poétiques, aux conférences ou aux expositions d'art moderne, il n'y a plus d'événement réussi sans la présence de Cocteau. Il se veut l'arbitre des élégances et l'incarnation de l'esprit nouveau. Il trône boulevard de Clichy chez Darius Milhaud avec ses amis musiciens qui forment le groupe des Six, il invente des cocktails dans un nouveau bar, le Gaya, il danse sur des rythmes syncopés jusqu'au petit matin... Quand il apprend l'existence de Dada, il se verrait bien meneur de la grande partie dadaïste. Cocteau fait de la littérature comme on organise des soirées avec des paillettes et beaucoup de légèreté. Dès le début d'avril 1919, dans « Carte Blanche », sa chronique du quotidien *Paris-Midi*, il annonce prématurément l'arrivée de Tzara : « Tzara va venir publier à Paris deux numéros de la revue *Dada* qu'il dirige en Suisse et qui fait scandale. J'y trouve amplement l'atmosphère excitante de l'entracte au Casino de Paris où une foule cosmopolite se pressait

---

1. Entretien avec Georges Bernier, Catalogue « Le Bœuf sur le Toit », Galerie ArtCurial.

pour entendre le jazz-band. Si on accepte le jazz-band, il faut accueillir aussi une littérature que l'esprit goûte comme un cocktail. » A elles seules, ces quelques lignes montrent à quel point Cocteau était loin de Dada. Avant même que Tzara ne débarque à Paris, il y a bien un dadaïsme mondain, une sorte de curiosité chic et snobe, largement entretenue par Cocteau.

Dans les lettres qu'il fait parvenir à Tzara en Suisse, il en rajoute dans le genre déclaration d'amour... « Je voudrais vous connaître, parler avec vous de vos poèmes qui me touchent. Votre carte me touche au cœur. Votre fidèle Cocteau[1]. »

Tzara est sur ses gardes. Il joue le jeu et continue d'envoyer livres et revues, mais prend quelques précautions. Picabia, qui connaît le personnage, l'a prévenu. Celui qu'il surnomme « le Parmentier du jazz-band » ne mérite pas autant d'égards. Il n'est pas loin de le faire passer pour un imposteur.

Mais ce qui fait sans doute réfléchir Tzara c'est l'attitude franchement hostile de ses nouveaux contacts sur lesquels il compte, la jeune génération d'écrivains de la revue *Littérature*. Breton et ses amis ne font pas mystère de leur profonde aversion pour l'auteur du *Cap de Bonne Espérance*[2]. « Mon sentiment tout à fait désintéressé, je vous le jure, écrit Breton à Tzara, le 26 décembre 1919, est que c'est l'être le plus haïssable de ce temps. Encore une fois, il ne m'a rien fait et je vous assure que la haine n'est pas mon fort[3]. »

---

1. Correspondance Jean Cocteau-Tristan Tzara, Bibliothèque Doucet.
2. Michel Sanouillet, *Dada à Paris, op. cit.* — Marguerite Bonnet, *André Breton. Naissance de l'aventure surréaliste*, Paris, José Corti (1975).
3. Correspondance André Breton-Tristan Tzara, Bibliothèque Doucet.

Malgré de multiples manœuvres, Cocteau est bien *persona non grata* au sommaire de la revue *Littérature*, pourtant très éclectique. Emporté par ses succès faciles, Cocteau ne semble pas comprendre qu'il est en danger. Certains collaborateurs de *Littérature* très remontés veulent lui régler son compte de façon définitive. Soupault est de ceux-là. Lui aussi met en garde Tzara. « J'ai appris, très rapidement, que vous avez écrit à beaucoup d'écrivains et de poètes qui publient leurs œuvres soit dans *Nord-Sud*, soit dans *Sic*. Quelques-uns ont un grand talent et sont dignes de voir figurer leurs œuvres à la suite du Manifeste remarquable que vous avez écrit. Parmi eux, je vois Reverdy, Breton, Birot, Radiguet, Aragon. Trop d'éclectisme nuirait à la réputation méritée de *Dada*[1]. »

Tzara tient compte de ces remarques, mais il ne veut pas se fâcher avec un Cocteau si utile pour joindre le « Tout-Paris ». Ce dernier sent une certaine méfiance, alors il en rajoute et cherche à prouver sa bonne foi. Quand il lui envoie une plaquette de poèmes, *Plain-Chant*, en 1923, il prend soin d'écrire : « Tzara, je t'admire depuis tes premiers poèmes et maintenant je t'aime beaucoup, n'en doute jamais ! »

Il est vrai qu'entre-temps, Tzara est bien arrivé à Paris, et a relancé l'aventure Dada avec, entre autres, toute l'équipe de... *Littérature*.

---

1. Correspondance Philippe Soupault-Tristan Tzara, Bibliothèque Doucet.

Le déniaiseur

« A Zurich, raconte Tzara, je n'avais pas encore lu Jarry, mais je le connaissais déjà... Son esprit était si vivant qu'il nous parvenait indirectement, imprégnant l'atmosphère en quelque sorte. Sa moquerie universelle, son nihilisme, son sens de l'inutilité des hiérarchies morales et philosophiques, sa haine des bourgeois, nous les ressentions de notre côté[1]. » En fait il est probable que Hans Arp ait lu quelques textes de Jarry au Cabaret Voltaire. Qu'importe, emporté par le joyeux tourbillon de l'époque, Tzara a oublié ce détail. Il a l'impression de l'avoir toujours connu, comme une référence fondamentale, un maître en révolte absolue.

Quand il arrive à Paris, l'ombre de Jarry est encore très actuelle. Mort en 1907 à trente-quatre ans, il laisse quelques livres iconoclastes. Son influence sur Apollinaire semble déterminante. Pour la génération de Tzara, Jarry est le précurseur de légende, celui qui montre la voie. Vaché est un fervent lecteur, Fraenkel se met à parler comme lui et Tzara part à la recherche des rares éditions originales qui circulent encore. Un vrai parcours initiatique pour ces jeunes gens de vingt ans qui découvrent dans ses livres de véritables merveilles.

---

1. Tristan Tzara, Conférence sur Jarry (1953), *Europe*, juillet-août 1975.

Tzara n'oubliera jamais ces moments d'exaltation, quand revenant dans sa petite chambre d'hôtel il se plongeait avec passion dans *Docteur Faustroll*[1] ou *Le Surmâle*. Tout au long de sa vie, il ne manque pas de faire référence à Jarry. Dans son *Essai sur la situation de la poésie*[2] qui situe clairement le courant poétique révolutionnaire de la littérature française, il attribue un rôle majeur à Jarry dans la définition de l'Esprit Nouveau par l'usage de l'absurde et de l'arbitraire : « Après avoir, avec une singulière conscience, extrait l'humour d'une certaine bassesse où se complaisait le comique en lui donnant sa signification poétique, Jarry s'est servi d'éléments alors inattendus comme la surprise et l'insolite pour interrompre le courant contemplatif que depuis le romantisme ne cessait de suivre. » Il insiste aussi sur sa fonction d'éveilleur lorsqu'il évoque sa parenté avec Apollinaire en précisant : « Toutefois le matériel et les moyens qu'il a employés étaient en grande partie empruntés à la mystification symboliste. Là réside la grande ambivalence de Jarry, qui échappe à toute définition. »

Dans les articles qu'il écrit par la suite, Tzara s'attache à écarter les apparences pour saisir l'unité d'une démarche. Une fois de plus, le cas Jarry est la preuve éclatante que la poésie est une activité de l'esprit, s'exprimant hors de toute forme préétablie et qui a pour attribut essentiel la liberté. Quant à cette forme d'humour très particulier « qui ne prête pas à rire, un humour machinal, pseudo-scientifique », Tzara situe bien son lieu d'origine dans un sentiment de détresse surmontée par la raillerie et la

---

1. Alfred Jarry, *Gestes et opinions du docteur Faustroll, pataphysicien*, 1911.
2. Tristan Tzara, *op. cit.*

vision critique. Loin des clichés faciles du poète maudit fauché en pleine jeunesse, « Jarry, écrit-il en 1953, a caché sa détresse sous la figure réjouie qu'il montrait à ses contemporains préoccupés de leurs intrigues et de la stupidité, de leur apparente supériorité. Il a passé parmi eux fier et solitaire, sans aigreur, le front haut et le cœur pur ».

Pas facile d'aborder un auteur qui a consacré une partie de sa vie à ridiculiser les théoriciens et les critiques prétentieux. Tzara évite cet écueil. Ses commentaires sont toujours brefs et bien sentis. Mais surtout, il ne manque pas de revenir sur la filiation Jarry-Dada. A la fois précurseur d'un grand chambardement et « déniaiseur » d'une jeunesse qui n'attendait que ça pour jeter à la poubelle « la soi-disant sagesse des nations ».

Au cœur des années 50, Tzara ne renie rien et se fait le porte-parole d'une liberté sans limites... « Jarry a été le précurseur de Dada. Aux formes consacrées de la littérature, on oppose la spontanéité de la création ; à l'ordre préétabli l'arbitraire de l'imagination. C'est en vertu du droit sacré à l'imagination que l'antilittérature de Dada a subordonné l'art aux valeurs humaines. C'est ce principe de la liberté de la création artistique qui domine dans l'œuvre de Jarry. Et c'est cette liberté que je nomme poésie. Jarry écrit des poèmes. Mais ce n'est pas seulement dans ses poèmes que se trouve la poésie. Elle est à l'état naissant, involontaire dans toutes ses œuvres, théâtre ou prose, comme elle fut présente, tout au long de sa vie, dans ses fastes et dans ses actions [1]. »

---

1. Voir également sur ce sujet « Jarry vivant », *France-Observateur*, 18 mars 1958. Une interview de Tzara à propos d'*Ubu roi* (Théâtre National Populaire).

Jarry n'est pas seulement un maître à penser, mais aussi un maître à vivre. Une vraie passion pour Tzara, qui le pousse à rassembler dans sa bibliothèque une collection unique de documents et d'éditions originales [1]. On y trouve l'un des deux manuscrits de *Gestes et opinions du docteur Faustroll, pataphysicien.* Les précieux feuillets autographes sont reliés, et Picasso, postérieurement, y a pyrogravé un portrait de Jarry. A travers ce geste élégant, le peintre rend hommage à Tzara, à qui il a pourtant disputé l'acquisition de ce manuscrit. A côté des plus belles éditions, Tzara a pris soin de réunir tout un jeu de correspondances et même un éventail ayant appartenu à Rachilde sur lequel Jarry s'est amusé à écrire... « Moi, Alfred Jarry, je dis que Madame Rachilde mange des lentilles avec une épingle d'or — mais la nuit court pour déterrer les morts. »

1. Catalogue de la vente Tzara, Drouot, 4 mars 1989.

Les mousquetaires

On connaît l'histoire de Breton et Aragon, méde-cins auxiliaires se croisant dans les salles de garde du Val-de-Grâce en pleine guerre. On a plus de mal à cerner ces jeunes gens qui ne vont pas tarder à rentrer en contact avec Tzara. A eux deux, ils forment un couple étonnant. A vingt ans, ils hantent les librairies, méprisent les Académies mais ont déjà de solides références. Mallarmé pour Breton, Barrès pour Aragon, et Apollinaire qui les unit pour toujours. Ils jouent les dandys fin de siècle avec monocles et petites moustaches, mais préfèrent encore Valéry à Jean Lorrain. Le démon de la littérature les brûle, et tout en vénérant quelques maîtres en écriture ils s'apprêtent à lancer leur propre revue puisque rien ne leur convient.

Amoureusement jaloux de la pureté de la syntaxe et rêvant secrètement de révolte absolue, Breton et Aragon se cherchent encore au sortir de la guerre.

Ils en parlent longuement dans les couloirs livides des hôpitaux où on leur fait perdre une partie de leur jeunesse. Au fond du sordide, alors que les fous qu'ils soignent hurlent leur désespoir, ils cherchent et se passionnent pour la moindre échappatoire[1]...

---

1. Marguerite Bonnet, *André Breton. Naissance de l'aventure surréaliste*, op. cit. — Pierre Daix, *Louis Aragon*, Paris Flammarion (1994).

Un soir, c'est Aragon qui fait part de sa découverte : Lautréamont et ses *Chants de Maldoror*. On s'emballe, on récite à voix haute. C'est la fièvre, on recopie des pages à la Bibliothèque nationale. Une autre fois, c'est Breton, alors interne provisoire à Nantes, qui fait la connaissance d'un jeune militaire en traitement. Un vrai choc pour Breton qui découvre ce grand garçon élégant qui n'a d'autre activité que l'oisiveté et méprise avec brio la littérature et l'art, Vaché, un jeune homme en roue libre sans attache et sans tabou. Breton regarde, émerveillé, cette débauche insensée qui mène à la mort et raconte à son ami Aragon cette virée mortelle sur les bords de la Loire. Enfin, ils savent ce qu'est la révolte absolue et définitive. Vaché meurt dans des conditions assez mystérieuses le 6 janvier 1919. Breton a-t-il eu le temps de lui apporter les documents Dada en provenance de Zurich qu'il a déjà reçus ? Dans ses entretiens de 1952, il affirme que non. Sa mémoire souvent très sûre l'a-t-elle trahie ? Une lettre adressée par Philippe Soupault à Tzara le 17 janvier 1919 permet de penser le contraire : « Je tiens à vous envoyer tous mes compliments pour le Manifeste vraiment étonnant et qui me plaît absolument. Je l'ai lu à plusieurs amis, André Breton, Louis Aragon et Jacques Vaché (...) Mon ami Vaché très enthousiasmé par le Manifeste et qui est l'homme le plus près de vous[1]. »

Au même moment, dans le troisième numéro de la revue *Dada*, Tzara lance sa bombe : Le Manifeste. L'injure à la bouche, le jeune homme signe un appel nihiliste sans concession. Seul reste le cri, le geste spectaculaire, le saccage. Dada est d'abord une vaste

---

1. Correspondance Philippe Soupault-Tristan Tzara, Bibliothèque Doucet.

lessive. La propreté de l'individu s'affirme après l'éclat de folie, folie agressive, complète d'un monde laissé entre les mains des bandits qui déchirent et détruisent les siècles [1].

Ce grand tourbillon, qui vient en droite ligne des nuits de folie du Cabaret Voltaire, confirme bien que Dada n'est pas une énième idéologie du refus : « Je ne suis ni pour, ni contre et je n'explique pas car je hais le bon sens. » Enfin, Tzara ouvre la voie à une révolte absolue qui ne sombre pas dans le vertige de la destruction et du suicide.

Dada, c'est aussi la liberté et l'affirmation de la vie. Quelques jours après la mort de Vaché, c'est sans doute ce qui a totalement séduit Breton. La figure de Tzara se détache au moment même où elle vient combler le vide laissé par la disparition de Vaché. Dès sa première lettre, Breton évoque la mort de son ami. « Ce m'était une joie dernièrement de penser combien vous vous seriez plu. Il aurait reconnu votre esprit pour frère du sien et d'un commun accord nous aurions pu faire de grandes choses. » Et quelques jours plus tard, le 20 avril : « Si j'ai en vous une confiance folle, c'est que vous me rappelez un ami, mon meilleur ami Jacques Vaché. Il ne faut peut-être pas que je me fie trop à cette ressemblance [2]. » Même si Breton relativise, il reste ce hasard troublant, et le mystère qui entoure Tzara.

Alors il ajoute : « Je suis réellement enthousiaste par votre Manifeste ; je ne savais plus de qui attendre le courage que vous montrez. C'est vers vous que se tournent aujourd'hui tous mes regards. » Et pour se présenter à son jeune interlocuteur, il lui fait part de

1. Tristan Tzara, *Œuvres complètes*, tome I.
2. Correspondance André Breton-Tristan Tzara, Bibliothèque Doucet.

ses goûts... On y retrouve Reverdy, Apollinaire, Rimbaud, Lautréamont ; « je ne suis pas si naïf que j'en ai l'air », écrit-il pour conclure.

Tzara ne manque pas de répondre aux lettres de Breton. Il lui raconte sa vie à Zurich, sa maladie de nerfs qui le torture, ses problèmes matériels et les expositions « modernes » qu'il organise ; quand il parle de lui-même, c'est avec une certaine froideur calculée, une distance étonnante. « Je tente depuis des années d'éliminer tout charme dans ce que je fais et comme critère je hais les lignes gracieuses et l'élégance extérieure[1]. » Une telle rigueur ne peut que séduire Breton qui continue d'envoyer des lettres admiratives... « Vos poèmes sont merveilleux, écrit-il, je vous remercie d'abord. De tous les poètes vivants, vous êtes celui qui m'émeut le plus. Ayez toute confiance en moi. »

A l'hôtel des Grands Hommes, où Breton s'est installé, les nuits sont agitées. Avec Aragon qu'il présente comme son ami « le plus intime » il lit et relit les *Vingt-cinq poèmes* de Tzara. Ce sont des séances fiévreuses, des nuits souvent blanches, des discussions interminables. Quelquefois Philippe Soupault les rejoint. Lui est un fils de bonne famille en rupture de ban. Habitué des mardis d'Apollinaire au café de Flore où il croise un certain Breton, Soupault est disponible, c'est un esprit libre, original, et surtout résolu à explorer des terres nouvelles.

Lui aussi est fasciné par les prospectus Dada, et par le mystérieux Tzara. Cinquante ans après il se souvenait bien de cet incroyable courrier qui arrivait de Zurich. « Je me demande comment il pouvait faire pour imprimer ses revues et acheter des timbres

---

1. Correspondance Tristan Tzara-André Breton, Bibliothèque Doucet.

pour toutes les lettres qu'il adressait[1]. » En retour Soupault ne manque jamais de le féliciter pour son activité et son énergie. « C'est rare parmi les poètes d'aujourd'hui. »

En accord avec ses deux amis, il le presse de venir à Paris, et comme Tzara est décidé à prendre son temps Breton lui demande une photo. Mais quand le même Breton se plaint en évoquant sa grande lassitude littéraire, Tzara réplique sans hésitation : « Je pense, mon cher Breton, que vous cherchez aussi des hommes. Si l'on écrit ce n'est qu'un refuge : de "tout point de vue". Je n'écris pas par métier. Je serais devenu un aventurier à grande allure et aux gestes fins si j'avais eu la force physique et la résistance nerveuse pour réaliser ce seul exploit de ne pas s'ennuyer. On écrit aussi parce qu'il n'y a pas assez d'hommes nouveaux, par habitude, on publie pour chercher des hommes et avoir une occupation[2]. »

Déclaration essentielle qui confirme bien l'image tourmentée du jeune Tzara. Qu'on ne compte pas sur lui pour des combats prophétiques ou des projets grandioses. Isolé dans sa petite chambre zurichoise, il envoie des messages à l'Europe entière pour éviter l'ennui et peut-être croiser des gens qui ont des choses à dire. Tzara modeste et réaliste, mais surtout lucide. Il sait que la partie n'est pas gagnée d'avance, et que cette petite vie étriquée que la société promet aux jeunes gens reste une menace permanente. Il y a certes les renoncements et les obligations de la vie sociale, mais la présence à Zurich de tant de réfractaires lui donne un peu de courage. Il lui en faut beaucoup, car il lutte sans cesse contre ce « défaut

---

1. Entretien avec Philippe Soupault, novembre 1983.
2. Correspondance Tristan Tzara-André Breton, Bibliothèque Doucet.

réel », qu'il évoque rapidement dans une lettre du
5 mars 1919. On le devine, ce n'est pas seulement un
dégoût d'ordre intellectuel et littéraire, son ombre se
projette sur toute l'existence. On se souvient de ses
moments de désespoir, et de ses crises de nerfs. On
se rappelle ses tendances à s'isoler, à se couper du
monde et même de ceux qu'il aime. Tzara toujours
au bord du gouffre...

Breton, son interlocuteur, est évidemment fasciné
par ce malaise existentiel. Il y retrouve l'écho assez
proche des dérives suicidaires de Jacques Vaché.
Mais dans ces lettres, Breton se montre plutôt
réservé. Il peut lui faire part de ses doutes sans
jamais le brusquer. Une fois, il se permet de lui suggérer une correspondance « moins littéraire[1] ». Il
propose de parler d'amour. L'autre élude la proposition et revient à la charge. Face au piège qui se
referme sur les jeunes gens de 20 ans, il faut tout
balayer. Dada veut scandaliser, crier, faire avorter
la poésie et danser des nuits entières. Sur ce point
Breton est plutôt d'accord : oui, Dada est la force
de subversion dont la jeunesse a besoin pour venir à
bout de la Grande Illusion, l'Art, et — au-delà —
constitutive de « l'idée moderne de la vie ». Faire
table rase pour envisager autre chose, tel est bien le
credo de Breton[2].

Mais en agissant ainsi ne prend-on pas le risque
de la déconsidérer ?

C'est l'angoisse de Breton qui se confie à Tzara.
« J'ai au même degré que vous la passion de
détruire. Mais ne faut-il pas s'en cacher ? Tôt ou
tard, vous risquez de vous faire disqualifier[3] » ? Bre-

---

1. *Ibid.*
2. Marguerite Bonnet, *André Breton. Naissance de l'aventure sur-*
réaliste, op. cit.
3. Correspondance André Breton-Tristan Tzara, Bibliothèque
Doucet.

ton utilise le nihilisme pour déminer le terrain et reconstruire sur d'autres bases. Tzara, lui, n'a pas du tout ce genre d'états d'âme.

Pourtant, il y a un point sur lequel les deux hommes tombent d'accord. Ils ont tous les deux une obsession : ne pas succomber, ne pas devenir l'ombre de soi-même. On perçoit bien la même rigueur morale. Comment éviter de commencer sa vie en incendiaire pour la finir avec les maîtres de l'ordre établi. Breton n'a pas de réponse claire, mais il a en revanche classé les différentes manières de dégénérer... « La mort (Lautréamont, Vaché), le gâtisme involontaire : il arrive qu'on se prenne au sérieux (Barrès, Gide, Picasso), le gâtisme volontaire, réussite dans l'épicerie (Rimbaud) et les intoxications (Jarry). Mais vous, mon cher ami, comment sortirez-vous ? Répondez-moi[1] ! »

A l'automne 1919, c'est Marcel Janco qui apporte quelques éléments de réponse. Il séjourne pour plusieurs semaines à Paris. Il cherche à rencontrer Breton et Aragon. En assez mauvais termes avec Tzara, il dépeint ce dernier sous les traits d'un individu peu recommandable. Le poète roumain est devenu une sorte de grand prêtre organisant des nuits de débauche dans les vapeurs de l'opium... Ce qui, on peut s'en douter, excite formidablement Aragon. Breton se laisse convaincre. Les Français sont définitivement conquis et attendent Tzara comme le nouveau messie[2].

---

1. *Ibid.*
2. Michel Sanouillet, *Dada à Paris, op. cit.* — Entretiens avec Philippe Soupault (1983), René Hilsum (1986), Louis Aragon (1983).

Dada débarque

Le 17 janvier 1920, Tzara arrive à la gare de Lyon. Mais dans la cohue, personne ne se retrouve. Dépités, Aragon et Breton n'ont pas vu Dada. Un peu perdu, Tzara décide finalement de suivre les recommandations de Picabia qui l'a invité. Il se rend rue Emile-Augier. C'est l'appartement de Germaine Everling, la compagne du peintre. Celle-ci s'est amusée par la suite à raconter cette visite impromptue. « Il était petit, légèrement voûté, balançant deux bras courts au bout desquels pendaient des mains potelées. Sa peau était curieuse, ses yeux myopes semblaient chercher derrière le lorgnon un point fixe où s'accrocher [1]. » Avec un français hésitant, Tzara explique qu'il vient s'installer pour quelques jours. Everling n'est pas surprise, elle a entendu parler du jeune Roumain à maintes reprises, mais cette arrivée tombe plutôt mal. L'appartement affiche complet. Elle est, en effet, mère depuis quelques jours. Tzara est très gêné, il n'a pas d'argent, alors il insiste. Finalement, on décide de le loger dans le grand salon. Dans ce décor bourgeois, rococo, il déballe ses affiches et ses tracts. La conquête de Paris peut commencer...

Prévenus par Germaine Everling, Breton, Aragon

---

1. Germaine Everling-Picabia, « C'était hier Dada », *Les Œuvres libres* n° 109, Paris, juin 1955.

et Soupault se précipitent rue Emile-Augier. Eluard fait partie de l'expédition. Après une si longue attente la découverte du personnage ne va pas sans une certaine déception. On l'imaginait grand il est petit, on s'attendait à un tribun de l'insoumission or son français est approximatif et fortement marqué par un accent roumain. Soupault raconte : « Il était étonné par notre timidité, alors que Picabia, toujours mondain, s'efforçait de briser la glace. »

Dans un document retrouvé dans le fonds Tzara, Aragon s'emballe : « Nous fûmes quelques-uns qui l'attendîmes à Paris comme s'il eut été cet adolescent sauvage qui s'abattit au temps de la Commune sur la capitale[1]. » Mais l'envolée rimbaldienne cède la place à la réalité. Le vrai Tzara est déconcertant... « Il a un peu l'air d'un oiseau de nuit effrayé par le jour avec sa mèche noire qui lui retombe dans les yeux. On pense tout de suite qu'il est très joli, mais au bout de deux minutes de conversation, le rire éclate secouant au bout de la raie un panache de trois cheveux fendant le visage, le défigurant. Qu'il est laid ! Une certaine stupeur qui succède au rire ramène cette finesse orientale du visage pâle comme d'un mort dont la flamme s'est retirée dans le regard noir et très beau[2]. »

Mais quelles que soient les hésitations des uns ou des autres, il y a bien ce « lien sentimental » dont parle souvent Aragon, et surtout cette envie de sortir de la routine[3]. La première matinée de *Littérature* a lieu le 23 janvier. Tzara en sera l'invité-surprise. Incognito, il participe à une réunion plénière au café Certa, passage de l'Opéra. Dans ce décor de bar-

1. Louis Aragon, Document manuscrit (1922), Bibliothèque Doucet.
2. Louis Aragon, *Projet d'histoire littéraire contemporaine, op. cit.*
3. Entretien avec Louis Aragon.

tabac populaire si loin des habituels cafés littéraires
de la capitale, il découvre tout ce petit monde qui
gravite autour des étoiles de *Littérature*... Du musicien Georges Auric à l'ami tourmenté d'Aragon,
Pierre Drieu La Rochelle, en passant par le jeune
confident de Cocteau, Raymond Radiguet.

Avec des réunions au public aussi éclectique, on
reste très loin de l'activité fébrile des dadaïstes allemands. A Berlin, on parle mouvement social, à Paris
on en est resté au thé dansant, à l'image de cette
première matinée de *Littérature*. Certes on a choisi
une salle populaire, le Palais des Arts, rue Saint-
Martin, pour bien se démarquer des amphithéâtres
de la Rive Gauche et des « beaux quartiers ».

Le programme évite les appels à l'émeute et les
rapports politiques pour se contenter de quelques
poèmes, de présentations de tableaux modernes,
entrecoupés d'interludes musicaux par le déjà
fameux « groupe des Six ».

En discutant avec Tzara qui commence à montrer
son vrai talent d'organisateur, les mousquetaires
s'interrogent sur la banalité d'une telle initiative. La
veille au soir, résolu à tout bouleverser, Picabia
convoque une réunion de crise, dans son salon de la
rue Augier. Tzara est comme métamorphosé, beaucoup plus à l'aise[1], il étonne ses nouveaux amis par
sa technique de la scène, et sa prescience des réactions du public. Il raconte les nuits chaudes du
Cabaret et chacun y va dans la surenchère. Ce soir-
là Dada est vraiment lancé à Paris et a trouvé son
mode de fonctionnement : l'émulation permanente
par la confrontation des idées les plus insensées.

---

1. Entretien avec Philippe Soupault.

« L'ivresse des réunions publiques »
Aragon

Cette première dadaïste en plein Paris reste à l'image des sommaires de la revue *Littérature*. On y trouve presque tout ce qui est « moderne » ou qui prétend l'être. Autant dire qu'au Palais des Fêtes c'est plutôt l'auberge espagnole. Dans le public une foule disparate de curieux, de commerçants du quartier, d'intellectuels avertis et quelques chroniqueurs bien décidés à ne pas faire de cadeau à ces jeunes impertinents.

Sur scène l'œcuménisme est de rigueur. On rend hommage aux grands ancêtres (Apollinaire, Cendrars...), on présente quelques tableaux de Léger, Gris ou Chirico. Mais c'est une œuvre de Picabia qui met le feu aux poudres. *Le Double Monde* est une suite d'inscriptions fantaisistes avec au milieu le célèbre LHOOQ. Les cris et les injures redoublent quand Aragon s'avance pour lire un poème crépitant de Tzara.

On frise la bagarre générale quand Tzara lui-même commence à lire le dernier discours de Léon Daudet à la Chambre. Florent Fels, un directeur de journal, mène la meute de tous ceux qui criaient « A Zurich au poteau ! » devant un Tzara imperturbable[1]. L'émeute façon *Hernani* n'aura pas lieu.

1. Louis Aragon, *Projet d'histoire littéraire contemporaine, op. cit.* — Marc Dachy, *Journal du dadaïsme, op. cit.* — Michel Sanouillet,

Mais qu'importe, sur le trottoir la petite troupe est satisfaite. Une vraie complicité existe entre ces jeunes gens. Vaguement inquiets quant à l'avenir, ils savent que Dada est maintenant parisien et que d'autres provocations attendent les spectateurs. Mais c'est bien Tzara qui marque des points.

Avec sa froideur habituelle et son absence totale de scrupules, il a eu le cran de tenir tête à une foule hostile. Il sait qu'il est encore loin de l'hystérie créatrice du Cabaret Voltaire, mais sans savoir où il va, il a enfin trouvé d'autres jeunes gens à la hauteur de sa démesure. « Tout de même, raconte Aragon, il y avait entre nous une espèce de liens sentimentaux et tant pis si quelques-uns aujourd'hui l'ont oublié — ou tant mieux. Il y avait surtout ce charme très nouveau pour nous de Tzara [1]. » L'atmosphère est au beau fixe et la petite bande n'arrive plus à se séparer. Le lendemain, tout le monde décide d'aller voir les ballets russes de Diaghilev à l'Opéra. Si on suit Aragon, c'est Tzara lui-même qui fait prévenir le maître des ballets russes de la présence des « Dada » dans la salle, et Diaghilev fait aussitôt placer ces jeunes gens dans plusieurs loges. C'est bien parti, Tzara est presque chez lui au cœur des soirées parisiennes. Avec « un petit nœud de cravate-papillon qu'il porte de travers », il salue ce soir-là tous ceux qui comptent dans le monde des lettres, de la presse et de la mode, pour finir au bordel de la cité Lafayette avec Eluard et Aragon. A la fin de la nuit, c'est Tzara qui paie avant de rentrer rue Emile-Augier.

Dada à Paris, op. cit. — Entretiens avec Louis Aragon, Philippe Soupault et René Hilsum.

1. Louis Aragon, *Projet d'histoire littéraire contemporaine, op. cit.* — Entretien avec Louis Aragon.

QG *Dada chez Picabia*

Dans le salon rococo, c'est la frénésie des grands moments dada. Georges Ribemont-Dessaignes, peintre dilettante très proche de Picabia, raconte cette sorte d'exaltation : « Les détails s'estompent et je ne revois qu'une sorte d'ivresse collective, celle de se lancer dans on ne savait pas trop quelle aventure chargée d'un sens qu'on devinait plus qu'on ne l'analysait et qui se dissimulait même à nos yeux sous des apparences de faits légers[1]. »

Sous les lambris et les tentures de Picabia, Tzara redevient plus que jamais l'activiste dada qu'il était à Zurich. Dans une improvisation presque totale, et avec le soutien logistique de son richissime logeur, il réalise un nouveau numéro de *Dada*, le sixième, intitulé *Bulletin Dada*. Le Mouvement est désormais international et Tzara après avoir malicieusement rappelé que « tout le monde est directeur du mouvement Dada » donne la liste des quatre-vingts présidents et présidentes.

Le « Monstre[2] », pour reprendre l'appellation utilisée par un éditorialiste parisien, a essaimé dans toute l'Europe et même aux Etats-Unis. Ce numéro met en lumière l'incroyable sens de l'organisation de

1. Georges Ribemont-Dessaignes, *Déjà jadis*, Paris, 10-18, Julliard (1973).
2. Bernard Faÿ, « L'état présent de la poésie en France », chronique *La Gazette littéraire* (1920).

Tzara, et Soupault d'admettre, comme les autres, son génie d'imprésario du scandale Tzara et son courage de provocateur. « Désormais, il devient pour nous un guide. Son dynamisme nous éblouissait et nous inquiétait. Il nous propose d'organiser des manifestations. C'était lui qui avertissait la presse, faisait imprimer des prospectus et des invitations dont la typographie révolutionnaire était remarquable et d'une nouveauté qui a été souvent depuis imitée [1]... »

Mais ce bulletin est aussi un festival Picabia. Il faut reconnaître que Tzara s'est inspiré de *391* pour réaliser ce journal. A toutes les pages on retrouve l'humour dévastateur, la formule au vitriol et l'anarchisme sans contrôle... Dans le genre, on n'a rarement fait mieux. « Dada doute de tout. Dada est tatou. Tout est Dada. Méfiez-vous de Dada », un peu plus loin « L'arc-en-ciel pousse les gens à toutes les comédies, tu ne sembles pas fier de Picabia, ta peau devient suspecte où flotte un lion ». Le feu d'artifice continue et quand Picabia semble à court d'idées, Ribemont, Soupault et Tzara prennent la relève... Et comme Dada ne perd pas de temps, le numéro annonce un rendez-vous au salon des Indépendants. La matinée Dada est la première d'une série de douze séances de musique, littérature et danse. Tzara a bien fait les choses. Il a l'accord des organisateurs officiels, il a contacté les grands journaux et pour faire venir la foule des grands jours il a diffusé une fausse nouvelle : l'adhésion de Charlie Chaplin au mouvement Dada et sa participation à la matinée.

Le 5 février, il y a beaucoup de monde et pas de

---

1. Philippe Soupault, *Europe* nos 555-556, juillet-août 1975, numéro spécial Tristan Tzara. — Entretien avec Philippe Soupault.

Charlie Chaplin. Les jeunes Turcs peuvent donc se déchaîner. Cris, chahuts, réquisitoires, manifestes, c'est le grand défoulement dada. La séance se termine aux chandelles par une harangue du Roi des camelots que le public doit applaudir à tout rompre[1].

Pierre de Massot fait partie de ces jeunes gens qui suivent avec intérêt les premières provocations dada. C'est un habitué de la rue Emile-Augier, il a d'ailleurs collaboré à *391*, dont il assure la gérance. En mai 1921, dans la revue *Verve*, il publie un reportage étonnant sur Tzara[2]. Après une description assez précise du fameux salon où Picabia fait merveille comme « un virtuose de la conversation », place à Tzara et le portrait ne manque pas de réalisme... « Assis sur une chaise tout au fond de la pièce une mèche sur le front, l'air d'un caniche exotique, et neurasthénique, Tristan Tzara s'ennuie. Le seul mot de Dada peut le réveiller et lorsqu'il fixe son interlocuteur, son regard prend une expression de froide et tranchante cruauté. On devine alors derrière cette impénétrabilité volontaire, sous ce masque énigmatique, l'orgueil prodigué de ce désabusé. » De Massot en profite pour lui prédire un avenir dramatique à la mesure de son découragement avec une pointe d'humour. « Tzara, quand il aura épuisé toutes les ressources de son imagination, se jettera par la fenêtre et aplatira son rêve sur le pavé pour qu'on parle de lui et pour recevoir de nouvelles coupures de presse le lendemain. » Tzara donne encore l'impression d'être un formidable imprésario de lui-même. Ce qui ne l'empêche pas d'être sympathique « quand il cesse de poser » précise de Massot.

1. Entretiens avec Louis Aragon, Philippe Soupault et René Hilsum.
2. Pierre de Massot, « Souvenirs », *Verve*, mai 1921.

De Gaya au Certa

Depuis quelques semaines Cocteau et ses amis ont décidé d'investir un petit bar de la rue Duphot, dont le nouveau patron Louis Moysès est un limonadier assez doué originaire de Charleville. Darius Milhaud cherchait un endroit tranquille pour être « chez soi » et faire de la musique. Il appelle Cocteau et on inaugure le bar. Jean Wiener, pianiste, se souvient, « en cinq ou six coups de téléphone, Cocteau mobilisa le Tout-Paris[1] ».

Dès le premier jour, la petite rue est embouteillée et le bar bourré de monde. Si on suit Wiener, Tzara est évidemment de la fête... « Il m'est permis de penser qu'on ne reverra peut-être jamais ce que j'ai vu certains soirs au Gaya en 1920. J'ai retrouvé un petit carnet où j'avais écrit ces notes : "A une table André Gide et Marc Allégret, à côté d'eux Diaghilev, Kochno, Picasso et Missia Sert. Un peu plus loin Mlle Mistinguett, Voltera et Maurice Chevalier. Contre le mur, Satie, René Clair, sa femme et Bathori. Puis, j'aperçois Picabia qui discute avec Paul Poiret et Tzara." »

Tous les soirs Cocteau et Radiguet font le tour des tables pour saluer ce beau monde[2]. A Gaya, il y a toujours des surprises, Arthur Rubinstein qui joue

---

1. Jean Wiener, *Allegro Appassionato*, Paris, Belfond (1978).
2. Entretien avec Georges Bernier.

96

du Chopin de façon impromptue ou Yvonne Georges qui fait une entrée triomphale. Mais tout le monde attend le récital Cocteau... A une heure avancée de la nuit, il vient s'asseoir devant des tambours et toutes manches relevées, frappe la cymbale d'un coup de baguette accompagnant bien en mesure les morceaux de Jean Wiener.

Un Cocteau qui n'arrête pas, quand il le peut, de vanter les mérites de Tzara. Dans *L'Esprit nouveau*[1] il écrit : « Tzara est un créateur. Il donne du sens à ce qui n'en a pas. Le simple fait que sa main dirige le hasard, ce hasard lui appartient et lui ressemble. Qu'un autre l'imite, les mots sortis du chapeau en sortent mal. Tzara, lui, secoue le chapeau et sort des merveilles. »

Finalement Tzara apprécie Cocteau. Il le trouve si drôle au milieu des princesses et des starlettes. Quant au tapage qu'il sait orchestrer autour de lui, c'est un modèle du genre. Tzara prend des leçons de mondanité et malgré les foudres de Soupault ou de Breton, il finit toutes ses nuits au milieu des paillettes du bar de la rue Duphot. Irène Lagut, un temps égérie d'Apollinaire et peintre à ses heures, le confirme : « Tzara était toujours là avec ses amis. Certains, comme Auric, Allégret ou même Radiguet, étaient de fervents partisans de Dada. Il avait l'air très heureux et montait sur scène pour accompagner la bande à Cocteau[2]. »

Le matin il récupère pour ensuite rejoindre le passage de l'Opéra. Le Certa est le siège principal des assises de Dada. Changement de décor et d'ambiance. Aragon est un assidu et dans *Le Paysan de*

---

1. Jean Cocteau, « Autour de La Fresnay », *L'Esprit nouveau*, 19 décembre 1920.
2. Entretien avec Irène Lagut, Menton, 13 avril 1989.

Paris il fait une description très précise du lieu où règnent « une lumière de douceur et le calme et la fraîche paix ».

Si le Gaya avec ses carreaux de faïence fait penser à une salle de bains, le Certa est le royaume du bois. « Un grand comptoir occupe la majeure partie du fond du café. Il est surplombé par des fûts de grande taille avec leurs robinets. L'essentiel de son mobilier est que les tables n'y sont pas des tables mais des tonneaux. » Au Certa, on boit du porto « chaud, ferme, assuré et véritablement timbré ». A côté de ce grand classique, le patron a eu l'idée de concocter un « dada cocktail » pour Aragon. Dans cet endroit du moins, Dada est « complètement passé dans les mœurs... »

Ici le mot s'entend un peu différemment d'ailleurs, et avec plus de simplicité. Cela ne désigne ni l'anarchie, ni l'anti-art... être dada n'est pas un déshonneur, cela désigne, et voilà tout, un groupe d'habitués, des jeunes gens un peu bruyants parfois, peut-être, mais sympathiques. On dit le dada, comme on dit : le monsieur blond.

La caissière est aimable, jolie, et Aragon téléphone souvent « Louvre 5449 » pour le simple plaisir de s'entendre dire « non Monsieur, personne ne vous a demandé[1] ».

Pour lui, comme pour Tzara, pas question de rater un seul rendez-vous du Certa. Et si un visiteur étranger passe par Paris, on l'amène aussitôt dans ce bistrot. Duchamp, par exemple, à peine débarqué de New York, et qui a tôt fait de conquérir Tzara, l'Allemand Max Ernst, le compagnon des nuits chaudes de Zurich. Hans Arp, le Belge loufdingue Clément Pansaers.

---

1. Entretien avec Louis Aragon.

C'est donc au milieu des tonneaux que les dadas vont comploter pour mettre au point, comme l'écrit Aragon, « ces manifestations dérisoires et légendaires qui firent sa grandeur et sa pourriture[1] ». Chacun amène ses idées et Tzara joue au grand organisateur. Une chose est sûre, 1920 sera une année dada.

---

1. Louis Aragon, *Projet d'histoire littéraire contemporaine, op. cit.*

Une saison dada

Au milieu de la cohue du salon des Indépendants, Breton est contacté par Léo Poldès qui propose aux dadas de venir porter la controverse sur la scène du club qu'il préside, le Club du Faubourg.

Descendant un peu déglingué des grands clubs révolutionnaires, celui-ci siège dans une chapelle désaffectée. Méfiants, les dadas acceptent quand même l'invitation. Le pari n'est pas évident car le public de Poldès est plutôt du genre prolétaire avec beaucoup de travailleurs du quartier et quelques leaders syndicalistes.

Or, Dada se veut populaire, et pour ces jeunes bourgeois attirés par le mirage révolutionnaire, cela tombe bien. Le 7 février, quand Tzara arrive dans la chapelle, il a devant lui plus de mille personnes. C'est Raymond Duncan qui chauffe la salle en première partie. Avec sa grande toge blanche, il ressemble plus à un barde gaulois qu'à un esthète d'origine américaine (ce qu'il est réellement). Il parle de la beauté avant que la salle n'intervienne. Un instituteur prend la parole sur Barbusse, un autre aborde le pacifisme. Sous la houlette de Poldès c'est le grand déballage de toutes les rébellions... Tzara propose de ne pas intervenir dans ce débat qui tourne vite à la foire d'empoigne entre anarchistes et socialistes.

C'est sans compter sur Aragon qui, avec l'éloquence qu'on lui connaît, prend le parti des anars.

Sentant que la soirée leur échappe, Tzara et Breton réagissent. L'un en distribuant le Bulletin, l'autre en s'imposant sur l'estrade pour lire le Manifeste Dada. Inutile de décrire la réaction du public. Comme au salon des Indépendants, la réunion se termine dans la confusion la plus totale. Mais qu'importe, le tohu-bohu fait la gloire de Dada.

Une dizaine de jours plus tard, ils remettent ça à l'Université populaire du faubourg Saint-Antoine. Dans ce bastion anar, ils espèrent une réaction moins houleuse. Effectivement le soir même le public écoute ébahi les manifestes dada et demande ensuite des explications. C'est Aragon et Ribemont-Dessaignes qui sont chargés de répondre aux prolétaires sans forcément les convaincre. Pas de pugilat cette fois-ci, mais le sentiment chez nos jeunes gens qu'il va falloir trouver autre chose...

Tzara sait mieux que les autres que Dada doit se renouveler sans cesse. Il faut sortir de ces récitals aux monologues interminables. Place à un vrai spectacle qui impose un travail de réflexion sur les textes et sur la mise en scène. Dada ne doit pas se contenter d'être une agence à scandales.

Parallèlement à une bagarre déclenchée à la Closerie des Lilas pour régler son compte à la « section d'or des dissidents cubistes et à un soutien sans réserve au grand bal dada de Genève organisé par Walter Serner, Tzara met toute son équipe au travail. Dans le plus pur esprit du Cabaret Voltaire, il s'agit d'en finir avec la tradition classique du théâtre, de faire réagir le public, tout en évitant la bouffonnerie du café concert... »

La soirée est prévue le 27 mars au théâtre de la Maison de l'Œuvre[1]. Lugne Pœ, son directeur, ne

---

1. Michel Sanouillet, *Dada à Paris, op. cit.* — Henri Béhar, *Le Théâtre dada et surréaliste, op. cit.* — Catalogue de la vente Tzara, Drouot, mars 1989.

déteste pas les spectacles à hauts risques. En 1896 c'est dans son théâtre que *Ubu roi* de Jarry a déclenché un scandale mémorable. Une filiation qui n'est pas pour déplaire à Tzara.

Oui, Jarry est bien un maître. Quatorze ans plus tard, les dadas relèvent le défi et se retrouvent sur la même scène.

Côté théâtre, quatre sketches ont été préparés. Tout le monde s'y est mis : Ribemont avec son « "serin muet", Breton et Soupault avec "S'il vous plaît", Paul Dermée avec son "ventriloque désaccordé". Tzara lui, a adapté *La Première Aventure céleste de monsieur Antipyrine* pour huit acteurs dada. Comme il l'écrira plus tard, il a conçu une machine diabolique[1] » destinée à faire réagir la foule : décor dérisoire composé d'une roue de bicyclette et de cordes tendues à travers la scène, de panneaux aux inscriptions totalement hermétiques, des costumes ridicules imaginés par Picabia. Si on ajoute à tout cela un texte plutôt difficile à comprendre on ne s'étonnera pas des réactions de la salle. Hurlements, projectiles, cris, gloussements... « On se serait cru chez les fous, écrit Tzara, et le vent de folie soufflait aussi bien sur la scène que sur la salle. » A tous ceux qui ont payé pour un chahut de potache et des blagues de corps de garde, Tzara amène le vertige de la déraison, il y a de quoi être pris de panique !

Cela explique sans doute la réaction furieuse de la presse. *La Revue de l'époque* lance une grande enquête intitulée : faut-il fusiller les dadaïstes ? Louis Vauxcelles met en garde contre les dadas, « une secte nihiliste » particulièrement dangereuse. Mais les anars de droite du *Crapouillot* se demandent si

---

1. Tristan Tzara, « Memoires of Dadaïsme », *Œuvres complètes*, tome I.

on n'en fait pas un peu trop. Un jeune critique, Georges Charensol, dans la *Comœdia*[1] du lendemain, prend un peu de recul. Pour lui Tzara va plus loin que Jarry parce que « Dada vise à l'abolition de tout art et de toute littérature ». Il constate aussi avec une certaine justesse qu'il y a deux types de dadas. Les dilettantes, ceux qui gardent quelques distances, et les autres peu enclins à la modération. Tzara, avec Picabia, fait bien partie de la deuxième catégorie. « C'est un vrai dada, insiste Charensol, convaincu, illuminé, absurde, et inconscient. Il prend un plaisir visible à réunir des mots qui, accouplés, perdent leur sens. » En 1952, dans ses *Entretiens*, Breton semble donner raison à Charensol[2]... « Je vous ai dit combien l'élaboration de chaque programme était laborieuse. Son exécution (toute fragmentaire) était bien pire. J'en parle savamment, ayant été celui qui, une fois ce programme établi tant bien que mal, du moins ayant obtenu l'assentiment général parmi nous, payait sans doute le plus de sa personne pour que fût tenu le minimum d'engagement qu'il comportait. Hormis Tzara, Picabia et Ribemont-Dessaignes (au demeurant les seuls vrais "dadas") qui s'enchantaient ou s'accommodaient de la situation ainsi créée, les autres emportaient de là assez mauvaise conscience, peu fiers des pauvres ruses de baraques foraines qui avaient été nécessaires pour appâter le public. » Tzara est loin d'avoir ce genre d'état d'âme. Peu importe, il faut continuer à étonner et à scandaliser, sans perdre de temps. Et il est vrai que dans cette entreprise la rigueur morale d'un Breton peut être utile.

---

1. Georges Charensol, *Comœdia*, 29 mars 1920. — Entretien avec Georges Charensol.
2. André Breton, *Entretiens*, Paris, Gallimard (1973).

Piqûres de whisky avenue Kléber

Dans cette bataille pour conquérir la capitale, Breton comme Tzara rêvent de créer une maison d'édition et une vraie librairie-salon pour diffuser la bonne parole dada. Il n'y aura jamais de chef-d'œuvre dada mais cela n'empêche pas ces jeunes gens de réfléchir à une véritable stratégie de développement et de diffusion. L'édition en plaquette numérotée d'un inédit de Rimbaud leur a permis de dégager un modeste bénéfice. C'est le point de départ pour lancer une vraie collection relayée par une maison d'édition capable d'assurer la diffusion des livres mais aussi des revues.

Tzara qui s'est déjà exercé à l'édition en Suisse appuie le projet piloté par Breton et son copain de collège René Hilsum[1].

Avec le soutien logistique de Soupault et Picabia, ils louent une boutique désaffectée du côté de l'Etoile, avenue Kléber. Leur idée est simple, monter un salon de lecture sur le modèle de la Maison des Amis du Livre d'Adrienne Monnier. Hilsum a l'idée d'y organiser des expositions et surtout de proposer toutes les revues d'avant-garde. Hilsum raconte : « On a commencé à bricoler et l'endroit est très rapidement devenu le nouveau quartier général dada. Aragon passait très souvent bavarder et Tzara ima-

---

1. Entretien avec René Hilsum.

104

ginait toutes sortes d'initiatives. Mais Breton semblait bien dominer notre petit groupe[1]. »

Au cœur d'un quartier chic, une exposition Picabia semble tout indiquée. Le 16 avril on annonce l'ouverture de la librairie-salon « Au Sans Pareil », un nom selon Hilsum qui évoquait quelque magasin provincial d'ameublement ou de lingerie.

Picabia occupe tout le magasin avec une vingtaine d'œuvres dada. C'est Tzara qui a rédigé l'invitation et la présentation comme une petite bombe ultradadaïste, « Le mouvement Dada place ses capitaux dans les piqûres de whisky soda chromatique et vous invite, etc. »

Le succès n'est pourtant pas au rendez-vous. Peu d'articles de presse. Il va falloir un peu de temps pour lancer le « salon Dada ». Qu'importe, en ce printemps 1920, au milieu du vernissage Picabia, Tzara peut mesurer le chemin parcouru. On annonce déjà la parution prochaine de son nouveau livre, *Cinéma calendrier du cœur abstrait*. L'un des ouvrages les plus attendus de la nouvelle collection du Sans Pareil avec des illustrations de Arp.

Il s'agit d'une plaquette de poèmes qui ont souvent été publiés dans les bulletins dada. Les expériences et les jeux phoniques continuent ; mais la grande lessive semble terminée. Dépassé le moment de la destruction gratuite. La syntaxe respecte le vers et l'image s'affirme. Tzara paraît plus sûr de lui, plus détendu. Il a trouvé ses marques à Paris et Dada a trouvé un second souffle. Mieux, son aventure est aussi une histoire d'amitié, de fête, de nuits blanches et de rire. Comme l'écrit Soupault dans une critique qu'il donne pour le n° 11 de *Littérature* : « Il y a en ce moment dans la presse une nouvelle levée de

1. Entretien avec René Hilsum.

105

boucliers. C'est sans doute pour saluer la naissance de ce livre dont le luxe désuet en inspirera aux générations présentes et futures. Mon vieux Tzara, il manque dans votre livre, votre rire inoubliable que j'aime tant, je l'entends encore et vous êtes là vous êtes loin. »

Apothéose salle Gaveau

Tzara n'entend plus rien. Il paraît sûr de lui, emporté par son enthousiasme. C'est décidé, le 26 mai Dada prendra d'assaut la salle Gaveau, le temple de la musique classique, rue La Boétie. La salle est grande, place à la surenchère. Le programme est plus que jamais un festival de racolage sans complexes : les dadas se feront raser la tête, présentation d'un illusionniste dada, musique sodomiste, théâtre, poèmes, et même on dévoilera le sexe de Dada.

On ne recule devant rien. Tzara loue des hommes-sandwichs pour mieux diffuser le programme des réjouissances. Tout le monde accepte les règles du jeu et, comme au théâtre de l'Œuvre, le public aura droit à une suite de sketches « hilarants ».

En public, Breton est solidaire, mais en privé, il ne cache pas son agacement devant ce déballage un peu facile et les méthodes utilisées par Tzara. Il raconte : « Chaque fois qu'une manifestation est prévue — naturellement par Tzara qui ne s'en lasse pas — Picabia nous réunit dans son salon et nous sommes, l'un après l'autre priés d'avoir pour cette manifestation, des idées. Finalement la récolte n'est pas très abondante [1]. » Le morceau de résistance étant inévitablement un texte de Tzara, en l'occurrence une deuxième aventure de monsieur Antipyrine.

---

1. André Breton, *Entretiens*, op.cit.

Breton a le pressentiment de l'impasse dada. Il a envie d'autre chose, même si cela reste encore très flou. Il est aussi sous le charme de Simone Kahn qu'il vient de rencontrer par l'intermédiaire de son copain Fraenkel. Or, Simone trouve les dadas totalement infréquentables. En sortant de la salle Gaveau elle se montre très sévère. Tout cela lui a paru « d'une grossièreté et d'une pauvreté qui se rendent l'une l'autre inexcusables[1] »...

Il est vrai que Tzara est en roue libre, incontrôlable. Germaine Everling le confirme : « Il vivait dans une perpétuelle exaltation. Il immolait à Dada quiconque échappait à sa règle, espérant bien que l'idole lui rendrait au centuple ces sacrifices humains ! Aussi régentait-il les hommes de son bord avec une rigueur monastique n'admettant ni discussion, ni controverses, ni les moindres initiatives personnelles qui eussent pour but de distinguer quelques-uns d'entre eux aux dépens de Dada[2]. »

Et de fait, malgré la foule des grands soirs, Gide, Valéry, Brancusi, Copeau, Léger, Vildrac, Romains, ont fait le déplacement, et quelques trouvailles particulièrement drôles (on songe à Soupault en faux nègre laissant échapper des ballons portant les noms de Benoît XV, Mme Rachilde, Clemenceau et Pétain pour mieux s'acharner sur un cinquième libellé Jean Cocteau), l'ensemble de la soirée laisse une impression de déjà-vu. Breton n'a pas entièrement tort quand il pressent un essoufflement de Dada. Peu d'idées nouvelles, ni dans la présentation, ni dans les numéros, ni dans les décors. Quant au sexe de Dada, un énorme cylindre de papier blanc phalloïde repo-

---

1. Correspondance Simone Kahn-Denise Khan, juin 1920. — Marguerite Bonnet, *André Breton. Naissance de l'aventure surréaliste*, op. cit. — Michel Sanouillet, *Dada à Paris*, op. cit.
2. Germaine Everling, « C'était hier Dada », op. cit.

sant sur des ballons, on n'est pas obligé de trouver cela du meilleur goût...

Une partie de la presse ne s'y trompe pas et annonce la mort de Dada victime de ses excès ou de son insignifiance. Au Certa, le torchon brûle et Tzara fait front en se rapprochant de Picabia. Après tout, il est bien le seul à avoir compris et assumé le nihilisme sans bornes de Dada. Entre le rire, le sarcasme et le crachat, il a poussé le délire sans aucun scrupule. Son goût immodéré pour les mondanités et les jolies femmes lui permet d'oublier un moment les règlements de comptes du Certa. Le 21 juin, Tzara et Picabia sont ensemble à la « Journée des salopettes », une grande soirée[1] donnée au profit de l'Association des arts dramatiques.

Comœdia les repère au milieu du gratin... Vicomtes, barons, princesses s'amusent pour la bonne cause. Plus sérieusement Tzara accepte de préfacer le dernier livre de Picabia *Unique Eunuque* : chercher à remplacer la vie par un plaisir privé, aventure parfois amusante. « Il n'y a que l'action négative qui soit nécessaire. » Tzara s'amuse en ce mois de juin en imaginant des papillons dada. Histoire de faire un pied de nez à ceux qui annoncent la mort du Mouvement, il diffuse à un millier d'exemplaires des petits rectangles de papiers multicolores. Dans les bars, les pissotières ou sur les murs, on peut lire par exemple :

DADA

SOCIÉTÉ ANONYME POUR L'EXPLOITATION DU VOCABULAIRE.

Directeur : Tristan Tzara

---

1. *Comœdia*, 21 juin 1920.

Tzara s'amuse aussi de la dernière tempête à la très honorable NRF. Que le jeune directeur ait ouvert les colonnes de sa revue à André Breton pour un plaidoyer critique de Dada, passe encore, mais qu'il prenne sa plume pour défendre ces jeunes gens ni sots ni déments, mais pleins de talents prometteurs, c'en est trop. Deux éminences grises de la revue, Schlumberger et Ghéon, dénoncent publiquement les initiatives d'un Rivière qui maintient ses positions en invitant un autre dada, Aragon. Ce dernier lui promet aussitôt quelques pages de son prochain « roman », Anicet [1].

Le mois de juin se termine, comme toujours à Paris, par les plus belles fêtes de l'année. Du Gaya aux boîtes de Montmartre en passant par les cafés de Montparnasse, Tzara est partout.

En juillet, il se décide à partir. Il présente le voyage comme une tournée de propagande. En réalité il a effectivement quelques contacts et surtout une obligation morale de retrouver ses parents. L'idée de revoir Bucarest entraîne chez lui une grande lassitude. Cet ennui qu'il fuit depuis des mois grâce à son activité débordante, il va y être à nouveau confronté. Il n'a plus le choix. La saison parisienne est finie et ses parents ont vraiment insisté pour qu'il vienne quelques jours.

---

1. *Anicet ou le Panorama* (1921).

Début juillet, il quitte Paris, direction Zurich. Arrivé en Suisse, il est terriblement déçu. D'abord l'atmosphère a changé. Les proscrits de toute l'Europe sont partis depuis longtemps, la ville a retrouvé ses allures tranquilles. « De ce trou de province, écrit-il à Picabia, Paris prend des proportions merveilleuses. Paris avec vous, votre activité, les heures où nous étions ensemble. C'est à vous et à votre amitié que je dois ce séjour, qui était des plus agréables de ma vie[1]. » Aux terrasses des cafés, dans la chaleur estivale, il se retrouve très seul avec les ombres de son passé. Arp est encore là et Tzara précise à Picabia : « C'est toujours un garçon très sympathique et plein de fraîcheur. Mais il est tout seul et s'ennuie terriblement. Il voudrait bien vous voir et veut venir à Paris ou à New York[2]. »

Après avoir perdu sa trace, Tzara retrouve Maya Chrusecz chez qui il s'installe quelque temps. Quand il donne une adresse à Picabia pour le mouvement Dada, c'est bien l'adresse de Maya. Mais quelque chose s'est vraiment brisé. Rien ne peut sauver ce séjour... « Zurich est mort et antipathique, écrit-il toujours à Picabia. Il n'y a que l'air qui est très bon. Quel pays idiot ! Zurich est entre les mains de

1. Correspondance Tristan Tzara-Picabia.
2. *Ibid.*

quelques vieilles femmes. Je ne puis pas me figurer que je suis resté des années ici[1]. »

Quand Picabia lui répond c'est pour l'inviter à revenir sur Paris, « votre départ est un grand vide pour moi ». Début juillet, il lui a fait part de son intention de s'éloigner de Breton, qui pour lui a dépassé les bornes.

Après avoir précisé qu'il ne s'agissait pas d'un mouvement d'humeur passager, il écrit : « *Littérature* se fout de nous et le Sans Pareil cache nos livres et nos journaux. Breton est un comédien achevé et ses deux petits amis pensent comme lui qu'il est possible de changer d'homme comme on change de bottines[2]. »

Tzara, lui, est déjà loin. Le 11 juillet, il annonce à Picabia qu'il « s'enfonce dans les ténèbres balkaniques ». Le 28, il débarque à Bucarest pour aussitôt se rendre à Moinesti.

Les vingt-quatre heures passées dans la capitale roumaine sont un véritable supplice. Il se confie à Picabia : « Je ne désire que retourner — soit à Paris, soit autre part. Les Balkans et la mentalité d'ici me dégoûtent profondément. Je crois que je ne pourrai rien travailler ici. Il fait trop chaud. Ç'aurait été peut-être mieux de ne pas partir du tout. Je m'ennuie ici horriblement[3]. »

Les retrouvailles avec ses parents le rassurent un peu. Quelques semaines dans la maison familiale et le voici en Grèce en septembre. Il envoie une carte laconique à Picabia, « Salutation de notre ami Socrate[4] ». L'Acropole comme un bol d'air après les épreuves de la Roumanie. Le 19 juillet, il est à Constantinople, mais sur les rives du Bosphore il apparaît tout aussi désabusé. Toujours à Picabia il

1, 2, 3, 4. Correspondance Tristan Tzara-Picabia.

adresse une carte postale... « Je suis en route pour Paris, mais je ne sais pas quand j'arrive. Je voudrais tant savoir ce que vous faites et comme vous allez. Presque 3 mois que je n'entends et ne vois rien qui m'intéresse réellement [1]. »

Mais très rapidement, il brûle de retrouver Dada, via l'Italie [2] ; il a quelques contacts avec ceux qui sont en passe de créer une véritable section italienne de l'Internationale dadaïste. On le sait, depuis Zurich, Tzara suit avec intérêt les recompositions de l'avant-garde transalpine. D'abord avec la revue *Noi*, de Prampolini qui publie ses textes, et surtout avec son meilleur correspondant, Giulio Evola, jeune peintre et poète futuriste qui lui a écrit de Rome en 1919 pour avoir des renseignements sur le dadaïsme étant donné que ses amis (probablement Prampolini) lui ont dit que son recueil *Râaga blanda* et ses essais de philosophie mystique s'inspiraient des idées du mouvement de Zurich dont il ignore tout.

En janvier 1920, il adhère avec « enthousiasme [3] ».

Le 5 février, le scandale du salon des Indépendants suscite de nombreux échos dans la presse italienne. Le mois suivant, après avoir remercié Tzara qui l'a cité parmi les présidents dada, Evola lui écrit son regret de ne pas pouvoir transformer *Noi* en « organe du dadaïsme italien ». Et c'est en mars qu'il finit par rompre tout rapport avec la revue de Prampolini. Assez isolé, Evola tente de créer une revue Dada Internationale, sans succès, mais au même moment le groupe dadaïste de Mantoue réussit avec

---

1. Correspondance Tristan Tzara-Picabia.
2. Giovanni Lista, « Tristan Tzara et le dadaïsme italien », *Europe*, nos 555-556, juillet-août 1975.
3. Correspondance Giulio Evola-Tristan Tzara, citée par G. Lista, *Europe*.

une association locale à lancer *Bleu*, l'organe officiel de Dada italien. Au sommaire beaucoup d'éclectisme avec un fort contingent de Français comme Aragon, Tzara, Picabia, Eluard, Reverdy. On trouve aussi Serner et quelques futuristes italiens. Heureuse coïncidence, le premier numéro de *Bleu* sort quand Tzara arrive dans la péninsule. Mais il doit d'abord retrouver Evola à Milan. Empêché, ce dernier ne peut se rendre au rendez-vous, alors Tzara reprend le train vers Venise pour rencontrer toute l'équipe de *Bleu*. Dans un hôtel au milieu de la lagune, on convoque la presse pour ce premier congrès du Mouvement. L'atmosphère est très détendue, toute l'équipe termine ses journées dans les bars du côté de San Marco. Vins blancs, bons mots et projets révolutionnaires, les Italiens sont galvanisés par la présence d'un Tzara intarissable sur ses exploits à Zurich et à Paris. Peu après son départ, ils lui font parvenir une carte qui relève du code dadaïste le plus orthodoxe.

> « *Dieu a écrit à* Bleu,
> *Voulez-vous mon siège ?*
> *Nous avons répondu Triss de roi,*
> *5 francs sont assez pour son cul*
> *Dieu Dada*[1]. »

Tzara est déjà à Rome pour un court séjour avec Evola. Il semble se méfier des envolées lyriques et des spéculations philosophiques de son jeune interlocuteur. Evola, lui aussi galvanisé, déborde de projets en tous genres. Il publie des essais d'esthétique sous l'étiquette éditoriale « Collection dada » et propose à Tzara un débat à deux sur la signification

---

1. Cité par G. Lista, *Europe*, juillet-août 1975.

et la véritable philosophie de Dada, à paraître dans *Littérature*. Tzara ne donne pas suite, mais réussit à convaincre Evola de la nécessaire unité des dadaïstes italiens. Ils appellent même l'équipe de *Bleu* à venir les rejoindre à Rome pour fonder le « Dada italien » et lancer un nouveau numéro de la revue. La rencontre aura lieu un peu plus tard, en décembre. Il faut attendre mars 1921 pour que Cantarelli relate en détail à Tzara la première manifestation dadaïste italienne avec au programme tous les ingrédients d'un beau pugilat !

Le 25 septembre, Tzara est toujours en voyage. Il envoie une courte lettre à Picabia : « Je me chauffe un peu au Vésuve, ici. Je reste un peu à Rome et à Florence et me rends en Suisse[1]. » Quelques jours plus tard, le 8 octobre, on le retrouve effectivement à Zurich, chez Maya d'où il donne carte blanche à Picabia : « Naturellement, cher ami, vous pouvez compter en tout sur moi, vous pouvez même décider tout ce que vous voudrez en mon nom[2]. »

Il paraît très impatient de retrouver l'atmosphère plutôt chaude de la capitale. Ils sont quelques-uns à attendre son retour. Eluard, par exemple, qui lui avait envoyé ce message au mois d'août : « J'ai bien envie de nouvelles manifestations dada. Revenez à Paris pour octobre. Elles auront le même succès que les anciennes. Tout cela m'a bien soutenu ces six derniers mois et bien amusé. Votre départ m'a beaucoup peiné. J'avais tellement l'habitude de vous voir[3]. »

---

1. Correspondance Tristan Tzara-Picabia.
2. *Ibid.*
3. Correspondance Paul Eluard-Tristan Tzara, Bibliothèque Doucet.

Vernissage pour un rastaquouère

Le patron du Certa s'impatiente. Cela fait long-temps qu'il n'a pas vu ces « messieurs dada ». Breton a pris beaucoup de recul, il a décidé de ne plus écrire à la *NRF* mais a aussi sèchement renoncé à la préface qu'il avait promise à Picabia pour son *Jésus-Christ Rastaquouère*.

Aragon rentre de Bretagne où il s'est profondé-ment ennuyé. Autant dire qu'au milieu de ce désert les retrouvailles Tzara-Picabia font figure d'événe-ment. Pas de temps à perdre, les deux hommes ont quelques comptes à régler et une envie démesurée de reconquérir la capitale. Pour mettre en difficulté Breton qui a un peu de mal à rebondir, les deux comploteurs décident d'organiser une nouvelle exposition dans une galerie. Cela tombe bien, puisque Picabia a des tableaux et plusieurs livres à vendre.

Mais comme il n'est pas question de rééditer le demi-échec du Sans Pareil, Picabia dépense sans compter pendant plusieurs semaines pour rameuter le Tout-Paris qu'il connaît bien. Il multiplie les dîners ultramondains rue Emile-Augier et envoie des cartons à tous ceux qui comptent, pour le plus grand bonheur d'un Tzara qui a retrouvé son enthou-siasme. Provocateur de haute volée, le peintre a pris un malin plaisir à inviter des gens de tous bords,

116

mais dont la plupart restent quand même hostiles, ou mal disposés envers Dada.

Dès 20 heures, ce 9 décembre, on frise déjà l'émeute rue Bonaparte[1]. La police tente de canaliser le flot incessant des taxis et des limousines. Picabia débordé commence à saluer les princesses et les ministres qui ont fait le déplacement. Beaucoup d'artistes aussi comme Max Jacob, Picasso, Marie Laurencin, Satie ou Fargue. Dada est bien représenté... Ribemont, Drieu, Aragon, Soupault, Pansaers, Serner, et même Breton et sa compagne. Tzara est en retrait pour préparer sa conférence. Mais la grande vedette choisie par Picabia, c'est Cocteau et son jazz-band. Quel plaisir pour lui de voir se croiser Breton et l'animateur du Gaya...

Picabia guette l'affrontement et en attendant savoure son succès. Au milieu de la bousculade le jazz-band se déchaîne. Coiffé d'un tuyau de poêle Cocteau enragé mène la danse et donne à qui veut bien l'entendre la recette pour faire un orchestre à la mode. Et quand la musique s'arrête, c'est pour laisser Tzara monter sur l'estrade et déclamer son « dada manifeste sur l'amour faible et l'amour amer ». La presse est là, et c'est Tzara qui tient la vedette dans les comptes rendus du lendemain, comme si les journalistes étaient venus pour le scandale Dada et non pour l'ambiance de boîte de nuit.

D'Esparbès pour *Comœdia* raconte : « Tzara s'installe sur le comptoir. Il lève la main, la musique s'arrête et au milieu d'un silence profond, ce grand pince-sans-rire se met à nous débiter, avec des

---

1. Le récit se trouve dans de nombreux journaux. — Entretiens avec Philippe Soupault, Louis Aragon. — Michel Sanouillet, *Dada à Paris*, op. cit.

termes d'une incohérence folle, une causerie sur l'amour[1]. »

Le journaliste de la revue *Aux écoutes* a lui aussi repéré Tzara. « Il porte une cravate inoubliable, qui suffira peut-être — qui sait ? — à lui assurer cette éternelle renommée ou du moins ce succès à vie qu'il ne cherche pas, je veux croire. En attendant il s'amuse beaucoup et sa bouche pincée a peine à retenir un rire bien mérité[2]. »

A la rédaction de *L'Evénement*, on ne trouve pas ça vraiment drôle... « On ne comprend pas très bien pourquoi M. Picabia qui sait peindre et M. Cocteau qui sait écrire se livrent à leurs fumisteries dada[3]. » Quelques jours plus tôt *L'Action française* insinuait que les dadaïstes étaient forcément de gros consommateurs de... cocaïne[4] !

On le devine, Breton et Soupault ne se sont pas attardés et ne font pas partie des quelques invités privilégiés conviés beaucoup plus tard à une party privée avec whisky et petits fours. C'est là que la photographe de *Comœdia* réalise le cliché qui accompagne l'article d'Esparbès. On y voit sur milieu de fête Auric, Cocteau et Tzara hilares.

Il y a ce soir-là tous les ingrédients pour déclencher des ruptures fracassantes et irréparables. Picabia est bien décidé à reprendre sa liberté, mais Tzara veut continuer le combat. Il n'a pas la sécurité matérielle et l'individualisme exacerbé de son ami. Sans Dada, il perd sa famille d'adoption, et retombe dans l'anonymat et l'ennui qu'il s'efforce de fuir depuis des mois.

---

1. A. d'Esparbès, « Le vernissage de Francis Picabia », *Comœdia*, 12 février 1920.
2. *Aux écoutes*, 19 février 1920.
3. Fortuné Paillot, *L'Evénement*, 9 février 1920.
4. *L'Action française*, 25 janvier 1920.

En cet hiver 1921, c'est paradoxalement Marinetti qui lui sauve la mise. Sa venue à Paris pour une conférence au théâtre de l'Œuvre met le feu aux poudres. Pour une fois, les dadas sont tous d'accord. Pas mécontents de se retrouver dans le public et rompus à la tactique du chahut, ils rentrent en force et se mettent à hurler des injures. En vieux briscard des réunions à scandale, Marinetti laisse passer l'orage pour mieux s'imposer en fin de soirée. Pendant ce temps, au-dehors, Picabia alerte toutes les salles de rédaction pour accuser le leader futuriste de plagiat.

Succès ou pas, ce genre d'opération-commando resserre les rangs dadaïstes[1].

---

1. Entretien avec Philippe Soupault.

Haute fréquence dada

L'ambiance se détend à nouveau au Certa où tout le monde est de retour. Breton est décidé à profiter de l'éloignement de Picabia. Avec Aragon, il explique qu'il faut en finir avec les jeux de cirque et les mauvaises blagues de potaches attardés.

Il faut passer à la vitesse supérieure. Avec son air de commissaire du peuple, Aragon délire sur la « dictature dada », Breton plus réaliste propose des interventions musclées : visites de monuments, irruptions aux domiciles de certaines personnalités et organisation d'un tribunal d'exception. Dopé par l'opération Marinetti, Breton se voit bien à la tête d'un commando dada justicier...

Tzara reste perplexe devant une telle évolution. Tout en prônant, lors des réunions, l'organisation plus ludique de grands salons dada, il veut un compromis... une visite le 14 avril, un procès en règle le 13 mai, et deux salons pour finir en beauté la grande saison dada. Le patron du Certa peut sortir le porto, tout le monde semble d'accord.

Rendez-vous est pris à Saint-Julien-le-Pauvre. Le tract qui appelle au rassemblement est d'une grande confusion et la pluie battante ne réchauffe pas l'atmosphère. Une cinquantaine de dadas sont là. Ne reste de cet après-midi plutôt morose que quelques discours enflammés ou absurdes et une photo de groupe de ces jeunes gens assez chic.

Dans la foule de curieux, quelques gamins sont venus voir ces agitateurs dont on parle dans les journaux. Ils ont à peine vingt ans et finissent leur service militaire à la caserne de Latour-Maubourg[1]. Ils se sont croisés dans les chambrées et rêvent eux aussi de créer leur revue littéraire. Ils s'appellent René Crevel, Roger Vitrac, Jacques et François Baron. Ils ont contacté Dada et c'est Aragon en personne qui les retrouve dans un café après la visite.

Ils sont conquis. « Interloqués et séduits, se souvient Jacques Baron, par la détermination de ces jeunes gens de tirer à boulets rouges sur la fameuse clarté française et la logique cartésienne[2] ». Aragon est courtois, séducteur comme à son habitude, et soutient le projet de revue. De retour à la caserne les gamins tiennent bon et en quelques semaines obtiennent des textes de leurs aînés dont Tzara et se débrouillent pour fabriquer *Aventure n° 1 !*

Quand l'armée les libère pour une nuit, ils se retrouvent dans les bars et les boîtes de nuit. Crevel un soir pousse la porte du Gaya et avec son allure irrésistible d'ange et de boxeur se présente à Tzara. Dans une lettre à son copain Jean-Michel Frank[3], il ne cache pas son admiration pour l'auteur du Manifeste. Au milieu de la foule et de la fumée du Gaya, c'est le début d'une grande amitié que rien ne va démentir.

Crevel est d'ailleurs invité avec ses copains au vernissage de la première exposition Max Ernst, le 2 mai Au Sans Pareil.

---

1. François Buot, *René Crevel*, Paris, Grasset (1991).
2. Jacques Baron, *L'An I du surréalisme*, Paris, Denoël (1969). — Entretien avec Jacques Baron, mars 1986. — Entretien avec Marcel Arland (1982).
3. Correspondance René Crevel-Jean-Michel Frank, Collection privée.

Ernst n'est pas encore à Paris mais apporte son concours tout à fait efficace. Il a suivi toute l'aventure dada en Allemagne et en Suisse. Il a travaillé avec Hans Arp et entretient une correspondance avec Breton et Tzara. Les lettres donnent l'image d'un garçon assez drôle. Ses tableaux sont, eux, très surprenants. Ils sont fabriqués avec des corps étrangers à la peinture et des collages rehaussés ou non de couleurs. Le talent, l'imagination de Max Ernst en font un sérieux concurrent de Picabia.

Breton l'a bien compris et se démène sans compter pour organiser l'exposition. C'est lui avec Simone Kahn qui se charge des encadrements. Tzara qui a reçu tous les collages s'occupe du vernissage.

Reprenant les méthodes de Picabia et sans doute une grande partie de son carnet d'adresses, Tzara prépare une nouvelle fiesta dada chic.

Tzara a eu l'idée de faire un clin d'œil à l'autre exposition Max Ernst, à Cologne, interdite par la police. Le vernissage se veut donc nocturne et presque clandestin. Dans le local du Sans Pareil plongé dans l'obscurité, s'ouvre une trappe donnant accès à un sous-sol. Par cette ouverture, s'exhalent des bruits, des lamentations. Un autre farceur caché derrière une armoire injurie les personnalités présentes...

Et le grand frisson dada déplace du monde. Comme pour Picabia, le Tout-Paris s'est déplacé, mais si Gide et Van Dongen sont venus encourager les jeunes, Cocteau a été prié d'aller s'amuser ailleurs.

Ernst est enchanté par la tournure des événements et dans chacune de ses lettres il ne manque pas d'inviter Tzara à Cologne. « Nous préparons l'arc de triomphe », explique-t-il à son nouvel ami. Tzara lui aussi est satisfait et finit la nuit du côté de Montparnasse en compagnie de Rigaut, le seul vrai dandy de la bande, et Charchoune.

Autour de quelques whiskies, ils n'en finissent plus de se raconter le tapage du Sans Pareil. Mais le plus dur reste à faire... Comment assumer le procès en règle que Breton prépare ? Au Certa, le nom de Barrès a circulé. Cet esthète plutôt bon écrivain passé au boulangisme et au culte de la patrie est déjà la tête de Turc d'une bonne partie de la gauche traditionnelle. Pour Breton et Aragon, le choix de Barrès est le bon. Il a été l'un des maîtres de leur adolescence pour ensuite dégénérer en porte-parole de l'ordre établi. Pour Tzara, cette histoire de règlement de compte est absurde. Il n'a pas la même histoire, Barrès ne l'intéresse pas et il n'a pas envie de le connaître. Si Dada a un sens, c'est certes d'ignorer royalement les vieilles badernes de la littérature française. Si procès il y a, Tzara est bien décidé à dynamiter de l'intérieur toute cette pantalonnade. On connaît la suite, le 13 mai le tribunal est constitué[1] salle des sociétés savantes. Breton est président. Ribemont qui partage les positions de Tzara est accusateur public, Aragon se charge de la défense. Parmi les témoins appelés à la barre, on retrouve un Tzara déchaîné qui s'en tient à des propos très violents :

« Je n'ai aucune confiance dans la justice, même si cette justice est faite par Dada. Vous conviendrez avec moi, monsieur le Président, que nous ne sommes tous qu'une bande de salauds et que par conséquent les petites différences salauds plus grands ou salauds plus petits n'ont aucune importance. Breton l'arrête et lui demande :

---

1. Marguerite Bonnet, *L'Affaire Barrès*, Paris, José Corti.

Q. Savez-vous pourquoi on vous a demandé de témoigner ?
R. Naturellement, parce que je suis Tristan Tzara. Quoique je n'en sois pas encore tout à fait persuadé.
Q. Qu'est-ce que Tristan Tzara ?
R. C'est tout le contraire de Maurice Barrès. »

La coupe est pleine, Breton est ulcéré. La rupture avec Tzara semble maintenant évidente. Et lorsque Jacques Hébertot accepte de prêter le hall du studio des Champs-Elysées pour une exposition internationale dada, on retrouve une vingtaine de participants dont beaucoup d'étrangers, mais Breton n'est pas là. Le soir, le public est une nouvelle fois convié à un « happening » dada au milieu d'un tapage indescriptible. Mais quand Tzara apprend qu'Hébertot a aussi prêté la salle pour un concert futuriste, l'expédition punitive tourne mal. Hébertot n'est pas Lugne Pœ. Il appelle la police et ordonne la fermeture immédiate de l'exposition. N'ayant plus rien à perdre, Tzara lance alors une nouvelle opération pour saboter *Les Mariés de la tour Eiffel* de Cocteau. Le mois de juin est toujours chaud à Paris.

Au rendez-vous des amis

En ce début d'été 1921, Tzara est heureux. La saison s'est plutôt bien terminée. Il a sauvé ce qui semble le plus précieux, le groupe Dada, cette famille à lui où il aime se retrouver et parfois briller. Dada est loin d'être mort et Tzara est plus que jamais son prophète.

Mieux encore, Maya a donné de ses nouvelles et pour lui qui a toujours du mal à garder une relation durable avec les femmes, c'est un grand bonheur. Pour éviter de se retrouver à Zurich, qui décidément a perdu tout son charme, Tzara propose un rendez-vous à Prague. Il part le 20 juillet et reste quelques semaines en Bohême. C'est l'amour fou dans un pays qu'il découvre. Balades, petites chambres d'hôtel choisis au hasard, terrasses ensoleillées, des vacances de rêve... Fin août, ils arrivent en Autriche, à Innsbrück, et presque seuls au monde ils s'installent dans une petite ville un peu perdue, dans la haute vallée de l'Inn : Imst. Un peu plus tard, on les retrouve à quelques kilomètres de là, au village de Tarrenz, une petite station au milieu des montagnes.

C'est là que Hans Arp et sa femme les rejoignent suivis de celui que Tzara attend avec impatience, Max Ernst. (Aucune déception, bien au contraire, le peintre que Tzara a défendu à Paris est un garçon charmeur, espiègle et très beau.) Au milieu des chalets et des forêts de sapins, c'est la fête. On s'amuse beaucoup à la Gasthaus Zonna et on dort peu. Dada redevient ce qu'il n'aurait jamais dû cesser d'être, une aventure de la jeunesse avec de l'amour, de la poésie et beaucoup de nuits blanches. L'atmosphère est tellement agréable que le petit groupe élabore un numéro de la revue que Tzara inscrit aussitôt dans la lignée des *Dada* : il le nomme dans un éclat de rire *Dada au grand air*. Maya le surnomme *Der Sängerkrieg en Tirol*, Arp lui donne sa date de naissance, « 16 septembre 1896-1921 ».

Le numéro a de l'allure, Ernst a donné un de ses collages, *La Préparation de la colle d'os*, pour la couverture, Eluard a envoyé un excellent poème et Tzara en profite pour régler ses comptes avec Picabia qui n'en finit plus de cracher dans la presse sur ce qu'il a aimé. « Un ami de New York, écrit Tzara, nous dit qu'il connaît un pickpocket littéraire : son nom est Funiguy célèbre moraliste dit Bouillabaisse musicale[1]. » La caricature est grossière et on reconnaît sans mal Picabia. Un peu plus loin, c'est Arp qui vient au secours d'un Tzara accusé récemment par Serner et Huelsenbeck de s'être frauduleusement attribué la paternité de Dada... Le texte de Arp est très clair : « Ce qui nous intéresse est l'esprit Dada et nous étions tous dada avant l'existence de Dada. La morale des idiots et leur croyance dans les génies me font chier. »

On le voit derrière les crises de rire, les querelles reviennent parfois sur le devant de la scène. Qu'importe, avec le soleil et l'amour la petite bande envoie des cartes postales idylliques à Tout-Paris. A Eluard, Tzara peut écrire : « Je suis dans les montagnes avec des amis. Table très bonne. Maison admirable. J'ha-

---

1. Tristan Tzara, *Œuvres complètes*, tome I.

bite au soleil et rien ne peut m'atteindre [1]. » Soupault est très rapidement convaincu, il espère même ramener du monde [2]. Quant à Breton, il prépare son mariage et se verrait bien au Tyrol pour son voyage de noces... Ribemont confirme à Tzara que le soleil brille aussi dans la capitale : « Ai vu tout le monde chez Certa. Tous très gentils. Nulle fermentation, ni conspiration (...) Le mariage dissipe les ténèbres pour un temps et Breton n'était que sourires. Eluard et sa femme aussi étaient là. Charmants. Prêts à partir pour le Tyrol [3]. »

Pour des raisons de visa, Tzara est obligé de rentrer le 1er octobre. Il croise Breton qui arrive à Tarrenz le 20 septembre, rate Eluard et emmène à Paris la maquette de *Dada au grand air*. Le 12 novembre quand tout le monde se retrouve au milieu des tonneaux du Certa le numéro a déjà été largement diffusé dans les milieux d'avant-garde à la grande fureur d'un Picabia bien isolé. Mais la rentrée réserve à Tzara d'autres surprises.

1. Correspondance Tristan Tzara-Paul Eluard, Bibliothèque Doucet.
2. Correspondance Philippe Soupault-Tristan Tzara, Bibliothèque Doucet.
3. Correspondance Georges Ribemont-Dessaignes - Tristan Tzara.

Un Américain à Paris

Avec Man Ray c'est toute la légende de Dada à New York qui débarque à Paris. Il arrive le 22 juillet 1921 avec ses malles chargées de toiles et d'objets dada.

Marcel Duchamp l'installe dans une chambre de l'hôtel Boulainvillier [1] que Tzara a quitté la semaine précédente pour partir à Prague. Il le conduit au Certa et lui fait découvrir les plaisirs de la capitale. Pas très grand, mais très doué pour séduire avec son petit accent américain, Man est adopté tout de suite. Quelques semaines plus tard il s'installe dans une chambre de bonne attenante à l'appartement de Duchamp, 22, rue de la Condamine [2]. Avec son appareil photo, il multiplie les expériences. Il fixe sur la pellicule des spirales d'images qui tournent, retrouve Picabia et ses peintures dadaïstes, prend des tirages de mode pour Paul Poiret et fait des photos de groupes de ses nouveaux copains du Certa, sans oublier quelques portraits d'un Cocteau très emballé.

Lorsque Tzara rentre du Tyrol, il est déjà au courant de l'exposition Man Ray que le groupe a décidé

---

1. Comme on peut s'en douter, la rupture avec Picabia a obligé Tzara à changer de logement. Il a trouvé une petite chambre dans un hôtel.
2. Billy Klüver et Julie Martin, *Kiki et Montparnasse 1900/1930*, Paris, Flammarion (1989).

de monter pour l'automne. Elle doit se tenir à la librairie Six qui appartient à Philippe Soupault et à sa femme Mick. Il se précipite rue de la Condamine. Entre les deux hommes c'est presque le coup de foudre. Man a vingt-cinq idées à la minute, il est drôle, il aime les jolies femmes et les boîtes de nuit. Tristan a besoin de retrouver ce type de complicité depuis la rupture avec Picabia.

Dans la cour de l'hôtel, Man Ray cherche à immortaliser cette première rencontre. Tzara s'assoit sur un mur en haut d'une échelle avec au-dessus de la tête une hache et un réveil. En surimpression, Man Ray a plaqué la silhouette d'une femme à moitié nue.

Le vernissage de l'exposition a lieu le 3 décembre. Tzara n'a pas ménagé sa peine pour ce qu'il présente à tout le monde comme l'événement qui inaugure la saison dada. « Le plafond de la librairie Six était tapissé de ballons colorés, raconte un autre Américain, Matthew Josephson, si serrés les uns contre les autres qu'il fallait les écarter pour voir les tableaux (...) Au signal plusieurs jeunes gens dans la foule appliquèrent le bout allumé de leur cigarette à l'extrémité des ficelles accrochées aux ballons et tous éclatèrent[1]. » La fête va durer jusqu'au petit matin. L'Américain à Paris fait merveille dans toutes les boîtes de nuit.

Il faut dire que pour découvrir la Ville lumière ses nouveaux compagnons sont doués. Aragon fait la bise aux portiers, Rigaut connaît les femmes du monde et Tzara mène le jeu avec brio...

Comme pour beaucoup d'étrangers, c'est Montparnasse qui a les faveurs de Man Ray. « Un monde cosmopolite où l'on parlait toutes les langues, y

---

1. Matthew Josephson, *Life amoung the Surrealists*, New York, Renehart and Wiston (1962).

compris un français aussi abominable que le mien. (...) Tant d'animations me réjouissaient et (...) je m'asseyais souvent dans les cafés. On y faisait facilement de nouvelles rencontres[1]. » Séduit il décide de déménager « loin des quartiers bourgeois qui (lui) étaient familiers ». Au début de décembre, il descend à l'hôtel des Ecoles — chambre 37. Il n'a pas de mal à convaincre Tzara d'en faire autant.

Ce dernier connaît bien le quartier. Pour toute personne d'origine étrangère, on se sent chez soi à Montparnasse puisqu'on y croise vraiment la planète entière.

Des princes russes ruinés par la Révolution, des étudiantes suédoises, des peintres d'Europe centrale attirés par les succès fulgurants d'un Foujita, des Sud-Américains en goguette. On fait le tour du monde en passant ses après-midi au Dôme ou à la Rotonde. Mais avec Man Ray c'est l'assurance de côtoyer l'incroyable colonie américaine de Parnasse. On le sait, de l'autre côté de l'Atlantique, boire un simple verre de vin aux prix extravagants du marché clandestin est hors de portée des aspirants artistes et écrivains. En 1921, ils sont déjà plusieurs centaines à fuir la prohibition et le puritanisme. Ezra Pound qui pense que l'Amérique est toujours « à demi sauvage », Gertrude Stein et son salon, Sylvia Beach et sa librairie, John Dos Passos et ses romans, plus les galeristes new-yorkais, les animateurs de revues, les journalistes et correspondants, les musiciens de jazz et les piliers de boîtes de nuit. Puis il y a toutes les jolies filles des terrasses qui attirent l'œil de Man Ray et Tzara. Bérénice Abbott[2] est l'une d'entre elles.

---

1. Man Ray, *Autoportrait*, Paris, Laffont (1964) et *Man Ray photographe*, catalogue de l'exposition du Centre Georges-Pompidou, Paris, Ed. Philippe Sers (1982). — Entretien avec Georges Bernier.
2. Bérénice Abbott deviendra l'assistante de Man Ray.

Le carrefour des destinées

Le Gaya est victime de son succès. Le talent du propriétaire, Moysès, le carnet d'adresses de Cocteau, le jazz de Wiener et le bouche à oreille ont rendu l'endroit invivable. Bousculades, embouteillages et concerts d'avertisseurs poussent le patron à agir vite. En quelques semaines il trouve deux boutiques au 28, rue Boissy-d'Anglas [1].

En bon stratège du parisianisme, Moysès demande à Darius Milhaud l'autorisation d'appeler sa nouvelle boîte « Le Bœuf sur le Toit », titre que le compositeur avait donné à une farce dont il avait fait la musique. Ce titre amusant et intrigant en soi bénéficiait du fait qu'il était connu. Cocteau aidé par le mécène Etienne de Beaumont avait orchestré un beau tapage pour lancer le spectacle, en février 1920. Deux ans plus tard Le Bœuf est bien de retour.

Le décor de l'endroit qui va devenir le rendez-vous le plus couru de Paris est d'une simplicité assez déconcertante. Il s'agit d'un bistrot avec le zinc, les tables recouvertes de nappes à carreaux et les murs beiges. Seule concession à la « modernité », quelques tableaux de Picabia sur les murs dont le célèbre *Œil*

---

1. Entretien avec Georges Bernier. — Catalogue de l'exposition « Le Bœuf sur le Toit », Galerie ArtCurial.

cacodylate[1], ultime vestige du fameux réveillon cacodylate organisé par le même Picabia dans son hôtel particulier de la rue de Courcelles[2]. Le point de départ du tableau était un œil autour duquel Picabia avait demandé à ses visiteurs d'écrire ce qui leur passait par la tête ou simplement de signer. Inutile de déchiffrer tous les noms. Ils sont nombreux et on retrouve beaucoup d'habitués des virées dadaïstes. Duchamp, de Massot, Peret, Poulenc, Auric, Ribemont-Dessaignes et d'autres plus incongrus comme Roland Dorgelès, les Fratellini, Metzingen ou René Blum, le frère de Léon, animateur des ballets de Monte-Carlo... Tzara a lui aussi apposé sa signature en bas à droite en ajoutant « je me trouve très Tristan Tzara ».

Ce sont souvent les mêmes attablés au Bœuf. L'endroit a un côté intimiste. On se donne rendez-vous en pays de connaissance sous le totem de Picabia. Certains soirs on écoute du jazz avec le beau Eugène Mac Cown ou Jean Wiener. A d'autres moments, on pousse les tables et on se met à danser. Les musiciens ou les chanteurs de passage improvisent sous l'œil amusé des quelques célébrités en goguette. Et la presse ne tarde pas. *Vogue* par exemple y consacre un long papier. « Ce Bœuf magique est un des lieux de Paris les plus séduisants[3]. » Et la foule rapplique[4].

Tzara est déjà là autour de Moysès avec Picabia et sa femme Olga, Laurencin, Cocteau, Radiguet, Brancusi et Nina Hammett, une reine du Dôme et du Dingo, le bar américain de Montparnasse, Tzara reste un fidèle.

1. Le tableau de Picabia est aujourd'hui exposé au Centre Georges-Pompidou.
2. *Comœdia*, 2 janvier 1922.
3. *Vogue*, mai 1922.
4. L'inauguration officielle du Bœuf a lieu en janvier 1922.

Il y donne ses rendez-vous et y finit ses nuits agitées. Virgile Thompson, ce musicien américain rencontré cinquante ans après à New York, se souvenait parfaitement de sa silhouette, de son élégance et de son monocle. « Il était toujours là, prêt pour la fête. Il était loin de Breton et plutôt dans le sillage des féeries mondaines d'un Cocteau. Le Bœuf c'était surtout la chose de Cocteau, son quartier général, et c'est lui qui attirait ces bohémiens britanniques de haut vol, ces Américains riches, ces notabilités de la musique et de la littérature "modernes, ces pédérastes à la mode et toute une série de jeunes gens éblouis par le succès facile" [1]. »

Qu'importe si tout cela respire le snobisme et la futilité, il est bien au milieu du tourbillon parisien. Après tout il en a rêvé. Et quel plaisir d'être enfin reconnu par tant de personnalités déjà célèbres ou prétendant l'être. « Le Bœuf, écrit Cocteau, fut le carrefour des destinées, le bureau des amours, le foyer des discordes, le nombril de Paris. » Tzara ne peut donc pas être ailleurs !

---

1. Entretien avec Virgil Thomson, New York (1989) — Voir aussi *L'Européen*, 24 juillet 1929, « L'Ecole du Bœuf ».

Un air de Roumanie

L'impasse Ronsin, du côté de la rue de Vaugirard, est un endroit hors du temps. Paris semble très loin de ces ateliers d'artiste installés au milieu de la verdure. Une oasis de calme et de fraîcheur où Tzara retrouve souvent Brancusi[1]. Même s'il a finalement peu écrit sur ce sculpteur originaire de Roumanie, il garde une grande affection pour celui qu'il désigne comme « un maître des plus sûrs et des plus conscients de sa force ». Dans un article écrit en 1922, il revient sur cet endroit étonnant... « Un grand atelier. Tout blanc rempli de blocs de marbre et de pierre. Des poutres énormes, restes de pressoir de raisin d'il y a plusieurs siècles. Au milieu de ces vestiges du temps qui représentent la terre, la mer et la forêt, c'est Constantin Brancusi. Il a 46 ans, sa barbe a pris aussi la couleur grise du temps et fait scintiller les yeux d'un feu plus fin et plus aigu[2]. » Revenant sur l'itinéraire du sculpteur, il insiste sur ses débuts très académiques, son arrivée à Paris et son tournant vers cet « art non imitatif d'une époque moderne... ». Il note : « Les premiers sculpteurs de cette époque produisent une stupéfaction parmi ses anciens admirateurs. C'était la sagesse de

---

1. Serge Fauchereau, *Sur les pas de Brancusi*, Paris, Ed. Diagonales (1995).
2. Tristan Tzara, « Brancusi », *Œuvres complètes*, tome I.

la terre, un être sans sexe qui tient sa tête lourde sur ses maigres genoux, première tentative de réaliser une idée fluide dans la matière dure. C'était des têtes fines en marbre, stylisées jusqu'à leur effacement, prêtes à se confondre dans le nuage qui les entoure, des oiseaux allongeant leurs cous comme une cruche dont le ventre est gonflé de chansons, et cet admirable baiser qui étreint deux corps sur une tombe du cimetière Montparnasse. »

Tzara a pris ses habitudes, impasse Ronsin. Il passe souvent et en profite pour découvrir les dernières formes pures du maître. L'atelier n° 8 est devenu, depuis 1916, le point de passage obligé de tout écrivain, artiste ou amateur roumain en visite à Paris. Brancusi a toujours eu des contacts avec les milieux intellectuels de son pays natal[1]. Jusqu'à l'orée des années 30 et jusqu'au moment où l'avantgarde n'a plus guère eu droit à la parole en Roumanie, il a régulièrement collaboré aux expositions et salons roumains. Et très rapidement, Brancusi est souvent associé à Tzara en tant que héros de l'avantgarde roumaine en exil. Ainsi, les anciens compagnons de Tzara, Marcel Janco et Ion Vinea consacrent-ils un numéro de *Contimporanul* à Brancusi. Il est également très cité dans *Intégral*, une revue animée par Ilarie Voronca et Benjamin Fondane. Tzara qui a coupé les ponts, comme on le sait, n'est quand même pas mécontent de retrouver là un peu de cet air du pays natal.

Avec son côté patriarche bienveillant, Brancusi est en plus un hôte idéal. Caresse Crosby, directrice des Editions Black Sun Press, dans son livre de souvenirs paru en 1968, raconte, émue, ces déjeuners au milieu de l'atelier... « Sur son établi, il étendit une

---

1. Serge Fauchereau, *op. cit.* — Entretien avec Serge Fauchereau.

135

feuille de papier de soie blanc en guise de nappe et plaça au centre, pour le maintenir, une de ses merveilleuses sculptures. Une poularde dodue rôtissait sur le charbon ainsi que des grosses pommes de terre. Nous bûmes du rosé de Provence et terminâmes le festin avec de la confiture de fraise à la crème entière. C'était un homme délicieux, il découpait le poulet avec un ciseau de bois[1]... »

En été, on déjeune plutôt au milieu du jardin avec saucisson, fromage, figues et vin rouge. Tzara est souvent là. En 1921, il prend une série de photos. Retrouvées chez un collectionneur, elles montrent Brancusi bien entouré de jeunes femmes comme Mina Loy, Jane Heap, Margaret Anderson et Maya Chrusecz[2]. Sur l'une d'elles, Tzara apparaît. Qu'on ne s'y trompe pas, ce sont de vrais moments de bonheur partagés. « On a trop souvent parlé, écrit Tzara, de la cuisine de Brancusi, des plats savoureux qu'il fait lui-même devant ses invités, dans le four roumain qui se trouve dans son atelier. Le secret de l'admirable saveur de ces plats est dans la simplicité. Il y a aussi son atelier qui avec ses blocs de pierre et de marbre aiguise l'appétit. Il faut dire aussi que les sculptures de Brancusi avec la santé que dégage leur perfection, qui n'est ni gaie, ni triste, sont fort appétissantes. » Parfois, toute la petite bande fait une virée nocturne dans tous ces endroits que Tzara connaît bien. On finit aux terrasses de Montparnasse et on aperçoit Brancusi au Bœuf sur le toit. Pour les grandes soirées, on pousse jusqu'à Montmartre. L'écrivain américain, Robert Mac Almon, raconte... « Un soir, après dîner, nous étions allés à

---

1. Caresse Crosby, *The Passionate Years*, Etats-Unis, Southern Illinois University Press (1968).
2. Serge Fauchereau, *op. cit.*

Montmartre et bien sûr dans ces endroits peu coûteux où nous pouvions nous exprimer librement. A 3 heures du matin, Brancusi menait une danse de pilier de cabaret qui passait par-dessus les tables, descendait les escaliers, remontait et repassait par-dessus nos tables et tout le monde buvait du champagne. Il chantait une chanson roumaine et les poules chantaient quelques rengaines en vogue de Mistinguett[1]. » Et si Tzara mène habilement son petit monde dans la nuit parisienne, il doit aussi avouer... « Brancusi sort peu. Toute la journée, il travaille à plusieurs sculptures à la fois. Ses amis, parmi lesquels j'ai le plaisir de me compter, lui sont dévoués et le voient souvent. »

Combien de fois, Tzara ne s'est-il pas assis au milieu de l'atelier pour regarder Brancusi polir ses objets en espérant aboutir à la perfection ? Combien de fois n'a-t-il pas compris ce citoyen du monde répéter : « Ma patrie, ma famille, c'est la terre qui tourne, la brise du vent, les nuages qui passent, l'eau qui verse, le feu qui chauffe, herbe verte, herbe sèche, de la boue, de la neige[2] ? »

---

1. Robert Mac Almon-Kay Boyle, *Being Geniuses Togheter*, Etats-Unis, North Point Press (1984).
2. Note non datée du sculpteur. Citée par Serge Fauchereau, *op. cit.*

« *Un imposteur avide de réclame* »

Depuis le temps qu'ils se cherchent, Breton et Tzara devaient fatalement en arriver à l'affrontement direct. On l'a plusieurs fois constaté, le nihilisme assumé de Tzara s'oppose aux projets de Breton. L'affaire du Congrès de Paris permet d'en finir. Il est inutile d'y revenir en détail puisque toute cette opération montée par Breton a été maintes fois racontée. C'est la démarche de Tzara qui nous intéresse. Quand Breton tente de noyer Dada pour un vaste rassemblement de « l'esprit moderne », la réponse de Tzara est très claire : « Je considère que le marasme actuel résulte du mélange des tendances, de la confusion des genres, et la substitution des groupes aux personnalités est plus dangereuse que la réaction. » S'ensuit une guerre de tranchées entre les tables du Certa. De réunions plénières en commissions, Tzara reste sur sa position jusqu'au communiqué de presse du 5 février. Ce jour-là, Breton qui semble pourtant avoir isolé Tzara commet une faute irréparable. Le texte met en garde l'opinion « contre les agissements d'un personnage connu pour le promoteur d'un mouvement venu de Zurich qu'il n'est pas utile de désigner autrement et qui ne répond plus aujourd'hui à aucune réalité ». Et la dernière phrase ajoute « ce qu'on ne permettra pas c'est seulement que le sort de l'entreprise dépend des calculs d'un imposteur avide de réclame ». Le contenu et les termes du communiqué déclenchent une véritable tempête !

La formulation que Breton jugera plus tard « fâcheusement équivoque » a des relents xénophobes et nationalistes. Comme on pouvait le craindre depuis plusieurs semaines, la bataille des idées a dégénéré en conflit d'intérêts et en querelle de personnes. Les insultes de boutiquier provenant de Picabia avaient déjà eu du mal à passer, mais là il s'agit bien d'une agression raciste. Tzara est blessé, lui qui mettait au-dessus de tout cette petite famille dada. Il était prêt à faire pas mal de concessions pour sauver cette complicité qui lui avait déjà apporté tant de bonheur. Une nouvelle fois, le coup le plus terrible vient d'un proche, d'un frère.

Enfin pour celui qui ne ménage pas ses efforts pour être aussi français que les autres le choc est terrible. Jusqu'à présent, seule la presse ultranationaliste mettait l'accent sur l'origine étrangère de Tzara. La *Vache enragée* de décembre 1921, par exemple, n'aime pas « la fiente dadaïste » et ajoute « on ne peut pas demander au Roumain Tzara boum boum de s'exprimer autrement ». Quelques jours plus tôt « le journal » qui soutient « l'esprit français » dénonce « le dadaïsme, les nègres et les métèques »...

La riposte de Tzara est foudroyante. Soutenu par Eluard, Ribemont-Dessaignes, et par une cinquantaine d'artistes de toutes tendances, il somme Breton et ses amis de venir expliquer leur position le 17 février à la Closerie des Lilas. Le jour venu, c'est la foule aux abords de la célèbre brasserie de Montparnasse qui en a vu d'autres. Comme pour un combat de boxe on attend le KO. Il n'y en aura pas. Breton et Aragon sont venus se défendre, mais le projet de Congrès est bien mort et enterré.

139

Tout ce déballage en public laisse aux uns et aux autres un goût amer. Breton, après avoir envisagé un texte documenté et précis, préfère ce saut vers l'inconnu publié dans le nouveau numéro de *Littérature* :

> « *Lâchez tout*
> *Lâchez Dada*
> *(...)*
> *Lâchez la proie pour l'ombre*
> *Lâchez au besoin une vie aisée, ce qu'on*
> *Vous donne pour une situation d'avenir*
> *Partez sur les routes.* »

C'est l'heure des bilans, Aragon révèle le sommaire de *L'Histoire littéraire contemporaine* qu'il prépare pour Doucet, Huelsenbeck termine son *Histoire de Dada*, et Pierre de Massot témoin et acteur prépare lui aussi sa petite somme sur Dada. Tzara a du mal à imaginer qu'à vingt-cinq ans il va entamer une traversée du désert...

Bien des années plus tard, loin des polémiques, Tzara reviendra sur cette affaire : « On conçoit que l'espoir de certains à l'égard de Dada ait été déçu. N'avait-il pas promis une révolution qui ne venait pas ? Cependant de toutes ses forces il y tendait désespérément. Rien ne lui paraissait plus haïssable que la formation d'un nouveau poncif » et d'ajouter que le projet de Breton « aurait signifié lui contester son originalité par rapport aux autres courants qu'il prétendait avoir dépassés ». Dont acte [1].

---

1. *Intégral*, 3e année, n° 12, avril 1927.

Frivolités parisiennes

Quelques jours plus tôt, le 22 janvier, *Comœdia* repérait Tzara parmi les spectateurs très agités du théâtre des Champs-Elysées. Une troupe suédoise y interprétait un ballet d'avant-garde sur une musique d'Honegger. Le public est invité à frapper dans ses mains et à siffler... En février c'est *Potins de Paris*, on y retrouve Tzara bien placé dans la rubrique « Vie parisienne » aux côtés de la princesse Murat, du dessinateur Drian et de Cécile Sorel. Avec ses frasques et son monocle, Tzara est devenu en peu de temps une vedette dont on parle. Dada aussi, puisque la nouvelle revue des Folies-Bergères a dépensé beaucoup d'argent et d'esprit pour créer un numéro de danse dadaïste !

La revue *Fantasio*[1] à l'approche de Mardi gras donne quelques conseils pour réussir son déguisement... dadaïste. Être nu, porter une jarretière et une grande cheminée sur la tête. Tzara, lui, préfère se préparer pour se rendre au grand bal travesti du Magic City.

Pour l'occasion, il a retrouvé Raymond Radiguet et une partie de la bande à Cocteau. Mardi gras à Magic City fait partie de la légende de la nuit parisienne[2]. Les homosexuels (et les autres...) viennent en

---

1. *Fantasio*, février 1922.
2. Michel Carassou-Gilles Barbedette, *Paris gay 1925*, Paris, Presses de la Renaissance (1981).

effet de partout pour se montrer toute une nuit dans les deux grandes salles du dancing. Ils arrivent par petits groupes, ayant dérobé tout l'attirail féminin.

Chaque entrée, chaque déguisement provoque des exclamations, des cris d'étonnement et de joie. Il y a des couples monstrueux, d'autres superbes ou étonnants.

Certains sont spécialement habillés par Jeanne Lanvin ou Madeleine Vionnet. Car les grands couturiers ne résistent pas à l'envie d'habiller certains de ces éphèbes d'une rare beauté. Au milieu de la foule, Tzara croise forcément un Crevel[1] fasciné par toutes ces créatures énigmatiques et par cette liberté totale, si rare à Paris. Magic City est bien la plus belle féerie de l'entre-deux-guerres, et quand Radiguet en 1923 envoie à Tzara un exemplaire du *Diable au corps*, il prend soin d'écrire : « A Tristan... en souvenir de Magic City[2]. »

Incroyable saison parisienne pour un Tzara tout feu tout flamme que l'on retrouve partout. Il écrit des vers sur des corsages féminins dans une galerie de la rue La Boétie[3], écoute la dernière œuvre de Stravinsky dans une soirée chez Diaghilev[4], dîne chez Cocteau et danse au Gaya... Il ne se lasse pas de ce tourbillon futile et mondain. « Nous sommes directeurs de cirque, écrit-il, et sifflons parmi les vents des foires, parmi les couvents, prostitutions, théâtres, réalités, sentiments, restaurants, ohi, oho, bang, bang. »

1. François Buot, *René Crevel*, op. cit.
2. Catalogue de la vente de la bibliothèque Tristan Tzara, Drouot, mars 1989.
3. « *Bonsoir* » *Sur un corsage*, 26 juin 1922.
4. *Comœdia* , « Une soirée chez M. de Diaghilev », 31 mai 1922.

Dada international

L'excellent souvenir des vacances passées au Tyrol en 1921 incite Tzara à tenter de renouveler l'expérience en 1922. Sans Maya, avec qui Tzara a définitivement rompu, mais avec une jeune Américaine croisée à Montparnasse. Eluard et Gala sont enthousiastes.

Ils sont d'ailleurs déjà convenus d'un rendez-vous avec Max Ernst. L'écrivain américain Matthew Josephson fait aussi partie de l'expédition. Tzara doit les rejoindre un peu plus tard que prévu.

Il tente en effet de convaincre Ribemont-Dessaignes qui, pour des raisons d'ordre pécuniaire et familial renonce au voyage « tout en brûlant de faire quelque chose ». Il envoie plusieurs lettres à Tzara pour le convaincre de ne pas abdiquer face au rapprochement qui semble s'opérer entre Breton et Picabia. « Il faut que ça barde, écrit-il, car le côté Breton-Picabia commence à être encombrant. »

Man Ray, également pressenti, décide lui aussi de rester à Montparnasse par manque d'argent. Finalement Tzara part avec son amie à la fin du mois de juin. Il retrouve Tarrenz et choisit de s'installer à la Gasthof Post, l'hôtel de Josephson.

Quelques jours plus tard, Arp et sa compagne Sophie Taueber arrivent de Zurich. Tzara est heureux. Aux terrasses ensoleillées, c'est de nouveau la fête, la communion à laquelle il aspire tant. Le soir venu, on danse, on méprise la terre entière et on refait le monde version dada...

On fait aussi beaucoup l'amour. Quand le calme revient on envisage de rééditer l'exploit du *Dada au grand air*. Opération plus compliquée que prévue. Après quelques nuits agitées, Max **Ernst** a facilement succombé aux charmes de Gala. Le couple s'affiche en public sous les yeux d'Eluard qui, pour avoir l'esprit large, n'en reste pas moins furieux. Quant à Gala, elle se prend au jeu et trouve Max très excitant. La tension monte et le projet de revue tombe à l'eau au milieu des querelles domestiques. Témoin privilégié et amusé, Josephson raconte : « Tzara se montrait marri de toute cette histoire, et quand il était seul avec moi, récriminait : bien entendu, nous nous fichons de ce qu'ils font ou de savoir qui couche avec qui. Mais pourquoi faut-il que Gala fasse un drame à la Dostoïevski ! C'est ennuyeux, insupportable, inouï — Il était lui-même accompagné d'une amie de caractère plutôt facile. »

Il a d'ailleurs tendance à protéger sa belle Américaine. « En réalité, poursuit Josephson, Tzara avait une petite amie, une très agréable jeune fille américaine de Philadelphie et était fort occupé de la préserver de certains de ses amis. » Comme en écho, Tzara écrit un poème « la Lune a tourné mal ». On peut y lire :

> « *Mais pourquoi raconter aux belles Américaines de quelle façon vous vous dérobez aux sports patrimoniaux c'était de ma faute la lampe d'un insecte qui consume des désirs inassouvis moi broyé par les machines à écrire les mensonges.* »

Tzara traverse la crise et le soleil aidant en prend son parti. Si on suit toujours Josephson il « était d'excellente humeur. Il n'entendait nullement se poser en rival de Breton, ni lui disputer la direction de quelque chapelle d'avant-garde à Paris : il s'avouait même profondément indifférent au sort du mouvement Dada ». Témoignage qui concorde avec les déclarations que fera Tzara dès son retour à Paris. Désabusé peut-être, mais il est toujours prêt pour l'aventure littéraire...

Fin août, Ernst s'en va pour rejoindre Cologne. Tzara et Arp prennent le train pour rejoindre Berlin. Ils n'ont que quelques jours pour profiter de la ville. A peine débarqués du train on les retrouve au milieu des grands cafés fréquentés par l'avant-garde comme le Romanische. Ils vont dîner chez Kempinski, un restaurant suédois où passent les Français de Berlin. La ville est aussi cosmopolite que Montparnasse et c'est un vrai plaisir.

Mais ce qui frappe le plus Tzara c'est la liberté. Il le racontera dès son retour à de Massot qui écrit dans Le Journal du peuple : « Un de nos amis qui revient d'Allemagne et doit y retourner, T. Tzara, nous disait récemment l'atmosphère de liberté qui règne à Berlin depuis la fin des hostilités. »

Certes les artistes révolutionnaires lancent moins de Manifestes qu'en 1919, mais c'est l'effervescence. A Berlin on trouve tous les groupes et toutes les revues. Même pour le sexe, cette ville est moderne. On parle de sexologie et la tolérance règne sans aucun problème. On est loin du puritanisme honteux qui s'impose encore à Paris. L'Allemagne semble être un paradis où il n'y a aucune censure et les jeunes Allemands qu'ils croisent ont une liberté d'allure extraordinaire... Bars, bordels, boîtes de nuit, Tzara veut tout voir avant de rejoindre Weimar.

Depuis plusieurs mois les dadaïstes allemands

avec qui il est toujours en contact ont établi des rapports étroits avec les artistes constructivistes comme Theo Van Doesburg, Lissitzky ou Laszlo Moholy-Nagy. Au-delà des préoccupations artistiques communes il s'agit de mettre sur pied une véritable collaboration. Après avoir utilisé l'énergie dadaïste pour faire table rase, il s'agit d'évoluer vers autre chose. Vaste programme qui a déjà fait couler beaucoup d'encre. Tzara est à la recherche lui aussi d'un second souffle. Il paraît d'emblée assez sceptique, se méfiant naturellement des constructivistes... Il faut d'abord se mettre d'accord sur une base de travail, d'où l'idée d'organiser des rencontres. Doesburg semble jouer un rôle essentiel dans ces grandes manœuvres. Avec son allure de pasteur il dédie sa vie à la peinture et à l'abstraction pure. En 1917, il a fondé aux Pays-Bas avec Mondrian, la revue *De Stijl*. En 1921, les dadas y font une entrée remarquée. Une première prise de contact a lieu du côté de Düsseldorf. Mais le « Congrès constructiviste » de septembre 1922, organisé dans la ville du déjà célèbre Bauhaus, est un rendez-vous à ne pas manquer. D'emblée la présence de Arp et Tzara déclenche un tollé chez les constructivistes qui craignent que leur congrès se termine en scandales et en pugilats. Moholy-Nagy, peintre et professeur au Bauhaus, raconte [1] : « A l'époque nous voyions dans le dadaïsme une force destructrice et déclassée en regard des nouvelles perspectives constructivistes. »

Doesburg impose les dadas et, à la consternation des puristes, le congrès vire à la grande démonstration dada dont il reste quelques photos très amusantes. On y voit un Tzara malicieux, avec son monocle, fier de ce dernier coup de maître.

---

1. Laszlo Moholy-Nagy, *Vision in Motion*, Chicago, Theobald (1947).

Comme une traînée de poudre

Le message Dada traverse les frontières. Certains se prennent à rêver et imaginent déjà la construction d'une nouvelle internationale d'avant-garde... Pour isolés qu'ils soient, les dadas n'en restent pas moins efficaces. Ils interceptent les revues et propagent à leur manière l'incendie allumé à Zurich. D'ailleurs, quelques-uns étaient des habitués du Cabaret Voltaire.

Ainsi à Cologne, Hans Arp et Max Ernst multiplient les expériences comme les collages. A Hanovre c'est le turbulent Kurt Schwitters qui défraie la chronique en écrivant dans *Der Sturm* et en créant sa propre revue *Merz*. A Berlin, les dadas sont emportés dans la révolution spartakiste dès 1918. Ils font des meetings et créent un Conseil central révolutionnaire dada. Organisé comme une petite fraction ultragauchiste, le mouvement très actif inquiète les autorités. Huelsenbeck, Baader et Hausmann en sont les fers de lance. Malgré les inimitiés et les divergences, Tzara reste en contact avec toute cette effervescence allemande. Mais c'est aussi à Bruxelles que les échos des manifestations parisiennes ont marqué certains esprits. De loin, Clément Pansaers passe pour un hurluberlu. Dada c'est son affaire. Dès 1919, il envoie un premier courrier à Tzara[1]. Il n'a jamais pu se procurer un seul

---

1. Correspondance Clément Pansaers-Tristan Tzara, Bibliothèque Doucet.

147

numéro de *Dada*, mais le peu qu'il en connaît lui paraît intéressant : « J'ai cru comprendre par quelques lignes de mauvaises critiques que votre mouvement s'apparente à ma conception poétique et artistique. » Quelques jours plus tard, il explique qu'il est seul, mais s'est mis en tête de monter une exposition et des causeries dans toute l'Europe.

Tzara lui envoie les publications *Dada* et l'autre lui répond en proposant des titres de conférence :

> « *je blennorragie*
> *au bar Nicanor*
> *Da Dada rhoia*
> *De 7 belges contre 7 polonais* »

Foutraque et décapant, Pansaers en rajoute dans le genre mise à poil et crotte de bique avec un certain panache. Cependant, derrière le provocateur, c'est une figure très sombre qui finira de manière lamentable dans un hôpital bruxellois en 1922. Destinée fulgurante à la Vaché, Pansaers aura quand même le temps de publier de nombreux articles, d'écrire plus de sept ouvrages, de lancer une revue intitulée *Résurrection* tout en étant petit employé à la Bibliothèque Royale de Belgique.

Après la mort de Pansaers, il semble que l'esprit dada cesse de souffler sur la Belgique. Il faudra attendre jusqu'en mars 1925 pour le voir renaître de ses cendres à l'appel d'un petit groupe bruxellois comprenant entre autres René Magritte et E.-L.-T. Mesens. Dès 1923, ce dernier est en contact avec Tzara. C'est surtout le fragment du roman *Faites vos jeux* paru dans *Les Feuilles libres* qui a attiré son attention. « J'ai hâte, écrit-il, de connaître le roman en entier car j'ai l'impression qu'il dépasse de loin les meilleurs des derniers romans parus... »

On est à des années-lumière de l'esprit Pansaers. Et il poursuit « vous exprimez en une phrase sans que celle-ci en perde l'équilibre ou en devienne ennuyeuse, plus de choses que bien des littérateurs ne parviennent à exprimer dans toute leur œuvre ». Mesens est un esprit libre et sans a priori. Quand il organise des conférences à Bruxelles, on retrouve au programme des lectures poétiques : Ribemont-Dessaignes, Picabia, Aragon, Peret, Crevel, Baron, Soupault... Eclectique, mais vu de Bruxelles, Mesens trouve l'attitude de Breton injuste à l'égard de Tzara.

Au moment de la publication des *Pas perdus*[1] il précise : « les méchancetés que Breton écrit à ton égard ne peuvent nuire qu'à lui-même tant elles sentent la jalousie stupide ». Et quelques semaines plus tard : « tes manifestes sont très smart. Ils permettent de s'assurer que Breton est un plagiaire de qualité assez vulgaire ». Infatigable il se démène pour publier les textes de celui qu'il appelle affectueusement Tzarichken dans la revue *Sélection*. Quand il lance *Œsophage* avec l'aide de Magritte, mais à compte d'auteur, il envisage d'aller demander une aide financière à quelques proches de Tzara... Nancy Cunard ou Etienne de Beaumont. Il débarque à Paris et rallie Montparnasse. Dans sa petite chambre d'un hôtel de la rue Campagne-Première, il récolte les textes de ses copains et montre ses partitions car Mesens est aussi musicien à ses heures. Son enthousiasme et son culot pour faire avancer ses projets rappellent à Tzara le jeune homme exalté qu'il était lui-même du côté de Zurich. Et puis, il y a l'incroyable humour de Mesens. On s'amuse beaucoup

---

1. André Breton, *Les Pas perdus* (1924).

avec lui et les nuits se terminent toujours par des éclats de rire dans les meilleurs bordels parisiens.

De retour à Bruxelles, il est le premier à monter au créneau pour protester contre la fermeture des maisons de tolérance. Il en informe immédiatement Tzara[1]. « Dans le prochain numéro d'*Œsophage*, j'ai demandé une interview au maire d'Anvers. Il a accepté. J'ai aussi l'interview de la patronne du principal établissement de ce genre à Anvers. Il s'appelle Crystal Palace. Il a beaucoup inspiré Mac Orlan, André Lhote, Othon Friesz. Cette fermeture est regrettable pour Anvers car à l'ombre de l'église Saint-Paul (l'église où les petites putains vont se confesser) ces maisons remplissent (mes chers marins nègres, chinois, américains) comme une fonction divine. »

Il ne manque pas de réclamer la solidarité active de son ami. Un peu isolé dans ce pays qu'il considère comme « le plus idiot de la terre » il se réfugie souvent dans les bistrots de Gand ou d'Anvers. C'est là qu'il envoie ses missives douces-amères à Tzara... « Je suis à mon 7e whisky. C'est très joli la prohibition de l'alcool. On parle, on parle... »

L'onde de choc dada a aussi quelques répercussions plus au sud. En Espagne, un jeune écrivain, Guillermo de Torré, s'enflamme. Dès 1919, il envoie ses premières lettres à celui qu'il appelle « le président du mouvement Dada ». Il se présente comme un rédacteur de revues[2].

Pour lui, la « révolution » est en marche. « Tout Madrid devient dadaïste, écrit-il, sur la Puerta del Sol, dans les gares du métro, tout le monde s'extasie

---

1. Correspondance E.-L.-T. Mesens-Tristan Tzara, Bibliothèque Doucet.
2. Correspondance Guillermo de Torré-Tristan Tzara, Bibliothèque Doucet.

devant les affiches de notre prochaine soirée "vertical" qui doit avoir lieu à l'Académie de la Langue. » Promoteur lui aussi infatigable il déploie pour la bonne cause une activité fébrile : rédigeant article sur manifeste, entretenant avec le monde entier une correspondance assidue et pressante, traduisant en espagnol et publiant dans les revues les plus diverses les dadaïstes étrangers... Un véritable homme-orchestre qui se fait connaître rapidement dans tous les milieux de l'avant-garde espagnole. Dépassant le maître, il se dit même « ultradada » et veut organiser des spectacles dans toutes les capitales européennes. Dans les polémiques avec Breton, il prend résolument le parti de Tzara.

En lisant les lettres qu'il envoie en 1924, on retrouve les mêmes analyses que Mesens : « J'ai bien reçu les sept manifestes dada. Ce fut pour moi un vif plaisir. Ce n'était pas négligeable de le rappeler au moment même où je venais de recevoir le Manifeste de Breton. Je trouve ce livre fort injuste pour vous et terriblement ingrat envers les meilleurs théoriciens dadaïstes. »

On le voit, relativement isolé à Paris, Tzara garde un prestige certain dans toute l'Europe qui bouge. C'est l'aura de Dada !

L'amour, l'argent, la poésie

Dans la presse de ce début d'année 1923, c'est plutôt dans les rubriques mondaines qu'il faut chercher Tzara. Il fait partie des artistes qui ont accepté de participer au grand bal travesti organisé par l'Union des artistes russes. Dans une telle soirée Mondanité rime toujours avec Solidarité. On vient s'amuser et dépenser beaucoup d'argent pour la bonne cause : la caisse de secours des artistes. La grande salle du Bal Bullier est réquisitionnée pour une grande foire de nuit avec des chars, des gigolos et des gigolettes, la femme à barbe, le manège à cochons et le fameux fœtus à quatre têtes. Quelques vedettes du Tout-Paris ont prêté leur concours pour faire des numéros. Gontcharova a monté une boutique de masques, Léger un orchestre, Pascin a promis une danse du ventre inédite et Tzara annonce « ses oiseaux gras [1] ».

Le journaliste André Warrod note pour *Comœdia* le côté très chic de la soirée. « Le nombre important de smokings a entraîné une certaine retenue dans le public. Mais la joie éclatait par moments, brutalement avec une violence et une vivacité de ton tout à fait dans la note des peintures dont la salle était décorée [2]. » Beaucoup d'œuvres peintes sur les murs

---

1. *Avenir*, 12 février 1923.
2. André Warrod, « Le Bal des artistes russes », *Comœdia*, 25 février 1923.

avec des couleurs vives et beaucoup de poèmes aussi, habilement disposés. Accompagnée par un jazz-band, la foule s'amuse au rythme des attractions. Le mélange des genres est plutôt réussi. Le journaliste ironise sur les multiples déguisements qu'il croise, des arlequins façon Picasso aux vieux Russes qui ont ressorti pour l'occasion les costumes traditionnels. Mais Tzara n'en oublie pas pour autant la littérature. Un soir, à Montparnasse, il fait la connaissance de Marcel Raval. Ce noctambule ne rate aucune grande fête de la saison. Il est aussi directeur de la revue *Les Feuilles libres*. Raval est éclectique et moderne sans excès. C'est lui qui propose à Tzara d'écrire un vrai feuilleton littéraire façon XIXᵉ. Le premier épisode paraît en mars 1923 et tout le monde semble satisfait[1]. Raval est fier de son coup éditorial : l'auteur de *Monsieur Antipyrine* fabrique un vrai roman en y mettant tous les ingrédients susceptibles de faire les gros tirages : crime passionnel, histoire d'amour, rencontres exaltantes, souvenirs intimes. Tzara lui aussi est content, avec ce texte, il se livre à un retour sur le passé, une sorte d'introspection où il peut enfin exorciser ses vieux démons.

Il se délivre ainsi d'un Dada moribond. En parcourant ces pages on retrouve bien sûr quelques idées déjà exprimées. L'irrésistible besoin d'écrire, la peur de l'ennui, la recherche des autres et l'angoisse de la dépression.

Le style utilisé par Tzara est des plus classiques, avec quelques envolées à la limite du rêve et de la réalité. L'ensemble est sombre, désabusé. L'antihéros de ce feuilleton revient de loin. Il a survécu à des années d'ennui en tout genre. Dans ce grand ratage,

1. *Les Feuilles libres*, Nouvelle série du n° 31, mars-avril 1923, au n° 36, mars-juin 1934.

il n'y a pas grand-chose à sauver. Le gouffre n'est pas loin : « Le but de la vie est de mourir, explique le narrateur, je me l'avoue et c'est la même lâcheté qui m'empêche d'aboutir à cette fin normale. » Si le suicide est évité par faiblesse, c'est bien qu'il n'y a aucune raison de vivre. Même l'amour n'est pas une issue de secours. A travers les récits de la rencontre de l'auteur et d'une danseuse, on croit reconnaître l'ombre portée d'un amour zurichois. Maya hante un peu ces pages désespérées. Lui veut toujours croire à l'amour, mais la déception est assurée : « La danseuse me dit (...) que la vie était dure et les nuits trop courtes pour bannir de son âme tout souci. »

Comme en échos aussi, le narrateur tente de faire comprendre ses difficultés amoureuses : « L'anomalie, écrit-il, qui caractérise mes relations avec les femmes, est barrée de lignes encore vivantes, de la succession brusque de lassitude et de passion. » Cette incapacité à construire quelque chose lui laisse des blessures qui ne s'effacent pas. Le jeune homme « obscur, soupçonneux, taciturne » peut alors se réfugier dans une aventure collective.

Mais là aussi ce n'est pas brillant. Ce type d'entreprise laisse un goût amer. Ce texte est bien l'ultime faire-part de décès de Dada.

Ce feuilleton populaire sonne aussi le glas des batailles rangées et des communiqués de guerre. Tzara n'a plus envie de se justifier. Si les autres cherchent à faire carrière, lui envoie un message simple pour dire qu'il a envie de profiter de la vie. Il veut passer à autre chose en se gardant toujours une certaine marge de liberté. Il avoue : « Je ne combats que mes faiblesses, mes maladies, mes imperfections, je les englobe dans ma force vitale. Je développe consciencieusement mes impuretés et mes vices, je voudrais les accroître, mais les procédés me répugnent et je me laisse des marges suffisantes pour changer d'air à propos de n'importe quel événement (...) En somme je suis un opportuniste austère. » Une confession capitale qui permet de mieux comprendre le jeune homme de Montparnasse. Le texte fait d'ailleurs le tour des salles de rédaction et alimente les conversations de salon.

Le 23 février, *Les Nouvelles littéraires*[1] présente l'auteur dont on parle. Sur la photo qui accompagne l'article, on le voit avec monocle, smoking et nœud papillon. Le jeune homme est même donné grand favori, avec Pierre Reverdy, pour le prix du Nouveau Monde. Bernard Faÿ, organisateur en chef, a aimé *Faites vos jeux*, le roman-feuilleton des *Feuilles libres* et le fait savoir autour de lui. L'homme est important, il est l'arbitre de la vie littéraire et l'ami du Tout-Paris. Plutôt hostile à Dada, il est séduit par le vrai talent d'écrivain de Tzara. En mai 1922, il cherche à le rencontrer. « Pour moi, écrit-il, ce serait une vraie joie car je vous admire très sincèrement et très profondément. Rendez-vous à la Rotonde[2] ? » Les deux hommes se voient et Tzara se rendra très souvent au domicile de Faÿ, rue Saint-Florentin, pour y prendre le thé. Le prix du Nouveau Monde est une belle réussite. A la clé 7 000 francs grâce à une Américaine « généreuse » donatrice. *Les Nouvelles littéraires* ont suivi les favoris. Le journaliste a donc rencontré un Tzara qui cultive plus que jamais son personnage mondain et distant. « Nous avons pu voir Tzara, le monocle à l'œil, une écharpe

1. « Ainsi parlait Tzara », *Les Nouvelles littéraires*, 23 février 1923.
2. Correspondance Bernard Faÿ-Tristan Tzara, Bibliothèque Doucet.

multicolore autour du cou. Il assiste impassible à tous les manèges. Faites vos jeux, semble-t-il dire à ses anciens amis qui ne lui pardonnent guère d'avoir écrit un vrai roman. »

La réponse de Tzara est cinglante. Dans l'interview qui suit il rappelle qu'un prix littéraire permet souvent de faire l'unité contre quelqu'un. La réalité lui donnera raison puisque c'est bien Reverdy qui l'emportera, malgré les prises de position publiques de Faÿ. Mais surtout il en profite pour dénoncer sans les nommer « ceux qui rêvent d'un fascisme intellectuel, littéraire, artistique ». Il rappelle que Dada est bien mort et qu'il n'a jamais été question d'en faire une école littéraire comme les autres pour bâtir de belles carrières parisiennes. « Ils furent dadaïstes, conclut-il, mais ils ne se consolent pas que Dada n'ait point recueilli une gloire semblable au romantisme. »

Quelques jours plus tôt Tzara avait donné le même type d'interview au *Journal du peuple*[1]. Interrogé par Roger Vitrac, il fait preuve d'un cynisme et d'une désinvolture rarissimes dans le milieu littéraire parisien. C'est un éloge appuyé et souvent drôle de la compromission, de l'inactivité et de l'arrivisme sans prétention... « Ce qui me plaît le plus dans la vie, explique-t-il, c'est l'argent et les femmes. Mais j'ai peu d'argent et beaucoup de malheurs en amour. Mais je ne crois pas qu'il existe une perfection quelconque. » Et quand Vitrac lui demande pourquoi est-il arriviste, il répond immédiatement « parce que je veux cultiver mes vices, l'amour, l'argent, la poésie. Je les pousse jusqu'à leur dernière limite ».

Enfin il ne manque pas de tirer quelques leçons de la tornade Dada, sans regret ni nostalgie mais avec

---

1. Tristan Tzara, *Le Journal du peuple*, 14 avril 1923.

la certitude d'avoir accompli une œuvre salutaire.
« Avant lui les écrivains modernes tenaient à une
discipline, à une règle, à une unité. Avec Dada, l'indifférence active, le je-m'en-foutisme actuel, la spontanéité et la relativité entrèrent dans la vie. »
Une semaine avant, c'était Breton[1] qui annonçait
au même Vitrac son intention de quitter la scène littéraire. Ici aucun signe de désinvolture dada, Breton
prend une retraite anticipée en injuriant les nouveaux mandarins des lettres françaises, Cocteau,
Rivière et Morand. Il semble jeter l'éponge au
moment même où ses réunions d'hypnose et de spiritisme initiées par Crevel et Desnos tournent court[2].

Tzara ne manque d'ailleurs pas de répondre directement à son ancien ami, mais il évite d'aborder la
question du spiritisme qui l'indiffère. C'est pour lui
tellement ridicule que cela ne prête pas à la polémique. Quand il évoque le sujet avec Matthew
Josephson, c'est l'occasion d'une bonne partie de
rigolade. L'Américain lui raconte que cette mode a
déjà déferlé sur Greenwich Village il y a une bonne
dizaine d'années. De passage à Berlin, il lui écrit :
« Ça ne m'étonne pas qu'on introduise l'occultisme
en France ces jours-ci. Depuis les cent dernières
années la France adopte après 10 ou 20 ans ce qui
est nouveau en Amérique. Après Poe, les Parnassiens
en France. Après Whitman (1860-70) "l'Energisme"
en France. Et après Mary Baker Eddy, l'occultisme.
Vraiment un jeu de vieilles filles ? Je suppose qu'on
le joue de façon humoristique. Mais vous ne devez
pas être si lamentablement attristé. Quelque jour ils
grandiront[3]. »

---

1. André Breton, *Le Journal du peuple*, 7 avril 1923.
2. François Buot, *René Crevel*, *op. cit.*
3. Matthew Josephson, *op. cit.*

Un jeune homme frivole

Aragon en fidèle de Breton note perfidement pour le couturier Doucet : « Tristan Tzara au cours de l'année 1923 malgré tous ses efforts de mondanité, malgré les reniements successifs, malgré les gens par lesquels il en passait à la fin après avoir si longtemps fait le difficile, malgré ses platitudes auprès des Russes et des Américains de Montparnasse n'était pas arrivé à mener grand bruit autour de son nom depuis la fin de Dada, en tant que mouvement [1]. »
Cette vision est en partie juste. Certes Tzara se retrouve isolé. Il ne parvient pas à reconstituer autour de lui un groupe digne de ce nom, alors qu'au même moment Breton réussit toujours à drainer autour de son atelier une série d'anciens dadaïstes, dont Picabia, ce qui n'est pas rien. Tzara joue les jeunes gens à la mode papillonnant d'une soirée à une autre, usant son smoking dans les boîtes en vogue. Mais on l'a vu, même au cœur de la nuit, il continue de prendre des contacts et il fourmille toujours d'idées. Avec lui la frivolité est mise au service de la poésie. Ainsi par l'intermédiaire de Hans Arp il croise un soir le couple Delaunay. Dans son livre de souvenirs, Sonia précise que c'est bien la voix de Tzara et de son Manifeste qui les avait décidés à rentrer sur Paris après un exil forcé en

---

1. Louis Aragon, *Projet d'histoire littéraire*, op. cit.

158

Espagne et au Portugal pendant la Première Guerre mondiale [1].

Avec les Delaunay c'est toute l'aventure de l'art abstrait, une belle complicité avec Blaise Cendrars, des histoires incroyables du Douanier Rousseau et l'intimité d'Apollinaire. Tout un Paris d'avant-guerre qui a tant fait rêver le jeune Roumain Tzara à Moinesti [2]. C'est le coup de foudre mutuel et très vite on prend l'habitude de se retrouver. En 1922, Robert a fait son grand retour dans une galerie parisienne avec beaucoup de succès, quant à Sonia, elle signe déjà des robes uniques, des costumes de théâtre ou des travestissements de bal. Les créations de Sonia sont des conceptions artistiques parfaitement appropriées aux exigences du goût moderne. C'est le mouvement et la couleur qui font la griffe Sonia Delaunay...

Soyons clairs, si Tzara est présent dans la vie de Robert et Sonia ce n'est pas seulement pour le passé, aussi prestigieux soit-il... C'est parce qu'ils rassemblent à eux deux la réussite de la mode, de l'innovation et de l'art. Il a senti mieux que personne tout l'enthousiasme que procurent le talent et l'argent. Pour un jeune homme qui rêve de succès et de mondanités, le couple Delaunay est bien la plus importante des relations. Tzara va croiser dans l'appartement du 19 boulevard Malesherbes tout ce qui compte dans cette vie artistique parisienne qui récupère l'avant-gardisme et en fait une création abordable pour le grand public. Sur les murs les invités de passage ont dessiné des poèmes multicolores. Ils s'appellent Soupault, Delteil, Cendrars et même

---

1. Sonia Delaunay, *Nous irons jusqu'au Soleil*, Paris, Robert Laffont (1978).
2. Sonia Delaunay, *Rythmes et couleurs*, Paris, Hermann (1971).
— Bernard Dorival, *Robert Delaunay*, Paris, J. Damase (1975).

Maïakovski. Georges Auric trace des clés de sol. On va à la foire de Montmartre, on se fait prendre en photo et on finit la nuit dans un bal travesti à Montparnasse. Les Delaunay c'est un tourbillon de talent et de champagne[1].

Mais c'est surtout une vraie famille qui sait combien l'amour et l'ouverture d'esprit comptent, avec ce qu'il faut de générosité. Delteil ne raconte-t-il pas que chez les Delaunay la table était ouverte en permanence : « Table romanesque, table de luxe, table paradisiaque. Cette table est restée pour moi le signe des Delaunay, leur blason, leur drapeau... » Pour Tzara un peu orphelin, l'atelier des Delaunay est bien une nouvelle famille. Là il croise un autre habitué des lieux, un peu orphelin lui aussi, René Crevel.

Sonia est tellement habituée à les voir arriver et partir ensemble qu'elle leur a confectionné un gilet (pour Crevel) et une écharpe (pour Tzara). Ils s'amusent à poser ensemble et Robert dessine. Avant certains dîners ultramondains, Tzara invente des poèmes comme celui-ci pour orner les robes de Sonia.

« l'ange a glissé sa main
dans la corbeille l'œil des fruits
il arrête les roues des autos
et le gyroscope vertigineux du corps humain[2] »

Entre Crevel et Tzara, c'est là au milieu des toiles géométriques et des tissus multicolores que naît cette incroyable amitié qui va résister à tous les orages

---

1. Georges Bernier et Monique Schneider-Maunoury, *Robert et Sonia Delaunay — Naissance de l'art abstrait*, Paris, J.-Cl. Lattès (1995). — Entretien avec Georges Bernier.
2. Cité par Georges Bernier et Monique Schneider-Maunoury.

de l'entre-deux-guerres[1]. Une amitié qui n'exclut pas l'admiration mutuelle. Un soir, Crevel écrit à son aîné : « J'envie ta jeunesse et toutes manières où tu mets une éternelle passion[2]. »

Dans la bande de Sonia, il y a toujours des étrangers de passage, des gens qui amènent leur univers. Le poète russe Iliazd est de ceux-là. Pour Vera Soudeikine, une autre habituée, qui allait bientôt épouser Stravinsky, il a composé un long poème *Transmental* en russe.

Il a aussi donné le patron de la robe et fait en sorte que la manche de gauche soit ornée des vers du poème qui se termine par « ne touche pas à Vera Soudeikine ».

A la fin d'avril 1923, Iliazd organise une soirée à la galerie La Licorne, rue La Boétie[3]. La danseuse roumaine Lizica Codreanu vêtue d'un costume de Sonia y improvise *Trois Mouvements perpétuels* de Poulenc. Au cours du dîner qui suit le spectacle Tzara propose de participer à son prochain événement parisien, qu'il est en train de concevoir dans le plus grand secret avec la complicité de Sonia.

---

1. François Buot, *René Crevel*, *op. cit.*
2. Correspondance René Crevel-Tristan Tzara, Bibliothèque Doucet.
3. Entretien avec Georges Bernier.

Bataille rangée au théâtre

Tzara a l'idée de reprendre la pièce *Le Cœur à gaz* qui fut jouée en pleine euphorie dada au Théâtre des Champs-Elysées en juin 1921. Avec le concours d'Iliazd, il demande à d'autres artistes d'apporter leur soutien à la soirée. Le programme est ainsi joyeusement hétéroclite[1]. Les musiques sont signées Milhaud, Satie, Stravinsky, Auric, le cinéma est confié à Man Ray et Hans Richter, la danse à Lizica Codreanu et la poésie va de Jean Cocteau à Pierre Reverdy.

Tout le monde peut y trouver son compte. Reste *Le Cœur à gaz*, pour assurer la représentation, Tzara a eu l'idée d'enrôler la jeune génération souvent acquise à sa cause. René Crevel joue « Œil », Pierre de Massot est le « Nez » et des acteurs professionnels complètent la distribution : Jacqueline Chaumont « Bouche » et Marcel Herrand « Sourcil ». Le programme annonce clairement « la plus grande escroquerie du siècle en trois actes ».

Les répétitions se font dans l'appartement des Delaunay. Crevel raconte dans un long article ces moments de travail et d'improvisation : « Quand j'entrais, Sonia finissait de dessiner les costumes que nous devions porter ; ces costumes étaient très

---

1. Henri Béhar, *Le Théâtre dada et surréaliste, op. cit.* — Sonia Delaunay, *Rythmes et couleurs, op. cit.*

simples, parfaitement raisonnables, allais-je écrire :
j'entends qu'ils n'étaient point faits suivant l'expression courante de bouts et de morceaux, ils étaient
nés sous le crayon, composés, définitifs, c'était certes
des costumes aussi peu ressemblants que possible à
tous ceux qu'on avait jusqu'alors imaginés, leur
audace directe devait d'un seul coup les imposer [1]. »
Les photos prises lors de la représentation montrent des costumes en carton aux formes très géométriques. Les journées et les nuits passent vite
boulevard Malesherbes. Crevel se souvient de l'atmosphère détendue qui y régnait : « L'entrain, la
bonne humeur sont des qualités rares, lorsqu'elles
résultent d'une activité intelligente, on ne saurait
leur vouer trop de respect, après cinq minutes passées chez Sonia Delaunay qui n'a pas été surpris de
trouver en soi plus de conviction, de bonheur peut-
être ? »
Le 6 juillet, le théâtre Michel est plein à craquer.
Le public avide de sensations fortes est revenu. Il ne
va pas être déçu. Le poème de Cocteau lu par Marcel Herrand déclenche une première vague d'insultes. Au milieu de la foule, la bande à Breton est
bien décidée à perturber le spectacle. C'est Pierre de
Massot hurlant « Picasso mort au champ d'honneur » qui sert de prétexte au pugilat. Mais pour la
première fois le chahut vire au drame. De Massot
est grièvement blessé par Breton. Un peu dépassé par
les événements, Tzara se résout à appeler la police
qui ne tarde pas à faire irruption dans le théâtre. Le
Cœur à gaz peut donc commencer dans le calme.
Pas pour longtemps, Eluard ne tarde pas à donner
le signal d'une deuxième vague d'assaut. La bagarre

---

1. François Buot, *René Crevel*, op. cit.

reprend. La police débordée quitte les lieux, se bornant à surveiller les accès.

L'affrontement est général, on se bat même dans la rue. Tzara est violemment pris à partie pour avoir appelé les flics... Il cherche les issues de secours ! Dans le dernier numéro de *Littérature*, qui vient juste de paraître, Picabia résume parfaitement la situation :

> « Nous aimer les uns les autres
> est sentiment lointain
> lointain comme la patrie
> vaincue ou victorieuse. »

Sonia n'imaginait pas une telle représentation. Elle n'en tient aucune rigueur à Tzara avec lequel elle continue de collaborer. En 1925, quand elle ouvre sa fameuse boutique simultanée à l'exposition des Arts décoratifs, l'album de souvenirs contient un poème spécialement écrit par Tzara pour l'occasion.

Quant à Robert, il réussit le portrait de l'homme au monocle. Peut-être l'un des portraits les plus forts de Tzara [1].

---

1. Tzara gardera toujours ce portrait. Voir catalogue de la vente Tzara, Drouot, mars 1989.

La fille des Transatlantiques

Nancy Cunard est déjà une légende quand elle s'installe à Paris en cette année 1923. Elle est née dans une famille qui a fondé la compagnie maritime Cunard Line. Elle s'en est éloignée préférant les voyages, les beaux garçons, et la poésie. En arrivant elle s'est liée au milieu américain de Paris. Elle aime la nuit et la finit souvent avec l'écrivain Robert Mac Almon ou le beau pianiste de jazz Eugène Mac Cown... Un soir, toujours du côté de Montparnasse, elle croise Man Ray et Tzara [1]. Ces trois-là deviennent vite inséparables. Marcel Jouhandeau qui lui aussi fait ses débuts dans la vie parisienne la décrit comme « une ogresse maigre et d'une beauté farouche, maladive ». Parée de lourds bracelets africains, ce long corps a la froideur envoûtante des serpents. Arriver dans une soirée au bras de Nancy ne laisse personne indifférent. Elle invite ses nouveaux amis dans l'appartement de l'île Saint-Louis où elle vient de s'installer. Les fenêtres du séjour offrent une vue splendide sur la Seine et Notre-Dame.

Des meubles venus d'Angleterre et de très nombreux livres occupent les différentes pièces. Aux murs, elle a accroché les tableaux des artistes qu'elle vient de découvrir : deux Chirico, deux Tanguy et un Picabia. Pour Tzara c'est un rêve, car Nancy ne

---

1. Anne Chisholm, *Nancy Cunard*, Paris, Orban (1980).

compte pas. Elle est généreuse avec ceux qu'elle aime et, très rapidement, elle prend Tzara sous sa protection. Il est invité à la grande fête pour inaugurer l'appartement. Il y va avec Man Ray et y croise Laurencin, Fargue, Derain, Mac Almon, Cocteau. C'est un jeune pianiste Allan Taner qui assure l'ambiance musicale et c'est Eugène Mac Cown qui sert les cocktails perfides préparés par la maîtresse de maison.

En décembre 1923, Nancy donne un grand dîner à la Rotonde pour la venue à Paris de l'écrivain anglo-irlandais George Moore. Son récit se lit comme un bottin de la Bohème de ces années-là [1]. On y croise le sculpteur Brancusi, une très jolie nièce d'Oscar Wilde, Dolly, Pierre de Massot, Man Ray, Mary Reynolds la compagne de Marcel Duchamp, la chanteuse Yvonne Georges et Tzara... Ce dîner de Noël est une belle soirée et chacun tient à saluer le vieil écrivain, tendre complice de Nancy.

Quelques jours plus tôt, elle s'était fait prendre en photo avec sa mère Lady Cunard par Man Ray qui s'est empressé de raconter la scène à son copain Tzara.

Comment imaginer cette amitié où l'envie de séduire est toujours une tentation ? Comment décrire cette fascination mutuelle entre la fille des transatlantiques et le jeune poète iconoclaste ? Nancy et Tristan sont devenus si proches qu'on peut parfois les prendre pour un couple totalement libre, comme on en voit de temps en temps. Man Ray va les immortaliser avec cette photo devenue célèbre : Tzara à genoux baisant la main de Nancy vêtue d'un pantalon argenté, masquée et coiffée du vieux cha-

---

1. Anne Chilsholm, *Nancy Cunard*, *op. cit.* — Entretien avec Georges Bernier.

peau haut de forme de son père. Le cliché qui fera le tour du monde est pris dans les couleurs de l'hôtel particulier du comte de Beaumont, en 1924 [1].

Une nuit bien arrosée dans plusieurs boîtes de jazz, Tzara lui annonce qu'il va lui dédier sa nouvelle pièce de théâtre, et ensemble ils trouvent le titre, ce sera *Mouchoir de nuages* [2].

---

1. La photographie est reproduite dans le catalogue de l'exposition Man Ray. *Man Ray photographe, op. cit.*
2. Michel Sanouillet, *Dada à Paris, op. cit.*

Les folies du comte de Beaumont

Tzara n'a pas eu de mal à rencontrer Etienne de Beaumont. Dada a été sa carte de visite et son sésame pour avoir accès au saint des saints de l'hôtel particulier de la rue Masseran. La révolte dada a du bon et ce n'est pas le moindre paradoxe, elle permet d'accéder aux plus belles fêtes du moment. Tzara n'est pas le dernier à être accepté dans le sérail de celui qui restera comme le modèle parfait de Radiguet pour *Le Bal du comte d'Orgel*.

On y croise déjà Jean Cocteau, Lucien Daudet ou René Crevel. Etienne aime les jeunes gens qui forment autour de lui une véritable cour. Bernard Faÿ qui a lui aussi ses invitations est tombé sous le charme. Son portrait est à la limite de la flagornerie : « Un jeune homme immense et mince. Ses yeux si grands, si ronds, si lumineux semblaient montés sur pivots quand il les dardait[1]. » Jean-Louis de Faucigny-Lucinge qui ne manquerait pour rien au monde une soirée chez Etienne est pourtant plus caustique : « C'était un personnage haut en couleur. Très grand avec ses yeux globuleux et inquisiteurs. Une voix haute et un peu glapissante, il ne passait pas inaperçu d'autant plus qu'un nez proéminent pouvait lui donner un aspect un peu caricatural[2]. »

1. Bernard Faÿ, *Les Précieux*, Paris, Plon (1966).
2. Entretiens avec Jean-Louis de Faucigny-Lucinge, *Fêtes mémorables et bals costumés*, Paris, Herscher (1982).

Comment ne pas être fasciné par celui qui se veut le dernier des grands mécènes parisiens. Tzara est ébloui par autant de luxe. Il est admis à plusieurs reprises aux déjeuners intimes et grandioses. Les grands salons de l'hôtel particulier donnent sur un jardin à la française. Bernard Faÿ confirme : « jamais spectacle plus varié, plus divertissant, plus stimulant. C'était admirable ». Faucigny-Lucinge n'est pas en reste : « J'étais totalement ébloui. Chez lui le monde était fait de plaisirs et de raffinements [1]. »

Et Tzara se laisse prendre au jeu. Avec Crevel il croise tout ce que Paris compte de célébrités, de Paul Morand à Philippe Berthelot, en passant par Missia Sert, Marie Laurencin ou Nancy Cunard. Man Ray est toujours là pour photographier les invités à mesure qu'ils défilent sous les applaudissements.

Même *Vogue* se fait l'écho de ces bals insensés... « Le bal Beaumont, il faut y être allé pour comprendre comment un homme de goût peut transformer une simple réception mondaine. Ce sont des grâces ou des enchantements qui ravivent les cœurs épris de parisianisme [2]. »

Mais Etienne de Beaumont n'est pas seulement un organisateur de soirées. Il souhaite laisser sa marque en montant de véritables spectacles. En 1924, il est bien décidé à investir le théâtre de La Cigale pour quarante-sept nuits à partir du 15 mai. En avant-première, *Paris Journal* annonce le programme des « soirées de Paris » où on retrouvera « l'élite des artistes d'avant-garde [3] ». Beaumont n'a pas l'intention de rivaliser avec les grosses productions qui

---

1. Entretiens avec Henri de Beaumont et Jean-Louis de Faucigny-Lucinge. Voir aussi le reportage de *Femina*, « A la mode de demain chez le comte de Beaumont », avril 1925.
2. *Vogue*, mars 1924.
3. *Paris Journal*, 18 avril 1924.

assurent le triomphe de la saison, comme les ballets romantiques du Théâtre des Champs-Elysées ou la saison musicale du théâtre Hébertot. Dans une interview, il rappelle comment il a conçu les soirées : beaucoup de mélange, du music-hall, de la féerie. La fête totale pendant plus d'un mois.

Il n'a pas lésiné sur les moyens pour faire de La Cigale le centre de la vie mondaine : un dancing avec des attractions, une exposition de peinture groupant des artistes qui ont vécu du côté de Médrano, du Tabarin et de... La Cigale. Pour le reste, Beaumont fait appel à ce qui se fait de plus original à ce moment-là, un Roméo et Juliette de Cocteau, un ballet mis au point par Massine sur une musique de Milhaud, les aventures de Mercure par Picasso et Satie, une pavane espagnole du XVIᵉ siècle décorée par José Maria Sert, et *Mouchoir de nuages*, la nouvelle création de Tzara, mise en scène et jouée par Marcel Herrand[1].

Pour *Les Nouvelles littéraires*, Etienne de Beaumont accepte de répondre aux questions de Crevel[2]. Celui qui est présenté comme le « grand seigneur du XXᵉ siècle » ne tarit pas d'éloges sur Tzara et sa nouvelle création : « *Mouchoir de nuages* c'est la poésie elle-même. Il n'y a là aucune contrainte, aucun effort d'imitation. C'est du théâtre pur en ce qu'il a de créateur et de libre. Acteurs, décors, conception scénique témoigneront du sens tragique et de cette profondeur d'inspiration, que sous l'humour, les clairvoyants depuis longtemps ont déjà senti dans l'œuvre de Tzara. »

Les papiers se succèdent dans la presse. Même *Le*

---

1. Anne Bertrand, « Une soirée de Paris du comte Etienne de Beaumont en 1924 », *Revue Histoire de l'art* nº 17/18 (1992). — Entretien avec Anne Bertrand.
2. *Les Nouvelles littéraires*, 16 mai 1924.

Gaulois[1] s'empresse de livrer à ses lecteurs les secrets de *Mouchoir de nuages*. Le journaliste semble s'être amusé à découvrir les idées de Tzara et Herrand.

Les six commentateurs jouent dix-sept rôles différents. Ils se maquillent et s'habillent sur scène. Quant aux électriciens et aux machinistes, ils sont devant les spectateurs... Et Tzara de donner dans une interview quelques clés : « Toute la pièce est basée sur la fiction du théâtre. Je ne veux pas cacher aux spectateurs que ce qu'ils voient est du théâtre. » Refusant de livrer le sujet de la pièce, il conclut : « C'est une œuvre poétique. Elle met en scène la relativité des choses, des sentiments et des événements. »

Pendant plusieurs semaines, Tzara travaille avec Herrand. Quelques jours avant la première, l'acteur prend un peu de repos à l'hôtel Welcome de Villefranche en compagnie de Cocteau et d'Auric. Il écrit à Tzara : « Mon cher Dada, tous les soirs nous faisons des promenades en bateau et les Perlmutter qui connaissent à fond tout le répertoire de La Cigale chantent les répliques du *Mouchoir* sur la musique de *Salade* en faisant les gestes de Roméo. Modernisme[2] ! »

---

1. *Le Gaulois*, 17 mai 1924.
2. Correspondance Marcel Herrand-Tristan Tzara, Bibliothèque Doucet. — François Buot, *René Crevel, op. cit.* — Henri Béhar, *Le Théâtre dada et surréaliste, op. cit.*

Le triomphe à La Cigale

Pour Tzara c'est vraiment le plus beau des printemps. Tenir le haut de l'affiche, être sacré par toute la presse parisienne, c'est une belle revanche sur le destin. On le disait fini, isolé, incapable de faire quelque chose après la mort de Dada. Il prouve le contraire et met ses détracteurs en difficulté. Comment le jeune garçon de Moinesti pouvait-il imaginer un tel succès ?

Le journaliste de *Comœdia* n'en revient pas d'avoir assisté à une telle première... « Ce fut vraiment le rendez-vous du Tout-Paris. La salle était étincelante de lumière, les balcons illuminés. On fit fête aux artistes dont la jeune réputation s'est affirmée ces dernières années. Les audaces de Tristan Tzara n'allèrent pas sans soulever quelques effarouchements, mais les camps s'étaient déjà formés et les protestations furent aussitôt suivies d'applaudissements [1]. » Certains comme l'envoyé du journal *L'Avenir* semble regretter que « M. Tzara ne soit pas parvenu à déchaîner l'indignation du public [2] ». Peine perdue. Le public apprécie. Le journal *France* note le « succès de Tristan Tzara devant un parterre de choix en présence du roi de Roumanie [3] ».

---

1. *Comœdia*, 19 mai 1924.
2. *L'Avenir*, 20 mai 1924.
3. *France*, 20 mai 1924.

Dans un texte assez détaillé qu'il donne à *Intégral*, une revue roumaine, Tzara revient sur sa pièce « une tragédie ironique ou une farce tragique en quinze actes courts séparés par quinze commentaires ». En fait l'intrigue très simple tient du roman-feuilleton populaire. La nouveauté tient à la construction dramaturgique : la scène est un espace clos où tous les comédiens sont réunis du début à la fin du jeu, où ils se maquillent et se transforment à la vue des spectateurs, révélant les artifices du théâtre, des décors qui sont des projections de diapositives. Le commentaire, sorte de chœur antique rénové, est l'ironique interprète du destin.

La voix de l'auteur est surtout la fonction de « subconscient » du drame. Il analyse ce qui vient d'être dit et surtout ce qui n'a pas été dit par les protagonistes... L'autre élément dramaturgique d'importance est un collage de Shakespeare. L'acte XII, Les Remparts de l'Elseneur, est bien constitué de trois scènes de Shakespeare accolées dans le texte original.

On l'aura compris, *Mouchoir de nuages* est un feu d'artifice de trouvailles et d'inventions. Alors les critiques affluent et les papiers sont souvent élogieux et contradictoires. Ainsi *Les Nouvelles littéraires* du 25 mai lui consacrent deux chroniques : Ferdinand Gregh y explique que Tzara n'invente rien. Il s'est servi de Cocteau et de Pirandello... « du déjà fait... un pétard n'éclate jamais deux fois ». Ribemont-Dessaignes lui répond point par point pour démontrer l'absolue nouveauté de la pièce [1].

Les bastions du classicisme semblent céder. Le très sérieux *Journal des débats* salue une poésie « souvent émouvante, capricieuse, (...) beaucoup de fan-

---

1. *Les Nouvelles littéraires*, 25 mai 1924.

taisie, d'imprévu, d'inexplicable [1]... » Mais quelques-uns résistent à l'engouement général, tel Marcel Achard pour *Paris-Soir* qui n'est vraiment pas convaincu... « Tout esprit est soigneusement absent, toute drôlerie aussi. C'est une série de divagations sans grand intérêt [2]. »

Dans les salons de l'hôtel Masseran, Beaumont et Tzara s'amusent devant l'avalanche des réactions.

Mais tout le monde se retrouve boulevard Rochechouart. On vit et on s'amuse à La Cigale pendant plus d'un mois. Tzara est là en permanence réglant les derniers détails. Il peut passer des heures entières dans la salle décorée de stuc 1900 ou dans les coulisses avec Crevel ou Marc Allégret, le nouveau secrétaire d'Etienne. Après la fièvre, la nuit se termine toujours au dancing entièrement organisé par le patron du Bœuf sur le Toit, Moysès. Au milieu des danseurs et des bouteilles de champagne, Tzara aperçoit Picasso, Morand, Satie... Maurice Sachs qui a un petit rôle et Jean Hugo raconteront plus tard le bonheur de ces soirées interminables [3]. Et parce que très souvent, personne n'a envie de rentrer chez soi, Tzara entraîne son monde vers Montparnasse. Aux premières lueurs du jour, la nouvelle boîte à la mode Le Jockey est encore ouverte...

1. *Le Journal des débats*, 22 mai 1924.
2. *Paris-Soir*, 20 mai 1924.
3. Maurice Sachs, *La Décade de l'illusion*, Paris, Gallimard (1950).
— Jean Hugo, *Avant d'oublier*, Paris, Flammarion.

Western à Montparnasse

En novembre 1923, le quartier a connu un véritable séisme. La vie nocturne s'arrêtait souvent avec la fermeture des cafés et restaurants. Avec Le Jockey la nuit n'a plus de limites[1]. Un ex-jockey, Miller, et un peintre américain, Hilaire Hiler, ont repris le Caméléon, café situé au coin du boulevard Montparnasse et de la rue Campagne-Première. A l'intérieur, les travaux sont réduits au minimum, une ambiance saloon, un comptoir en bois, des tables contre les murs et une minuscule piste de danse. Audehors, Hiler couvre les murs tout noirs de silhouettes blanches représentant des cow-boys et des Indiens. Une enseigne lumineuse proclame « The Jockey ». Le tour est joué. En une soirée, les artistes du quartier rappliquent. « Nous avons inauguré une boîte toute petite et qui promet d'être gaie », annonce Kiki, la nouvelle égérie de Man Ray. « Tous les soirs on se retrouve en famille. Chaque client peut faire son numéro. Un gros Russe s'essaie à des danses cosaques, Florianne exécute des danses lascives[2]. » Kiki, elle, danse le cancan et chante des refrains de corps de garde. Tard dans la nuit, le pianiste de jazz et un ancien cow-boy, Lee Copeland,

---

1. Billy Klüver et Julie Martin, *Kiki et Montparnasse 1900/1930*, *op. cit.*
2. Kiki (Alice Prin), *Souvenirs*, Paris, Broca (1929).

font monter la température sur la piste. Le Jockey est lancé. « Tout Paris vient s'amuser au Jockey », écrit Kiki. La foule se presse : « Un soir, raconte Jean Oberlé, j'y vis une jolie fille danser complètement nue et on la remarquait à peine[1]. » Les grosses voitures s'alignent devant l'entrée et on se bat pour passer une nuit au Jockey. Les célébrités du moment font le détour. On remarque Foujita, Ezra Pound, Cocteau, les Delaunay... Tzara fait partie des habitués, il est même intégré à la petite famille du Jockey. Il est devenu très ami avec Hiler qu'il a associé aux Soirées de Paris. Au milieu des filles et des danseurs en transe, Tzara, sans nostalgie, retrouve un peu cette magie du Cabaret Voltaire qu'il aimait tant.

Sur une photo prise en plein jour devant la boîte on retrouve toute la famille des fidèles[2]. Il y a là, l'air très malicieux au milieu des rieurs, Man Ray, la casquette vissée en arrière, un appareil photo à la main, Ezra Pound qui joue à l'artiste avec un costume de rapin à grand béret, deux sont assis à terre : Jean Cocteau, ultra-élégant, canne et chapeau mou avec une belle paire de gants jacquard, et Tzara, dont la position au premier plan fait oublier un peu la petite taille, monocle, raie impeccable dans les cheveux, cigarette d'une main, chapeau de l'autre, regardant vaguement une personne invisible à gauche de la photo. Un fou rire semble passer sur le groupe[3]. Tzara au milieu de ces années folles a l'air plus heureux que jamais. Dans la presse, il est l'homme au monocle, il incarne le jeune homme chic et insouciant.

---

1. Jean Oberlé, *La Vie d'artiste*, Paris, Denoël (1956).
2. Billy Klüver et Julie Martin, *Kiki et Montparnasse, op. cit.*
3. Serge Fauchereau, *Expressionnisme, dada, surréalisme et autres ismes*, Paris, Denoël (1976).

Le témoignage de Daniel Guérin est de ce point de vue intéressant[1]. Oiseau de nuit et grand habitué de Montparnasse, il se souvenait de Tzara et Crevel arrivant ensemble au Jockey. « Quand je sortais, j'allais au Jockey, une boîte petite mais très pittoresque avec quelques figures inoubliables comme ce grand beau et blond Suédois bien moulé dans les pull-overs gris et qui se donna la mort une nuit... On croisait beaucoup de beaux garçons à cet endroit. Crevel et Tzara étaient toujours là. Nancy Cunard venait parfois les rejoindre. C'était vraiment une fête indescriptible ». Un soir, pourtant, Tzara arrive au Jockey avec une jeune femme qu'il vient de croiser au bar de La Cigale.

---

1. Entretien avec Daniel Guérin. — François Buot, *René Crevel*, *op. cit.*

Greta pour toujours

Pour mieux saisir l'importance de cette rencontre, il faut revenir à la petite colonie suédoise de Paris. Thora Klinkowström est une jeune étudiante qui rêve des sortilèges de Montparnasse. En octobre 1919 elle débarque à La Rotonde... Horrifiée, elle décrit l'endroit comme « un bouge répugnant, puant, avec de la sciure par terre et à chaque table les pires individus qui soient[1] ». Sur le bateau elle a croisé un très beau garçon, Nils Dardel, qui s'empresse de lui faire découvrir la capitale. Il lui présente quelques copains dont Amedeo Modigliani. Thora sera l'un des derniers modèles du peintre dans son atelier, rue de la Grande-Chaumière. Thora est très jolie et, passé le choc de la découverte, elle reste à Paris, s'amuse avec Nils aux terrasses de Montparnasse. En avril 1920 le couple s'installe dans un atelier au dernier étage d'une maison de la rue Lepic, au sommet de la Butte. Elle ne dit rien à ses parents restés en Suède, mais profite bien de cette nouvelle vie. La porte de l'atelier est toujours ouverte aux amis, on va au cirque Médrano et on prend des verres aux terrasses des cafés du Rochechouart. Cocteau, Picasso, Radiguet, Auric sont souvent là.

Tzara les rejoint parfois. Une correspondance inédite[2] nous permet de dater cette rencontre en 1921.

---

1. Thora Dardel, *Jag for till Paris*, Stockholm, Bonniers (1941).
2. Correspondance Tristan Tzara-Thora Dardel, Collection privée.

178

C'est Tzara qui envoie un message pour confirmer un rendez-vous montmartrois. Le jeune homme aime cette ambiance bien parisienne, très différente de Montparnasse. Un Paris très canaille, un monde souvent interlope entre artistes fauchés, voyous et vedettes du cirque.

En septembre 1922 le couple Dardel croise par hasard Pascin au coin d'une rue de Montmartre et ils deviennent vite très amis. Pascin a trouvé un atelier au dernier étage sans ascenseur du 36 boulevard de Clichy. Un endroit très grand et presque vide. Ce qui convient parfaitement pour y organiser des fêtes. Dans une lettre, Tzara remercie Thora de l'avoir invité chez Pascin. « C'est un autre monde pour moi, mais j'ai beaucoup aimé cette soirée. Donnez-moi de vos nouvelles le plus vite possible et on se retrouve sur les boulevards[1]. »

Dans son livre de souvenirs, Thora raconte ces incroyables instants de féerie montmartroise : « Du boulevard de Clichy, la fête foraine précipite les odeurs de gaufres, de barbes à papa, d'acétylène, de lions en cage mêlées à celle des pétards tirés et de la choucroute mal cuite du large buffet de l'atelier[2]. »

Sur les photos de l'époque, on note une certaine insouciance bohème. Nils peint, et les filles souvent dénudées, comme les sœurs Perlmutter, deux Hollandaises, grandes copines de Thora, mais aussi mannequins pour Paul Poiret. Avec Cocteau, Radiguet, Auric et Tzara on boit beaucoup et on fume de temps en temps de l'opium, la drogue à la mode...

Et puis, il y a cette communauté d'artistes suédois. Depuis 1920, elle s'est organisée pour avoir un centre de rencontres. Sous l'impulsion de Lena Bör-

---

1. *Ibid.*
2. Thora Dardel, *Jag for till Paris*, op. cit.

179

jeson[1] qui habite Montparnasse depuis 1916, on trouve une bâtisse suffisamment grande au 6, rue Jules Chaplain. Ce sera la maison Watteau.

Le comité des artistes organise des expositions, des cours et des conférences. Mais il reste surtout en mémoire pour son grand bal costumé annuel qu'aucun habitué de Montparnasse qui se respecte n'aurait voulu rater.

Pour une fête, Pascin, Nils Dardel et Grünenwald acceptent de se charger de la décoration. Les photos retrouvées donnent l'impression de fêtes insensées. C'est l'hilarité générale et certains costumes paraissent très réussis. Sur un de ces documents on aperçoit un Tzara très dandy avec monocle et foulard autour du cou. Il regarde tendrement Thora très élégante dans un style Art déco Paul Poiret, et lui tient la main. Un peu plus loin, on reconnaît le peintre Kisling, Nils Dardel, ou Marcel Herrand. Si on suit Kiki, c'est le clou de la saison des grands bals. « Je n'en rate pas un. C'est là qu'on s'amuse le mieux, et j'y ai vu des Scandinaves qui étaient aussi rigolos que n'importe qui. » On peut faire confiance à Kiki. Lena Börjeson n'a pas de recette pour réussir son bal. Pour elle ce qui compte c'est le barman, la musique et beaucoup de filles peu farouches. Visiblement ces dernières ne manquent pas et à mesure que la soirée avance les couples se forment et disparaissent.

En ce printemps 1924, où tout semble sourire à Tzara, c'est encore Thora qui lui présente une amie de passage à Paris. Au bar de La Cigale transformée en annexe du Bœuf sur le Toit, cette jeune étudiante suédoise appelée Greta Knutson fait beaucoup d'impression à Tzara. Elle est venue à Paris pour perfec-

---

1. Lena Börjeson, *Mitt livs lapptäcke*, Stockholm, Bonniers (1957).

tionner ses techniques du dessin. Elle s'est inscrite aux cours de Léger et de Lhote. Dans l'euphorie de la nuit et des soirées du comte de Beaumont, le jeune homme lui paraît à la fois très doué et très drôle. « Entre Greta et Tristan, ce fut le coup de foudre, précise Thora. Avant que nous n'ayons eu le temps de vider une bouteille de champagne de Moysès, ils formaient un couple[1] ».

Dans une lettre assez longue, en date du 7 juin 1924, destinée à ses parents, il n'évoque pas cette rencontre mais il insiste sur sa réussite. « Ma pièce a été jouée 14 fois avec un certain succès. » À ses parents[2] qui le pressent sous doute de venir il répond : « Je ne pense pas avoir suffisamment d'argent pour me rendre en Roumanie. J'ai gagné pas mal d'argent avec la pièce, mais j'en ai aussi beaucoup dépensé. » Il précise également qu'il n'a pas reçu le prix du Nouveau Monde, « pour des raisons politiques j'ai dû renoncer d'y concourir à la dernière minute ». Tout cela ne l'empêche pas d'annoncer son départ imminent pour Londres où il est invité par un Lord anglais. Il pense aller ensuite du côté de la Normandie où il doit finir un travail...

Comme d'habitude, Tzara est très laconique avec ses parents. Il les aime et voudrait les voir mais c'est la Roumanie qu'il ne supporte plus. Quand il écrit il valorise toujours cette nouvelle vie qu'il s'est choisie. Ses occupations et sa réussite sociale sont autant d'arguments pour ne pas prendre un billet pour Bucarest. Avec son nouvel amour, il agit de la même manière. Il annonce la nouvelle le plus tard possible en évitant tout détail inutile. Il explique qu'il est tout

---

1. Thora Dardel, *op. cit.*
2. Correspondance Tristan Tzara-Famille Rosenstock, Bibliothèque Doucet (traduction Iona Popa).

simplement heureux avec Greta, sans aucun commentaire. Ce qui paraît étonnant, c'est que cette liaison dure et passe l'été au grand air. Greta est belle, douce, sensible, et surtout sait s'adapter aux sautes d'humeur de son nouveau compagnon. Cette nouvelle vie semble plaire à Tzara qui n'est pas fâché de ralentir le rythme des nuits blanches. Il envisage donc de quitter ce petit appartement de la rue Delambre avec Greta et imagine sérieusement un mariage vers Noël.

Ses amis comme Thora qui ont pris l'habitude de le croiser au moindre événement mondain n'en reviennent pas.

L'heure des comptes

Tzara n'en a pas fini avec Breton. Loin de déserter la scène littéraire il est toujours là et s'est même déplacé avec Aragon pour voir *Mouchoir de nuages* à La Cigale. Mais pas question de déclencher une nouvelle bagarre. Ils se sont simplement éclipsés pour éviter la pièce de Cocteau. Aragon est bouleversé. C'est en tout cas ce qu'il écrira bien des années après. Qu'importe s'il réécrit l'histoire à sa guise, son témoignage est très beau et mérite d'être cité longuement : « Dans ce théâtre noir où virent les projecteurs, j'étais pris d'une telle ivresse profonde que tous les soirs je retournais à La Cigale comme on relit coup sur coup un livre si beau que l'on a tout oublié sauf peut-être un coup de gong, une certaine couleur et ce grondement de la salle (...). A la porte, je retrouvais l'été, une sorte de midi la nuit. C'était un temps de grande chaleur et il me semblait que toute la ville sortait avec moi de La Cigale, les yeux encore égarés des projecteurs, que toute la ville était une immense plage de lumière où de terrasse en terrasse sur les boulevards extérieurs, je retrouvais dans les cafés les spectateurs, incapables d'aller se coucher, continuant à ces balcons de lueurs la pièce, d'une scène nouvelle à chaque pas [1]. »

1. Louis Aragon, « L'aventure terrestre de Tristan Tzara », *Les Lettres françaises*, 28 janvier 1964. — Louis Aragon, *Les Collages*, Paris, Hermann (1965).

Il reviendra longuement sur la pièce dans son livre qu'il consacrera aux collages. Mais sur le moment, il s'abstient de tout commentaire, histoire de ne pas froisser Breton. Soupault, lui, n'a pas ce genre de problème. Dans *Paris Journal* il émet quelques réserves sur la pièce pour mieux saluer le poète. « Tzara est malheureusement pour lui un poète. Malgré lui. Oui ! On est toujours poète malgré soi. Son *Mouchoir* est un effort pour sortir de là. Tout son inconscient le rejette et il finit par une pirouette qui ne ressemble ni à un compromis, ni à un scandale. Il faut donc malgré les hommes dont il s'entoure faire confiance à Tzara dont les moyens sont infiniment supérieurs aux intentions[1]. »

Toujours dans *Paris Journal*, quelques jours plus tard, Pierre de Massot publie une longue interview de Tzara[2]. C'est un vaste tour d'horizon qui prend l'allure d'un règlement de compte. Attaqué depuis plusieurs semaines Tzara répond. Il est 10 heures du matin quand l'interview démarre et l'auteur de *Mouchoir de nuages* est toujours en smoking, il vient de rentrer d'une nuit très agitée. Tout en rappelant que la situation littéraire est « moche et sans intérêt » il s'adresse directement à Soupault. « Je félicite très sincèrement Soupault qui est un grand poète d'être arrivé à écrire des articles en première page de l'*Intransigeant*. Moi je n'ai pu que baiser les mains des dames dans les bars (...) Si je m'entoure de gens qui ne satisfont pas les exigences de Soupault, c'est tout simplement parce que je n'en trouve pas d'autres. »

Après un coup de griffe à Reverdy, c'est au tour

---

1. Philippe Soupault, « 22 ou une belle rafle », *Paris Journal*, 13 juin 1924.

2. Pierre de Massot, Entretien avec Tristan Tzara (avec un portrait de Tzara par Kisling), *Paris Journal*, 20 juin 1924.

de Breton dont il dénonce l'arrivisme et l'ambition personnelle : « Il fut parmi les premiers à imposer aux autres sa volonté de mage et de prophète. » Et puisque Breton publie au même moment *Les Pas perdus* où il cite des textes de Tzara, celui-ci réplique... « avec la prétention d'un grand personnage et d'un collectionneur de mégots de gens célèbres, Breton a eu le mauvais goût d'insérer sa réponse à un de mes articles dans ce livre ». Quand de Massot lui demande s'il a encore de l'estime pour quelques écrivains, Tzara trouve quelques noms avec des réserves... « Crevel malgré l'affection qu'il me porte, Eluard malgré son côté petit Rimbaud, Ribemont malgré ses villégiatures trop prolongées, et Soupault malgré son business journalistique ». Revenant sur *Mouchoir de nuages* Tzara exprime toute sa reconnaissance à Etienne de Beaumont et règle ses comptes avec Marcel Achard, « je suis ravi que les défenseurs du théâtre de boulevard aient trouvé ma pièce mauvaise, incohérente, folle ». Revenant sur l'accusation de plagiat, il s'attache ensuite à montrer l'originalité de sa pièce.

Pour finir, il envoie un dernier message empoisonné à tous ceux qui l'accusent de se perdre dans les frivolités mondaines à la Cocteau. « Je ne demande qu'à me confondre avec la masse après avoir essayé de toucher le fond excrémentiel de l'âme humaine. C'est une expérience aussi inutile qu'une autre. » Tzara peut toujours compter sur un Crevel[1] omniprésent sur la scène parisienne en cette année 1924. On le voit dans toutes les soirées à la mode et dans toutes les salles de rédaction. Pour *Les Nouvelles*, il défend *Mouchoir de nuages*, « une tragédie d'une forme nouvelle », et dans la *Transatlan-*

---

1. François Buot, *René Crevel*, *op. cit.*

tic Review il parle de son ami Tzara comme d'un
« parfait dandy de l'intelligence[1] ». Après avoir
détruit, il crée à nouveau. « C'est de ces hardies initiatives que se nourrit l'esprit de l'époque. » « Son
action apparaît comme incontestable sur un siècle
qu'il n'a pas cherché à séduire par des moyens vul-
gaires. » Il y est d'ailleurs arrivé par l'individualisme, « la meilleure condition de cette honnêteté
d'esprit et d'âme sans quoi rien ne se peut
entreprendre ».

Et puisque Tzara a l'intention de republier ses
Manifestes Dada, comme le testament d'une aventure, Crevel lui présente son copain de régiment
Marcel Arland, déjà bien installé à la *NRF.* On se
voit donc quelquefois à La Rotonde où Malraux
vient parfois les rejoindre. Mais Arland garde habilement ses distances. Tzara sent encore le soufre
pour celui qui se rêve déjà en éminence grise de la
maison Gallimard... « Ce que j'aime le mieux en
vous, précise Arland, et c'est pourquoi je ne cherche
pas à connaître vos goûts, vos idées, car cela me suffit — c'est que tout mot, pensée, émotion, geste en
littérature vous ne le faites qu'après un sourire ou
un regard qui équivaut à un sourire[2]. »

Quand Malraux a quelques problèmes en Indo-
chine, Arland rameute Tzara tout en lui envoyant
son premier roman *Terre étrangère* sorti chez... Gallimard. Quant à imaginer une publication dans la
prestigieuse maison, il ne faut pas y penser. « J'ai
longuement parlé de vous à Gallimard, explique
Arland, qui me semble prévenu contre vous. »

Alors Tzara passe par Radiguet, la jeune recrue à

1. René Crevel, « Coups d'œil », *The Transatlantic Review* n° 1,
avril 1924.
2. Correspondance Marcel Arland-Tristan Tzara, Bibliothèque
Doucet.

succès de la maison Grasset. Là encore c'est peine perdue. Bernard Grasset prend quand même le temps d'envoyer une longue lettre d'explication : « Je viens de lire les Sept Manifestes Dada. Je n'ai pas besoin de vous dire que j'ai pris personnellement à cette lecture un très vif plaisir, mais je ne vois vraiment pas la possibilité d'être votre éditeur en la circonstance. Je croyais en effet quand Radiguet m'avait parlé de votre œuvre qu'il s'agissait d'une sorte d'exposé historique et critique du mouvement Dada. Un tel livre me conviendrait peut-être, mais s'il était écrit d'un point de vue extérieur[1]. »

Reste les Éditions du Sagittaire. Certes ce n'est pas encore la grande maison capable de rivaliser sérieusement avec les piliers de l'édition parisienne mais le nouveau patron, Simon Kra, est bien décidé à faire bouger les choses. Il a embauché Philippe Soupault pour diriger *La Revue européenne* et Léon Pierre-Quint pour la maison d'éditions. Les deux hommes forment un tandem redoutable et font de la Revue le rendez-vous incontournable de tous ceux qui veulent rompre avec la littérature d'avant-guerre[2].

On y sent le goût de l'éclectisme cher à Soupault et la passion de la nouveauté et du risque chère à Quint. La Revue est bien le champ d'essai de la collection qui va rassembler en quelques mois un nombre impressionnant d'auteurs. De 1923 à 1928 plus de trente-sept titres seront publiés. Dans son grand appartement de la rue Spontini, Quint joue les défricheurs avec un certain talent. Tzara, pourquoi pas ? Il en réfère au patron... « J'ai parlé de vos

---

1. Correspondance Bernard Grasset-Tristan Tzara, Bibliothèque Doucet.
2. Entretiens avec Edouard Roditi et avec Philippe Soupault (1983). Catalogue de l'exposition Léon Pierre-Quint à la Bibliothèque nationale (1981).

Manifestes à Kra et aussi à Jacques Rigaut qui très emballé retient déjà le premier Japon s'il paraît. Rigaut m'a vraiment enthousiasmé. J'ai une grande impatience à les lire. Un rendez-vous serait souhaitable[1]. »

Finalement, même au Sagittaire, les Manifestes, cela ne passe pas. Tzara doit donc choisir une petite maison d'éditions qui accepte de prendre ce risque, chez Jean Baudry, aux Editions du Diorama.

---

1. Correspondance Léon Pierre-Quint-Tristan Tzara, Bibliothèque Doucet.

Souvenirs dada

Après avoir passé ses vacances en tête à tête avec Greta, Tzara revient à Paris pour la publication des *Sept Manifestes*. Il est heureux de voir les sept interventions publiques de 1916 à 1920 réunies en un seul volume, comme un ultime défi. En relisant ces appels enflammés, ces proclamations de révolte absolue, Tzara peut mesurer le chemin parcouru. Ces textes font bien partie de son aventure personnelle. Mais tout ça est déjà loin et il n'est plus le même...

Il a bien changé. Il n'est plus ce jeune homme qui lançait des appels au monde entier depuis sa petite chambre d'hôtel de Zurich. La vie s'est chargée de lui rappeler que les révoltés doivent souvent battre en retraite et que les meilleurs amis du monde sont souvent les premiers à sortir les couteaux de la trahison. Reste quelques flammes d'une jeunesse qui refusait l'ordre établi. Tzara en est assez fier.

En 1951, pour une réédition des *Manifestes* il rédige une introduction toute en nuance : « A leur relecture je me suis rendu compte combien ces écrits sont à la fois présents et absents de mon esprit. S'ils font partie intégrante de moi-même, je ne puis nier que la distance qui m'en sépare me les a rendus en quelque sorte étrangers, dans ce sens qu'ils ne réussissent pas à me restituer l'époque qui les a façonnés (...) Tel est le cours de la durée, que rien ne saurait reconstituer, un moment passé, dépassé, déjà englouti dans ce froid magma que l'on appelle l'histoire. »

Mais en 1924 les choses sont plus nettes. C'est l'occasion de revenir sur ce mouvement de l'esprit qui avait recours au saccage, pour mieux proclamer son dégoût, son désespoir et son angoisse. Crevel est encore le mieux placé pour retrouver toute cette aventure avec son ami. Pour *Les Nouvelles littéraires* ils évoquent le passé zurichois mais aussi les perspectives, l'avenir... Aucune nostalgie dans ce périple, juste la volonté d'en tirer quelques leçons pour mieux préparer les expériences de demain. Crevel invite Tzara à réagir aux récits de rêve, à l'écriture automatique, aux sommeils hypnotiques. Bref, à ce qu'on commence à appeler le surréalisme.

Loin des querelles de personnes et des batailles de chapelle, Tzara accepte d'aller au fond des choses. « J'ai toujours pensé que l'écriture était sans contrôle, qu'on eût ou non l'illusion de ce contrôle, et j'ai même proposé en 1918 la spontanéité dadaïste qui devait s'appliquer aux actes de la vie[1]. » Tzara n'a donc pas de leçon à recevoir en matière d'audace littéraire.

Concernant le surréalisme, il tient à prendre ses distances avec le groupe de Breton tout en s'en réclamant via Apollinaire. « Or voici le surréalisme, et tout le monde cherche à en faire partie, si bien qu'il va falloir prendre ses degrés et que faute de diplômes surréalistes, on nous menace de coups de poing. Si le surréalisme actuel est une forme de technique, il me laisse bien indifférent. C'est du surréalisme tel que le concevait Apollinaire que Dada est parti, ten-

---

1. René Crevel, « Voici Tristan Tzara et ses souvenirs sur Dada », *Les Nouvelles littéraires*, 25 octobre 1924.

dant à l'élargissement des principes de la spontanéité. »

Face aux grandes manœuvres orchestrées par Breton (lancement d'une nouvelle revue, d'un bureau de recherche et publication d'un Manifeste) Tzara est clair, il n'en sera pas ! Et face à un Crevel assez hésitant, il précise bien : « Dada ne s'attaquait pas à la seule littérature. Il souhaite que tout fût mis en cause et il serait fort regrettable que le Surréalisme risquât de limiter la question sans la préciser et dégénérât en vulgaire querelle littéraire, pas même en querelle de termes et de personnes. »

Dans la presse, la publication des *Manifestes* relance le débat entre ceux qui ont aimé cet élan de la jeunesse et ceux qui ont toujours considéré ce mouvement comme une imposture. Pierre de Massot est plutôt de la première catégorie. Dans *Le Journal littéraire*[1] et *Paris Journal*[2] il revient sur cette vraie nostalgie dada. « Tout cela est déjà loin, explique-t-il, mais j'ai relu les *Manifestes*. Je ne suis pas déçu le moins du monde. Tous les autres manifestes écrits à cette époque sont sans intérêt à côté de ces pages violentes, ironiques, d'une terrible logique où la poésie prend parfois magnifiquement sa place. »

Et quand il s'interroge sur la possibilité de ressusciter Dada, il constate avec tristesse que les « petites histoires dominent » et que Tzara paraît très loin.

Léon Werth dans le même *Paris Journal*[3] utilise les grosses ficelles du métier pour sonner une dernière charge contre Dada : « Les manifestations

---

1. Pierre de Massot, « Dada ressuscitera-t-il ? », *Journal littéraire*, 9 novembre 1924.
2. Pierre de Massot, « Sept Manifestes Dada », *Paris Journal*, 21 novembre 1924.
3. Léon Werth, « Feuilleton littéraire », *Paris Journal*, 21 novembre 1924.

dadaïstes correspondaient aux canulars de l'Ecole Normale, aux blagues de salle de garde. C'étaient des blagues de promotion. Elles fêtaient l'avènement à la littérature de quelques jeunes gens. » Mais Werth avoue humblement être incapable de déterminer dans quelle mesure « elles montraient le désespoir de ces jeunes gens qui voyaient devant eux leur époque se constituer sans eux ». Les folies de la jeunesse ne durent qu'un temps et Werth de constater que ces garçons turbulents se sont bien vite rangés pour se reconvertir avec un certain succès dans la presse ou la littérature plus officielles. Tzara n'est donc par mécontent de prouver le contraire en retrouvant Picabia, l'éternel scandaleux.

Poissons volants

Novembre 1924 marque en effet le grand retour de Picabia. Les provocations du « rastaquouère » ne sont jamais totalement désintéressées puisqu'il organise la promotion de son nouveau spectacle, un ballet intitulé « Relâche » au Théâtre des Champs-Elysées. Pour corser l'affaire, le trublion signe un papier incendiaire dans *L'Ere nouvelle*[1]. Intitulé « Poissons volants » par référence au « poisson soluble » de Breton, l'article est une charge très violente contre le tout nouveau chef de file du « groupe surréaliste ». « Un Anatole France pour concierge de banlieue. Il est en carton-pâte, ce futur grand homme aux allures de petites chaumières. Il n'est pas un révolutionnaire (...) N'ayant jamais vécu, cet artiste est le type du petit-bourgeois qui aime les petites collections de tableaux, les voyages lui font horreur. Il n'aime que son café, ses conversations ressemblent à celles des joueurs. Matin et soir il joue à la manille et fait croire à ses bons amis qu'ils gagneront. » L'article en fait sourire plus d'un. Picabia est bien toujours le même. Cynique, drôle et bluffeur... Le tapage est sa grande spécialité et ça marche plutôt bien.

Depuis plusieurs mois, il prépare « Relâche » avec les ballets suédois, Satie pour la musique et Doucet

---

1. *Paris-Midi*, « Soirs de Paris », 28 novembre 1924.

pour les costumes. Il doit investir le Théâtre des Champs-Elysées pour plusieurs soirées. Toute l'équipe s'est installée à l'hôtel Istria à Montparnasse. Picabia très en forme se surpasse. Il a une idée nouvelle tous les jours. On prévoit un décor composé de 370 phares, un film tourné par René Clair pour l'entracte et un gigantesque rideau de scène pour vanter les mérites des créateurs de « Relâche » !

Dès que les répétitions commencent Tzara retrouve toute l'équipe. Il est là en voisin puisque la rue Delambre est vraiment tout près.

La Générale est prévue pour le 27 novembre. L'avenue Montaigne est noire de monde. Des limousines par dizaines, des princesses en robe du soir, et les amis de Picabia sont là... Léger, Picasso, Kiki, Man Ray, Duchamp, Desnos, Dorgelès... Tzara est en smoking et monocle. Devant les grilles du théâtre curieusement fermées, Picabia contemple la bousculade. Avec quelques difficultés, il annonce que le ballet de ce soir porte bien son nom puisqu'il n'aura pas lieu. Au milieu de la consternation générale certains s'amusent de cette nouvelle mystification signée Picabia. Officiellement le danseur vedette Jean Dorling est souffrant. On n'en saura pas plus. Le journaliste de *Paris Journal* qui a titré son papier « Ballet en plein air » remarque un Tzara très en verve, cherchant Lady Cunard, tout en essayant de mobiliser ses troupes pour un repli en bon ordre vers Le Bœuf sur le Toit[1].

Quelques jours plus tard la véritable Première a bien lieu et sera suivie de douze représentations. Tzara est encore là et se fait naturellement épingler par un journaliste de passage. « M. Tristan Tzara

---

1. *Paris Journal*, « Ballet de plein air », 5 décembre 1924.

est très fier de ses relations. Il ne parle plus que de princesses, duchesses et autres comtesses. Il danse comme un ourson, mais dernièrement il annonçait à des amis qu'il participerait au prochain championnat de danse[1]. » Excédé par ce genre de papier, Tzara peut parfois répondre vertement. Quand André Germain dans une chronique de la *Revue européenne* explique que Tzara n'est plus dada puisqu'il s'est « vendu au comte de Beaumont », la réplique est immédiate. le *Le Journal littéraire* raconte : « Dada se bat en duel ! Tzara s'étant jugé offensé a chargé M. François Victor Hugo et M. Charles Peignot de demander à M. Germain des excuses[2]. » N'ayant pas trouvé de récit du fameux duel annoncé, on peut imaginer que M. Germain a bien calmé le jeu.

---

1. *Paris Journal*, 8 décembre 1924.
2. *Le Journal littéraire*, 4 janvier 1924.

Comme un coup de semonce

« Sale enculé. Ce n'est pas votre dégoûtant langage qui me fera croire que vous êtes autre chose qu'une punaise plate, un ignoble profiteur et une créature ordurière. Sachez que le parasite littéraire que vous êtes n'est pas digne de lécher mes excréments. Quant au reste, la merde dont est remplie votre sale personne et qui déborde si facilement ne peut pas me toucher, la constipation puante dont vous êtes possédé vous tenant à des occupations bien différentes des miennes. Je vous administrerai un sérieux purgatif à la moindre tentative de vous approcher de moi, car je n'aime pas les mauvaises odeurs [1]. »

C'est Michel Leiris qui envoie à Tzara cette lettre incendiaire. Les deux hommes, pourtant se connaissent bien et s'apprécient... Leiris fait partie de la jeune garde surréaliste qui a rallié le mouvement de Breton. Mais loin de se laisser gagner par l'euphorie ambiante, le jeune homme est resté en marge, cultivant ses vices personnels. En témoigne cette première plaquette de poèmes *Simulacres* publiée en 1925. Une véritable profession de foi où la poésie est conçue comme une exploitation du sacré sans connotation religieuse. A Tzara, qu'il croise très

---

1. Correspondance Michel Leiris-Tristan Tzara, Bibliothèque Doucet.

196

souvent à La Rotonde ou au Select, il est intarissable pour expliquer qu'il y a au fond de tout être une part maudite irrécupérable où il faut bien se perdre. Leiris évoque aussi cet érotisme qui mène tout droit à la mort et cette poésie qui constitue bien l'ultime garde-fou afin de différer l'angoisse sexuelle. On reste loin de l'amour sublime à la Breton et cela ne laisse pas indifférent Tzara. La nuit, Leiris qui aime aussi les alcools forts et les jolies femmes emmène Tzara au Zelli's à Montmartre[1]. Élégant, insolent et torturé, le jeune loup de la bande du Cyrano ne laisse pourtant rien paraître.

Il se veut rigoureux, presque intègre. Ecouter du jazz à 3 heures du matin est une chose, mais pour le reste il faut veiller à ne pas dégénérer vers la frivolité. Il en parle aussi à Tzara et lui reproche certains égarements opportunistes. Et quand ce dernier propose au jeune homme une participation à *The Little Review*, il n'a aucune raison de se méfier. Après tout la revue de Margaret C. Anderson fondée à Chicago en 1914 a épousé la cause de Dada dès 1922... La patronne aime les mouvements et les hommes qui dérangent : Freud, Bergson, Nietzsche, le féminisme ou l'anarchisme. La revue est à son image, un joyeux fourre-tout où on retrouve toute la famille dadaïste, un peu trop peut-être et c'est tout le problème. Dans sa petite salle de rédaction, Anderson ne fait pas bien la différence entre Picabia, Ezra Pound, Breton et Cocteau. Pour Leiris, sans doute mal informé, qui a fait confiance à Tzara, la coupe est pleine. Le 2 juillet 1926, il envoie une première mise en garde : « Ridicule personnage, je ne sais pas à quel point vous êtes responsable de la petite combinaison *Little Review*, consistant à demander des textes à Breton,

---

1. André Clavel, *Michel Leiris*, Paris, Veyrier (1984).

Limbour et moi puis à les faire figurer aux côtés des ordures que vous savez. C'est l'occasion de vous dire mon admiration pour le poète que vous étiez, mais vous voir tel que vous êtes une petite charogne dégonflée. »

En fait, par-delà l'affaire de *Little Review*, il y a bien deux conceptions quant au rôle et à l'action des intellectuels d'avant-garde. A un Tzara qui prône une révolte absolue et individualiste, Leiris préfère soutenir et explorer toutes les tentatives de rapprochement avec les tenants du marxisme.

L'un choisit le splendide isolement, l'autre regarde avec sympathie le mouvement révolutionnaire incarné par le jeune parti communiste. Dans son Journal Leiris note... « La Révolution, c'est la révolte efficace qui détruit vraiment quelque chose au lieu de finir par se détruire elle-même, comme cela arrive trop souvent chez les soi-disant révoltés individualistes (Barrès, Tzara). Sa seule forme est le marxisme (le prolétariat étant aujourd'hui la seule force révolutionnaire) pour lequel il est donc nécessaire de prendre parti, sous peine d'être rejeté dans la bohème révolutionnaire[1]. »

Tzara est loin de se laisser impressionner par les leçons de morale de Leiris. Mais le danger lié à la frivolité est bien réel. Tzara médite cette dernière remarque : « A vous voir si combinard, si mesquin, si sale, je commence à croire que vous finirez bien quelque jour (à l'exemple de vos confrères Cocteau et Stravinsky) par avaler votre propre vomissure sous la forme d'hosties. »

---

1. Michel Leiris, *Journal 1922-1989*, Paris, Gallimard (1992).

Détours avec Crevel

Crevel, lui, préfère revenir à la poésie en présentant, pour *Les Nouvelles littéraires*, *L'Anthologie de la nouvelle poésie française* publiée au Sagittaire sous les auspices de Simon Kra et de Léon Pierre-Quint. Crevel pointe les lacunes et surtout les grands absents comme Aragon, Breton, Eluard, Limbour ou Vitrac. Il est pour lui impensable d'ignorer la nouvelle révolution surréaliste, « une des plus intéressantes sinon la plus intéressante des dernières manifestations poétiques ». Crevel est sur le point de rejoindre Breton et son groupe, tout en restant fidèle à Tzara qui, lui, n'a pas été oublié dans l'Anthologie... « Je me réjouis, note Crevel, que pour une fois on ait rendu justice à Tristan Tzara [1]. »

Crevel ne ménage pas ses efforts pour soutenir celui qui est devenu au fil des mois un de ses meilleurs amis. Bien sûr, il y a les nuits passées à danser, les longues discussions sur l'amour, le suicide ou la littérature. Les rendez-vous se succèdent toujours avec autant de plaisir. C'est une complicité presque parfaite où chacun respecte les différences de l'autre. Tzara sait mieux que personne que Crevel mène de front plusieurs vies. Il essaie de comprendre ses emballements et ses coups de cœur. Quant à Crevel

---

1. René Crevel, « Voici une anthologie », *Les Nouvelles littéraires*, 3 janvier 1925.

il aime chez son ami ce mélange unique de rigueur et de frivolité. Il perçoit bien ce vertige de la dépression, cette angoisse liée à l'ennui et ce besoin irrépressible de rencontrer du monde. Et puis il garde pour lui cette belle admiration sans aucun calcul pour ce grand frère qui mieux que quiconque crachait son dégoût à la face d'un monde terrifiant. Enfin, entre les deux hommes, aucune rivalité et aucun plan de carrière ne viendront compromettre leur relation.

Quand Crevel réussit à publier son premier roman chez Gallimard, *Détours*, Tzara est le premier à le féliciter. Il a aimé ce livre lucide et désespéré sur le mal de vivre qui ronge la jeunesse. Crevel lui donne un exemplaire avec ces simples mots :

« A Tzara, son ami sans tours ni...
DÉTOURS.
RENÉ CREVEL [1] »

Durant de longs mois Crevel sera enfin l'œil de Tzara au sein même du groupe surréaliste. Une sorte d'espion en plein cœur de la citadelle de Breton, entre le Cyrano et l'atelier de la rue Fontaine. L'enfant prodige que Breton a un peu pris sous sa coupe raconte à son copain les coups de folie d'Artaud, la préparation fiévreuse de la revue *La Révolution surréaliste*, les envolées lyriques d'Aragon, le bureau de recherches sur les rêves...

Combien de fois a-t-il tenté de convaincre Tzara impassible ? Quels arguments a-t-il utilisés pour faire revenir son meilleur ami sur sa décision ?

On imagine toute la passion de Crevel pour recoller les morceaux et inciter Tzara à prendre toute sa place au Cyrano, comme autrefois au Certa.

---

1. Catalogue de la vente Tzara, Drouot, mars 1989.

Rien n'y fait. Tzara est bien décidé à prendre du recul pour réfléchir et écrire. Il voit souvent Greta avec qui il pense se marier. Début juillet 1924, il a déjà quitté la capitale pour une destination inconnue.

Personne n'est prévenu. Tzara et Greta sont tous les deux injoignables pour quelques mois. Les organisateurs du fameux bal Olympique à... l'Olympia, ce 13 juillet, sont les premiers surpris. Ils avaient annoncé un peu partout la présence de l'homme au monocle en compagnie de quelques célébrités comme Foujita, Marie Wassilief ou Léon-Paul Fargue. Les invités sont arrivés déguisés en sportifs, mais Tzara se fait attendre.

Le journaliste du *Figaro* raconte... « Dans la cohue bruyante et bigarrée on cherchait vainement le petit chapeau et le petit monocle de Tristan Tzara qui devait présenter un spectacle sur échelle, sans doute celle où il monte si bien tout seul sans actrices et sans acteurs [1]. »

Même Picabia et son Nouvel An à tout casser n'arrive pas à les décider de rentrer. Ils préfèrent dîner en tête à tête loin de cette bouffonnerie intitulée « Ciné-sketch » dans un grand théâtre parisien. C'est comme une envie d'autre chose après les paillettes, les strass et les prétentions illimitées.

Tzara disparaît, c'est ce qu'il écrit à Thora [2] en précisant qu'il compte bien revenir pour recommencer une nouvelle vie. Il lui demande de bien vouloir prospecter en son absence. Il cherche un terrain dans un endroit agréable pour faire construire une maison selon ses goûts. Il lui explique qu'il compte se marier à la fin de l'année. Changement d'époque !

---

1. *Le Figaro*, 13 juillet 1924.
2. Correspondance Tristan Tzara-Thora Dardel, Collection particulière.

Art nouveau sur la Butte

Tristan et Greta voyagent et ont la chance de pouvoir imaginer leur future maison. Pour son mariage, célébré comme il se doit à Stockholm le 8 août 1925, Greta reçoit une aide financière de ses parents pour l'achat d'un terrain et la construction d'un hôtel particulier. La famille Knutson a su gérer l'héritage du grand-père paternel qui a fait fortune dans l'architecture et l'urbanisme. Le père de Greta est pianiste, compositeur, linguiste, et grand amateur d'art. Il paraît très au fait des nouvelles tendances de l'époque et son influence est déterminante sur Greta. En tout cas, le mariage et la « fortune » font jaser le Tout-Paris... Crier sa révolte pour en arriver là ! C'est justement pour éviter ce genre de remarque que Greta et Tzara sont loin de la capitale.

Pendant quelques mois ils cherchent un terrain à construire et un architecte. Pour le terrain, c'est Thora qui va finalement le trouver. L'avenue Junot est un coin tranquille de la butte Montmartre. Thora connaît bien. Elle a repéré un terrain vague à vendre[1]. Tzara est content car c'est l'occasion de rompre avec les sortilèges de Montparnasse, et puis c'est vraiment la campagne en plein Paris. Beaucoup d'arbres, de jardins secrets et de nombreux ateliers

1. Correspondance Tristan Tzara-Thora Dardel, Collection privée.
— Correspondance Le Corbusier-Tristan Tzara, Bibliothèque Doucet.

d'artistes font de cet endroit un lieu privilégié de la Butte. On est à mi-chemin des bals du Moulin de la Galette et des sortilèges du château des Brouillards cher à Nerval. Thora et Nils ont leur atelier à deux pas, au 108 de la rue Lepic. Il y a les escaliers et le Sacré-Cœur, toute l'imagerie parisienne chère à Poulbot, qui vient de faire construire sa villa juste à côté du terrain choisi par Tzara et Greta.

Pour l'architecture, c'est le Viennois Adolf Loos qui s'impose tout de suite. Tzara l'a croisé à Zurich. Il fait partie de ces esprits libres qui fréquentèrent un temps le tohu-bohu du Cabaret Voltaire. Lui aussi est en révolte, dans son domaine de prédilection, contre l'hégémonie du Modern Style. Aux ornementations à outrance, il préfère une architecture simplifiée, sobre, élégante. Ce qui n'est pas simple, car les traditionalistes au style boursouflé sont nombreux dans la Société des artistes décorateurs. Pas facile non plus de se faire accepter d'un public qui cherche à oublier à n'importe quel prix le cauchemar des cinq années de guerre et s'étourdit dans le luxe et les paillettes des années folles. Tel est Adolf Loos lorsqu'il débarque à Paris, en 1922, après un long voyage aux Etats-Unis et des projets plein ses valises.

La scène artistique reste obstinément dominée par les cubistes et ceux qui en dérivent. L'architecture, la scénographie, les décors de théâtre, de ballets, les arts décoratifs s'en inspirent à des degrés divers. Le cinéma français qui cherche son propre style face aux productions américaines choisit parfois l'avant-garde : ainsi Marcel L'Herbier lorsqu'il réunit dans *L'Inhumaine*, tournée en 1923, Mallet-Stevens pour l'architecture extérieure des bâtiments, Alberto Cavalcanti pour les intérieurs, Fernand Léger pour l'atelier de l'ingénieur, Lalique, Puiforcat, Jean Luce,

Raymond Templier pour les objets, Paul Poiret dessine les robes et Darius Milhaud compose l'accompagnement musical.

Loos assiste à une projection de *L'Inhumaine* en 1924, avec Tzara. Il est à tel point frappé par la nouveauté de l'architecture cinématographique du film qu'il écrit un article pour la *Neue Freie Press* à Vienne. « C'est une chanson éclatante sur la grandeur de la technique moderne, dit-il. Toute cette réalisation visuelle tend vers la musique et le cri de Tristan devient vrai : "J'entend la lumière !"... La réalisation des dernières images de *L'Inhumaine* dépasse l'imagination. En sortant de voir le film, on a l'impression d'avoir vécu l'heure de la naissance d'un nouvel art[1]. » Ce nouvel art n'est pas sans ambiguïté, ni complexité, où l'architecture propre, nette, de Mallet-Stevens abrite la génération folle des années 20.

La maison que Loos imagine pour Tzara s'inspire de toutes ces oppositions et de toutes ces fascinations. Il reste fidèle à la rigueur fonctionnaliste et au rejet de tout ornement[2]. Il conçoit des espaces nus sur plusieurs niveaux. Il en parle très souvent avec Tzara. Nous sommes en 1925 et Tout-Paris s'enflamme pour les Arts déco. Le long des berges de la Seine c'est le triomphe de l'expo ! Une foule considérable défile au milieu des pavillons et s'emballe pour ce nouveau style qui se contente bien souvent de maquiller à la mode cubiste des meubles, des objets qui appartiennent encore au siècle passé.

Dans cette grande kermesse les Français prennent leur revanche sur... les Allemands, les fameux Muni-

---

1. Cité dans « Vienne, l'apocalypse joyeuse 1880-1938 », Catalogue de l'exposition du Centre Georges-Pompidou (1986).
2. Yvonne Brunhammer, « Les années parisiennes d'Adolf Loss 1922-1928 ». — Catalogue de l'exposition de Vienne, *op. cit.*

chois. Mais tout cela reste bien timoré, voir traditionnel. Certains vont évidemment plus loin. Robert Mallet-Stevens est l'un d'eux avec le pavillon du Tourisme, Melnikoff également auteur du pavillon de l'URSS, et Peter Behrens qui édifie au-dessus de la Seine une serre suprématiste. Tzara est là avec Loos. Ils croisent les Delaunay qui essaient d'imposer leur style novateur et Le Corbusier qui s'est battu sans un sou pour imposer le pavillon de l'Esprit Nouveau. Pour les organisateurs, ce dernier dépasse les bornes de l'acceptable. Caché derrière une palissade, le jour de l'ouverture officielle de l'Exposition, il est inauguré deux mois plus tard par M. de Mongie, ministre des Beaux-Arts, que Le Corbusier a réussi à rallier à sa cause. C'est Tzara qui a contacté Moysès[1], le patron du Bœuf sur le Toit pour toute l'organisation de la fête. Hélas, le grand public boude ce pavillon ultramoderne. Quelques jours plus tard, Tzara et Loos font la connaissance, toujours au Bœuf, de celle qui triomphe sur la scène du Music-hall des Champs-Elysées dans la Revue Nègre. Joséphine Baker s'emballe sur les projets de Loos qui imagine pour elle une maison tournée vers l'intérieur, dont l'axe principal est une piscine surélevée, avec des parois de glaces derrière une façade qui ne révèle rien de la disposition intérieure.

Avec Tzara le projet va à son terme, mais la construction de la maison prend de longs mois. Dans une lettre adressée à sa famille, en date du 27 octobre 1926, il précise qu'il a loué une villa au bord de la mer car son futur logement n'est pas terminé. Les pièces sont nues et grandes, mais le couple a suffisamment d'argent pour se payer quelques beaux meubles. Pour faire plaisir à ses parents,

1. Correspondance Tristan Tzara-Thora Dardel, Collection privée.

Tzara demande qu'on lui fasse parvenir un tapis roumain. « Maman me l'avait promis, explique-t-il, cela me rappellera la maison de Roumanie[1]. »

L'hôtel particulier est toujours là, à Montmartre[2], et il est devenu avec le temps un classique des livres d'architecture du premier après-guerre. Loos a conçu une maison en trois blocs superposés, d'un style rectiligne et pur, quelque chose qui évoque les réalisations du Bauhaus ou plutôt les constructions stylisées de l'Ecossais Mackintosh. La façade, premier bloc, comporte une entrée incurvée vers l'intérieur avec deux portes de part et d'autre ; au-dessus de cette entrée une loggia à balustrade, puis décalé vers l'arrière un second bloc où se découpent trois fenêtres — deux baies et entre elles la petite oblongue — et par-derrière un troisième bloc plus étroit avec, à chacun de ces deux étages, trois fenêtres. L'avant et l'arrière de la maison sont en opposition totale, une façade immense et presque lisse et derrière une suite de terrasses donnant sur Paris.

Si on s'en tient à l'ordonnance, à la complexité toute moderne du bâtiment, Tzara ne donne pas dans la simplicité. Signe que non seulement il n'est plus le jeune poète roumain débarqué à Paris sans feu ni lieu (le salon de Germaine Everling est très loin) mais les scandales dada ne sont plus que des souvenirs. En même temps, et c'est toute la complexité du personnage, l'endroit respire la rigueur, voire une certaine austérité.

Beaucoup de béton, d'escaliers et de couloirs pour desservir ces différents niveaux entraînent un

---

1. Correspondance Tristan Tzara-Famille Rosenstock, Bibliothèque Doucet (traduction Iona Popa).

2. Une plaque signale que Adolf Loos a conçu cette maison pour l'écrivain Tristan Tzara.

manque de confort évident. Ce que confirme Christophe Tzara, le fils qui s'en amuse encore aujourd'hui. Thora visite les lieux alors que les travaux sont loin d'être finis. Les ouvriers sont là. Elle prend Tzara en photo. Il est en costume trois-pièces façon gentleman-farmer et pose devant l'entrée qui conduit à la terrasse du premier étage sur l'arrière de la maison. « Il y avait du gravier sur le sol de la terrasse où l'on avait une vue de Paris, remarque-t-elle, mais pas aussi belle que la nôtre[1]. »

Dans ces vastes pièces, il va pouvoir classer sa déjà très vaste bibliothèque dada. Archiviste méthodique, il a soigneusement gardé tous les documents de cette époque agitée. Comme s'il avait décidé de ranger un album de famille, ou des souvenirs de vacances heureuses. Photos, livres, revues, papiers, tracts, il a tout gardé et tout répertorié avec une précision quasiment parfaite. Autant de reliques d'un continent englouti.

---

1. Thora Dardel, *op. cit.*

Solitude

Tzara a disparu. Pour retrouver sa trace, il faut mettre la main sur une revue littéraire roumaine, *Intégral*[1]. Il a accepté de répondre aux questions d'un poète, Ilarie Voronga. Un document unique où il explique pourquoi il s'est enfermé dans la solitude. Par-delà les polémiques et les champs de bataille, il met en avant les trahisons des idéaux d'une jeunesse révoltée. « J'ai trouvé des hommes, explique-t-il, mais qui m'ont tellement déçu... (...) Je me suis rendu compte que les autres écrivaient sinon pour arriver, socialement parlant, au moins pour développer le dépôt en banque de leurs relations qui un jour leur ouvrira les portes d'une Académie sur laquelle je n'ai jamais cessé de chier. » Il dénonce aussitôt l'esprit de chapelle et la paresse mentale qui l'ont poussé à tuer Dada « volontairement ».

Son plaidoyer pour la liberté de pensée et l'individualisme passe par un rejet catégorique de la mentalité de groupe. Il lui est donc impossible de rejoindre le mouvement Surréaliste car « les suiveurs, dont on ne saurait plus se passer, ont pris la place prépondérante. La médiocrité a tout nivelé, le marasme et la stupidité retiennent leurs pieds dans la merde dont ils n'ont pas encore su se débarrasser. Un état de dissimulation hypocrite de la pensée donne, à l'exté-

---

1. *Intégral*, 3e année, n° 12, avril 1927.

rieur, une impression de discipline et d'unanimité là où il n'y a que pauvreté ou refoulement ».

Alors que les surréalistes posent difficilement la perspective d'une action collective des intellectuels face aux problèmes politiques, Tzara dénonce « un acte de trahison envers la Révolution perpétuelle, la révolution de l'esprit, la seule que je préconise, la seule pour laquelle je serais capable de me faire trouer la peau parce qu'elle n'exclut pas la Sainteté du moi, parce qu'elle est ma révolution ».

On mesure mieux, avec ces propos, l'étendue des divergences qui opposent Tzara à Breton et à ses fidèles. Au Cyrano, après bien des péripéties, on n'hésite pas à montrer une admiration réelle pour la révolution bolchevique, on négocie avec les intellectuels communistes de la revue *Clarté*[1], on écrit dans *L'Humanité* et on trouve le jeune parti communiste exaltant. Tzara est très loin de tout cela. « Le communisme, écrit-il, est une nouvelle bourgeoisie partie de zéro, la révolution communiste est une forme bourgeoise de la révolution. Elle n'est pas un état d'esprit, mais une regrettable nécessité. Après elle, l'ordre recommence. Et quel ordre ! Bureaucratie, hiérarchie, chambre des députés, Académie française. » Dans le même sens, il signe dès 1923 un appel avec Kurt Schwitters où on peut lire : « Le communisme est aujourd'hui une cause déjà aussi bourgeoise que le socialisme majoritaire, c'est-à-dire le capitalisme nouvelle formule. La bourgeoisie utilise l'appareil communiste — qui n'est pas une invention du prolétariat mais de la bourgeoisie —

---

1. *Clarté* est une revue d'intellectuels communistes, fondée en 1919 sous la direction de Barbusse et Vaillant-Couturier. En 1924, c'est la rupture, et la revue se rapproche des surréalistes.

209

dans le but de servir à la rénovation de sa culture en décomposition (la Russie)[1]. »

Reste la littérature ou plutôt un long travail d'introspection pour s'efforcer de retrouver le dynamisme du monde. Avec Greta, loin de tout, il écrit... Toujours dans la revue *Intégral* il précise : « Je continue à écrire pour moi-même pour l'instant et à défaut de trouver d'autres hommes, je me cherche toujours. »

Cette interview montre à quel point ceux qui pensaient que la violence de Dada s'était dissoute en une avant-garde de bon ton, empêtrée dans les mondanités et les succès faciles, ont eu tort. Tzara n'est pas devenu un personnage charmeur et facile, un touche-à-tout avide d'applaudissements.

Tzara ne sera jamais Cocteau, et il insiste : « L'époque des vieilles putains comme Cocteau commence heureusement à sentir trop mauvais pour que des nouvelles victimes ne s'en aperçoivent pas. »

Ce sera sa seule interview. Il reste fidèle à sa ligne de conduite. Tzara est très loin des soubresauts de la vie parisienne. En parcourant les quelques lettres qu'il fait parvenir à Thora[2], on arrive péniblement à suivre sa trace. Lui qui correspondait avec toute l'Europe et rêvait de voyages, reste en France où il choisit plutôt la Normandie, la Bretagne et le Sud méditerranéen. Il se présente toujours comme étant très heureux avec Greta. On le sent apaisé, tranquille. Peut-être trop. Son angoisse passe dans tous ces poèmes qu'il écrit en contemplant la mer. Quand il passe quelques jours à Paris, le couple surveille l'avancement des travaux de l'avenue Junot et apparaît lors de quelques soirées.

---

1. « Manifeste art prolétarien », *Merz* n° 2, avril 1923.
2. Correspondance Tristan Tzara-Thora Dardel, Fonds privés.

Cocktails chez les Marcoussis

L'une des premières lettres que Louis Marcoussis envoie à Tzara est une invitation bien tournée. « Mon Cher Tristan réserve-nous la soirée de jeudi à 9 h. Quelques amis viennent nous voir. Nous comptons absolument sur toi[1]. » Nous sommes en 1925 et Tzara prend l'habitude de fréquenter le bel atelier du 61 rue Caulaincourt, à deux pas de l'avenue Junot[2]. Il aime la grande verrière et la vue qui s'étend sur Paris. Marcoussis et sa femme Alice Halicka font preuve d'un goût très avancé pour la décoration. Il y a des sculptures nègres, des images d'Epinal et de multiples objets bizarres découverts au marché aux puces. Presque un univers de peintre surréaliste à la Breton. Pourtant le couple est resté fidèle à son coup de foudre de jeunesse : le cubisme. Mais un cubisme original, plus intimiste, plus sensible, avec un jeu particulier sur la lumière qui jaillit mystérieusement des tableaux. Tzara aime beaucoup la compagnie de Louis avec son côté artisan-peintre capable de se transformer en artiste mondain, tout en préservant ce côté véritablement dandy qui fait son charme.

Il a cultivé ce style décalé et sombre dans tous les

---

1. Correspondance Louis Marcoussis-Tristan Tzara, Bibliothèque Doucet.
2. Entretien avec Madeleine Marcoussis, juin 2001.

cafés montmartrois au début du XXᵉ siècle. Il sait
comme personne raconter cet âge d'or, le Bateau-
lavoir, la rue Ravignan et le cirque Médrano. Il a été
l'ami d'Apollinaire, de Braque, du jeune Picasso, et
il finissait ses nuits au Lapin Agile. Pour Tzara,
beaucoup plus jeune, c'est une incroyable légende.
Mais pas question de rester fixé sur le passé. Il n'y
a jamais de nostalgie chez Marcoussis, seulement
beaucoup d'humour et une envie de profiter de
l'existence. Dans une lettre à Tzara, il écrit : « Ou-
blions le passé... Ne parlons pas du présent mais
regardons avec foi vers l'avenir : retour à Paris,
bonnes soirées à lire tes nouveaux poèmes arrosés
de larmes d'émotion sans préjudice pour des
cocktails. »

Et puis il y a Alice. Issue d'une famille d'universitaires, elle est toujours prête à sacrifier son confort
bourgeois pour l'insécurité de la condition de
peintre. Elle a le goût du risque et de l'aventure, ce
qui n'est pas pour déplaire à Tzara. Il l'écoute
raconter ses voyages et ses souvenirs du ghetto de
Varsovie et lui, parfois, parle de Moinesti.

Dans son livre de souvenirs, *Hier*[1], elle le décrit
tel qu'il est dans ces années folles... « C'était un tout
jeune homme de petite taille, très myope, arborant
monocle. On le voyait beaucoup au Bœuf sur le Toit
et à Montparnasse en compagnie d'Allemandes
androgynes et d'étrangères excentriques comme
Nancy Cunard. » C'était avant Greta. Mais contrairement à beaucoup d'autres avec lesquels Tzara
prend ses distances, les Marcoussis restent des amis
intimes. Il leur présente Greta, accepte plusieurs
dîners. Et quand Tzara disparaît, Marcoussis se

---

1. Alice Halicka, *Hier (souvenirs)*, Paris, Ed. du Pavois (1946).

plaint. « Cher taciturne, enfin un signe de vie !... » écrit-il en 1928.

Dans d'autres missives, Marcoussis se signale à l'intention de son ami par des anecdotes cocasses. « Alice, écrit-il, est allée à l'île de Sein. A vu Breton en costume rouge, lunettes violettes, cheveux longs grisonnants, entouré d'un élève et d'une femme. L'élève a demandé la permission d'aller faire pipi. Mais Breton a refusé craignant qu'il n'aille parler à la journaliste Georgette Camille [1] qui était là. »

Chez les Marcoussis on a parfois la dent dure, mais on est aussi très accueillant. Alice et Louis ont le plus beau carnet d'adresses de Paris. Toute l'intelligentsia est passée par l'atelier de la rue Caulaincourt. Les Reverdy, Salmon, Pascin, Gleizes sont des habitués. Même le gotha ne se fait pas prier. La duchesse de Clermont-Tonnerre, chroniqueuse du grand monde, Marie-Laure de Noailles, la comtesse Pecci Blunt, nièce du pape Léon XIII... Le livre d'Alice Halicka est l'équivalent montmartrois du Bottin mondain ! Et quand Marcoussis écrit à Tzara, c'est aussi pour lui envoyer les derniers potins. « O homme heureux au soleil, avide de nouvelles de notre bourg gelé, en voici :

— Jouhandeau épouse Cariathis
— Man Ray t'envoie ses amitiés
— Kiki ouvre une boîte de nuit
— Vu Aragon dans une soirée qui dansait en chaussures jaune citron, malpropres, faisant le joli cœur avec des phrases anglaises
— René Crevel est à Paris
— Maurice Sachs ouvre une grande maison d'éditions pour couler la NRF

---

1. Georgette Camille de Gérando, écrivain et journaliste. Amie de Ribemont-Dessaignes, Desnos, Char, Crevel. Elle a publié de nombreux articles à *L'Intransigeant* et aux *Cahiers du Sud*.

— Mado Anspauch a donné un bal rue Blomet "Ubu Roi" Alice y est allée. Il y avait une belle mais pauvre fille qui moyennant phynance montrait son cul à Messieurs les invités

— Diaghilev s'est fait coudre des couilles neuves. Après cela, si tu ne reviens pas illico à Paris, tu n'as pas de cœur [1]. »

Avec une telle invitation, le retour de Tzara sur la scène parisienne se fera sous les auspices de Marcoussis. *Indicateur des chemins de cœur* est une petite plaquette de poèmes qui sort en 1928 aux éditions Jeanne Bucher. Marcoussis crée avec plaisir trois eaux-fortes pour les exemplaires de tête. Il fait partager son enthousiasme au directeur des *Feuilles libres*, Maurice Raynal, qui avoue : « Apollinaire n'en a pas laissé beaucoup comme ceux-là. » Pour convaincre Tzara en exil au bord de la mer, Marcoussis lui communique la liste des journalistes qui ont aimé le livre... « Raynal, Salmon (*Revue de Paris*), Charensol (*Les Nouvelles littéraires*), Georgette Camille (*Les Cahiers du Sud*), Eric d'Hauteville, Fierens ».

Après les années de destruction, Tzara revient avec cet ouvrage à la poésie plus sentimentale. Ecrits en 1924-1925, ces textes sont marqués par l'empreinte de l'amour avec Greta, et l'on ne sera pas surpris de voir une maternité traverser ces tableaux d'une vie sous le signe du bonheur partagé.

« *Que des épaves, les nouveau-nés sur les éternités du sommeil bercent à leur tour le monde dans le creux de la vague chantante tandis qu'au fond déjà neigeux de ta jeunesse tes yeux renaissent dans le sang des chaudes interrogations.* »

---

1. Correspondance Louis Marcoussis-Tristan Tzara, Bibliothèque Doucet. — Entretien avec Madeleine Marcoussis.

Dans *Les Nouvelles littéraires*, le journaliste Marcel Sauvage salue le retour du poète : « Où étiez-vous donc Tristan Tzara ? Il y a longtemps que vous aviez donné signe de vie. Mais votre *Indicateur des chemins de cœur* est j'imagine votre réponse à ma question. Vous avez retrouvé ces chemins entre lesquels se partagent l'existence et la poésie. Il y a dans ce livre à l'ombre des mots qui ne sont plus que points de repère une étrange grandeur humaine[1]. » Mais la critique la plus chaleureuse, on la trouve dans *Les Feuilles libres* sous la signature de Georges Hugnet. Comme Crevel, les frères Baron ou Vitrac, il fait partie de cette jeune génération qui ne s'est jamais remise de la grande déflagration dada. Comment ne pas être fasciné par le talent dévastateur des grands frères ? Comment ne pas vouloir creuser le sillon à son tour ? « Tzara restera pour moi, l'homme qui a émerveillé ma jeunesse, l'homme qui m'a montré la poésie du mot qui a créé un état d'esprit où la liberté était le seul enjeu. *L'Indicateur* est un livre humain, un livre qui vient de la tête, du cœur, du ventre, des mains et des pieds. Quand la poésie vient du corps tout entier, elle est réussie (...) Tzara a gagné la partie. Il a gardé sa grande fraîcheur, tout en prenant de l'ampleur[2]. » Quelques semaines plus tard, c'est le même Georges Hugnet qui présente, pour la revue *Les Cahiers d'art*, les dernières eaux-fortes de Marcoussis, et c'est Tzara qui en assure la préface.

Dans l'atelier de Montparnasse, les nuits sont longues. On échafaude des projets, on refait le

---

1. Marcel Sauvage, « Poèmes », *Les Nouvelles littéraires*, avril 1928.
2. Georges Hugnet, *Les Feuilles libres*, juillet 1928. — Entretien avec Myrtille Hugnet.

monde et on parle de l'Afrique. Inspiré par Apollinaire, Marcoussis est un des premiers artistes à col-
lectionner de beaux spécimens d'art africain. C'est
un autre point commun avec Tzara.

Primitivisme

On se souvient que le rejet dadaïste de l'ordre établi et de son esthétique conduisit les jeunes gens vers l'art primitif et vers les domaines qui s'y rattachent comme l'art populaire ou l'art naïf. Pour le Cabaret Voltaire, Janco, le copain de Tzara, a conçu des masques d'inspiration africaine. Avec des matériaux périssables et grossiers, les créations de Janco ne copient jamais un prototype connu d'Afrique ou d'Océanie, mais les dadas les associent immédiatement à ce qu'ils perçoivent comme la puissance spirituelle inhérente à l'art primitif. Aux yeux de Hans Richter, cette force évocatoire est exprimée par « les masques nègres de Janco qui transportaient le public du langage vierge de la nouvelle poésie dans la forêt vierge des visions artistiques[1] ».

L'art primitif constitue pour Janco l'une des sources d'inspiration non traditionnelles, libres et directes dans leurs formes et dans leur mode de représentation du monde. Tzara partage totalement l'engouement de son ami. Le soir, avec les battements de tambour, le jazz, les cris, les pantomimes, la fête tourne souvent à la transe africaine... Et Tzara non seulement joue le jeu, mais il va encore plus loin. Il connaît la poésie africaine et intègre les « chants nègres » avec tambours et rythmes

---

1. Hans Richter, *Dada, art et anti-art, op. cit.*

enfiévrés. Il semble même qu'à cette époque il fut le seul membre du groupe de Zurich à posséder des échantillons de la sculpture du continent noir[1].

Hemmy Hennings qui comptait avec Hugo Ball parmi les fondateurs du Cabaret Voltaire mentionne une exposition à la galerie Dada en 1917 centrée sur ce qu'elle décrit comme une très belle et coûteuse sculpture africaine appartenant à Tzara. Celle-ci était d'une telle force sur le plan artistique qu'elle soutenait la comparaison avec les peintures de Kandinsky, Ferninger, Klee accrochées dans la même salle.

La même année, en 1917, Tzara publie une étude sur l'art africain et océanien, qui allait être suivie en 1919 par des articles sur l'art océanien et précolombien. Sa courte « Note 6 sur l'art nègre » paraît dans la revue parisienne *Sic*[2]. Il y met l'accent sur le besoin d'un nouveau système de représentation des objets. Pour rompre définitivement avec le conservatisme ambiant, l'art doit aller au-delà de la simple représentation de surface et de l'imitation servile des formes extérieures de la nature pour exprimer leurs véritables qualités intrinsèques. Il est possible de jouir de la liberté artistique et de l'énergie créatrice du primitif.

Tzara et les dadaïstes croient un peu naïvement que le sculpteur primitif crée librement en dehors de toutes les contraintes conventionnelles. Ils veulent des œuvres qui se développent à partir des associations libres.

Tzara aime d'abord cet art pour des raisons formelles mais aussi parce qu'il perçoit une création

---

1. *Le Primitivisme dans l'art du* XXᵉ *siècle*, Paris, Flammarion (1987).
2. Tristan Tzara, « Note 6 sur l'art nègre », *SIC* nᵒ 21-22, septembre-octobre 1917.

exprimant une vision intègre de la vie. Dans
« Note 6 » il reprend cette idée alors répandue que
l'art des cultures tribales fournit un exemple primor-
dial de la créativité humaine dans sa forme la plus
ancienne et la plus pure. Il estime qu'à ce stade élémentaire l'art reflète aussi les relations entre les
choses dans la nature et le pouvoir des formes à
suggérer d'autres idées ou émotions fondées sur le
principe des correspondances universelles. Tzara
n'oublie pas de mentionner les pouvoirs créateurs de
la parole comme ceux de la main. Dans son esprit,
musique, danse, poésie et sculpture sont intimement
liées. Sous les masques terrifiants accompagnés par
les tam-tams de Huelsenbeck, Tzara hurle ses chants
africains.

Il reviendra plus tard sur cette expérience fasci-
nante, et sur les qualités essentielles de l'art primitif
en tant qu'expression des pouvoirs créateurs
conscients et inconscients, dans un texte essentiel
qui mérite d'être longuement cité : « L'art des
peuples primitifs, imbriqué dans les fonctions
sociales et religieuses, apparaissait comme l'expression même de leur vie. Dada qui préconisait la
"spontanéité dadaïste" entendait faire de la poésie
une manière de vivre bien plus que la manifestation
accessoire de l'intelligence et de la volonté. Pour lui,
l'art était une des formes communes à tous les
hommes de cette activité poétique dont la racine
profonde se confond avec la structure primitive de
la vie affective. Dada a essayé de mettre en pratique
cette théorie reliant l'art nègre, africain et océanien
à la vie mentale et à son expression immédiate au
niveau de l'homme contemporain, en organisant des
soirées nègres de danse et de musique improvisées.
Il s'agissait pour lui de retrouver dans les profon-

219

deurs de la conscience, les sources exaltantes de la fonction poétique [1]. »

Loin des modes d'expression de la Vieille Europe qu'il faut dépasser, la poésie primitive est pour Tzara une véritable expression artistique de la vie parce qu'elle est utilisée au service de toutes les activités de celle-ci. En 1918, Tzara résume ce point de vue dans sa « Note 2 sur la poésie nègre [2] » en déclarant que l'on « crée un organisme quand les éléments sont prêts à la vie. La poésie vit d'abord pour les fonctions de danse, de religion, de musique, de travail ».

Engagé avec passion dans le primitivisme, Tzara n'en sortira plus. Chercheur infatigable il rassemble des textes africains, adapte des chants océaniens pour la revue *Dada* et s'intéresse à la mythologie, principale préoccupation de la création artistique.

Arrivé à Paris il place dans sa petite chambre de Montparnasse ses statuettes africaines et se constitue une véritable bibliothèque de référence. Il enrichit sa collection, qui devient en quelques années l'une des plus remarquables de la capitale. Les grands espaces de la villa de l'avenue Junot abritent ce trésor dans le plus grand secret. Tzara est discret sur cette passion mais parfois la presse le rattrape. En 1929, *Paris-Midi* publie un reportage sur les nouvelles salles du musée d'ethnologie du Trocadéro... « C'est devenu un établissement très fréquenté par les artistes et les littérateurs parisiens. Tzara y passe des journées entières à retourner dans ses doigts experts les statues polynésiennes et nègres qui sont enfermées dans les salles qui ne sont pas ouvertes

1. Elmer Peterson, *Tristan Tzara : Dada and Surrational Theorist*, New Brunswick, Rutgers University Press (1971).
2. Tristan Tzara, *Œuvres complètes*, tome I, *op. cit.*

au public[1]. » Cette année-là, le musée qui est resté longtemps un fouillis indescriptible ouvre vraiment ses portes au grand public.

Paris-Soir présente les nouvelles salles avec ses vitrines[2]. L'art primitif qui était le domaine réservé des ethnologues, des anthropologues et de quelques artistes est enfin reconnu. Le journaliste note que pendant plusieurs années « Picasso, Picabia et leurs amis y écrivent de longues heures manipulant longuement ces objets et faisant à chaque instant des découvertes dans les salles fermées au public. Encore maintenant Philippe Soupault et Tzara y viennent fréquemment ».

Mais les journalistes le retrouvent aussi dans les grandes ventes parisiennes. Elles ne sont pas très fréquentes à l'époque. Evénements artistiques et mondains, c'est l'affluence à l'hôtel Drouot. L'art primitif attise la curiosité et déjà les convoitises de quelques marchands.

En décembre 1928, la dispersion de la collection Walter Bondy fait la Une du *Figaro*... « Tous les amateurs d'art ultramoderne sont là : Doucet, Félix Feneon, André Breton et Tristan Tzara[3]. »

De temps en temps, Tzara accepte de se plonger dans sa documentation. Pour *Les Cahiers d'art*, en juillet 1929, il publie une enquête sur l'art océanien[4]. L'article est illustré de nombreuses photos de fétiches et de bois sculptés issus de sa propre collection.

La Revue européenne de Soupault salue ce « numéro remarquable[5] ». Ces articles assez rares ne

1. *Paris-Midi*, 13 janvier 1929.
2. *Paris-Soir*, 15 février 1929.
3. *Le Figaro*, 3 décembre 1928.
4. Tristan Tzara, « L'Art et l'Océanie », *Cahiers d'art I* (1929).
5. *La Revue européenne*, 1er juillet 1929.

221

sont qu'un aspect de l'activité intense de Tzara.
Dans ce petit monde des collectionneurs avertis et
des aventuriers sans scrupule, il se forge une réputation d'expert. Il achète et vend beaucoup et devient
l'ami des grands marchands de l'époque.

Art nègre à Pigalle

Charles Ratton est de ceux-là. De la même génération que Tzara il a commencé dès 1923 à réunir quelques objets africains. Fils spirituel du légendaire marchand Paul Guillaume, il s'en écarte rapidement pour se lancer dans l'aventure du primitivisme. Il ouvre deux boutiques dans les beaux quartiers et se crée un réseau de relations très efficace. Il souhaite faire tomber les barrières entre les spécialistes, les ethnologues et les artistes. Dans son carnet d'adresses on trouve Breton, Leiris, Bataille ou Paul Rivet, le directeur du musée d'ethnologie du Trocadéro, ou Georges Henri Rivière, l'adjoint de ce dernier. Il soutient activement le dépoussiérage du musée, participe à l'exposition des Arts déco sur les « Arts anciens de l'Amérique », passe des publicités dans *La Révolution surréaliste*. Mais surtout, contrairement à Paul Guillaume, il veut mettre en valeur des régions stylistiques jusqu'alors sous-estimées ou mal connues et étendre sa collection à l'Amérique indienne et au monde océanien pacifique.

Il aimerait aussi, et ce n'est pas simple, améliorer les relations entre les ethnologues et les muséologues[1]. Autant d'éléments qui impressionnent Tzara. Les deux hommes se voient souvent. Tzara est un

---

1. *Le Primitivisme dans l'art du XXe siècle, op. cit.*

habitué de la boutique de la rue Laffitte, et Ratton passe de longues soirées avenue Junot.

Ensemble ils imaginent une grande exposition rassemblant plusieurs centaines d'objets africains esthétiquement représentatifs des styles déjà reconnus. Ils rêvent d'un événement unique, exceptionnel, destiné au grand public. Leur idée est de faire mieux que le musée du Trocadéro et de sortir du folklore colonial ou de la simple curiosité ethnographique. Tzara utilise toutes ses relations, dont Etienne de Beaumont, pour essayer de trouver une salle susceptible d'accueillir une telle exposition.

Après un long travail d'approche il réussit à convaincre le baron Henri de Rothschild, propriétaire du théâtre Pigalle. L'endroit est beau et vaste. Les galeries situées dans les sous-sols offrent un lieu idéal. En visitant les lieux, le journaliste de *L'Européen* est visiblement impressionné, « escalier tout blanc, tapis, colonnes, lumières dans les vasques, ameublement de boudoir, tout est caressant, ouaté d'une intimité tendre et même un peu provocatrice. C'est mystérieux comme un patio de prince arabe [1] ». Ratton contacte rapidement les plus grands collectionneurs et arrive à rassembler plus de trois cents pièces exceptionnelles. Fin janvier 1930, le projet est bouclé. Le choix paraît irréprochable et permettra au public de découvrir des œuvres jamais vues en provenance du Bénin, du Cameroun, de l'Angola ou encore du Tanganyika. Il est impossible de citer la liste des prêteurs, plus de quarante-cinq, qui se presseront avec le Tout-Paris au vernissage : Derain, Braque, Marcoussis, Matisse, Morand, Fénéon, et même Paul Guillaume.

Pour l'occasion, Tzara sort ses plus belles pièces

---

1. André Delacour, « En flânant », *L'Européen*, 8 janvier 1930.

et n'oublie pas d'organiser le cocktail avec un orchestre de jazz... Le succès est au rendez-vous et toute la presse salue l'événement. *Comœdia* est des plus enthousiastes en publiant plusieurs articles sur « La plus importante manifestation d'art sauvage qui ait jamais été faite à Paris[1] ». André Warrod reconnaît que « beaucoup de pièces ont une étonnante beauté qui ne peut laisser insensible » et il avoue que « cette exposition permet d'affirmer avec preuve à l'appui que l'art sauvage est un art qui a sa place dans l'Histoire à côté de l'art égyptien ou de l'art grec ». Henri Clouzot, dans un long article abondamment illustré pour *Miroir du monde* va encore plus loin... « Seuls jadis les ethnologues, inconscients de leur valeur esthétique, interrogeaient ces trophées de voyage, évocateurs de contrées encore inaccessibles. Puis les peintres à leur tour, Derain, Matisse, Picasso, Vlaminck se sont penchés sur ces expressions plastiques d'autres races, d'autres tempéraments que les nôtres. Ils leur ont demandé une leçon de simplification, de décision, de transposition. Nous entrons maintenant dans le troisième âge, celui de la connaissance et il ne semble pas que, libérés de leur mystère, ces beaux objets restent moins dignes de notre admiration. Au contraire[2]. »

Maurice Raynal, dans *L'Intransigeant*, salue lui aussi la réussite de l'exposition, mais semble s'inquiéter de cette nouvelle reconnaissance. « Et voici nos bons nègres définitivement promus au rang de pièces de musée. Tout cela peut être dommage, car ces merveilleux objets du fait qu'ils vont connaître

---

1. *Comœdia*, 28 janvier 1930 et 27 février 1930.
2. Henri Clouzot, « L'art africain et océanien au théâtre Pigalle », *Miroir du monde*, 5 avril 1930.

la gloire des grandes galeries, des catalogues, des livres, des spécialistes vont finir par se prendre au sérieux. Sans doute exigeront-ils leur entrée au Louvre[1] ! » Charles Kunsler se fait l'écho de certaines réactions d'ethnographes célèbres. Il déplore dans la revue *Le Cahier* que ces « merveilles » aient été arrachées à leur décor naturel[2] ».

Mais l'exposition n'est pas du goût de tout le monde. Certains déplorent cette exhibition obscène d'art sauvage en plein Paris. Dans *L'Ordre*, un certain Lucien Farnous Reynaud sonne la charge d'un Occident bafoué... « L'art nègre, comme l'art canaque, est une manifestation de décadence et la séduction qu'ils exercent s'explique à notre siècle sans discipline et sans lois intellectuelles, durant lequel s'ébauche sournoisement, si l'on y met ordre, une des plus totales faillites de l'esprit[3]. »

Ailleurs on s'étonne que le préfet de Police laisse ouverte une telle débauche d'« appels négrophiles[4] ». De telles protestations ne laissent pas indifférent Henri de Rothschild qui décide trois semaines après le vernissage de faire retirer plusieurs statuettes jugées impudiques.

Tzara proteste immédiatement et diffuse un communiqué de presse : « Je m'étonne, écrit-il, que la pudeur de Monsieur de Rothschild se soit alarmée au bout de trois semaines et que sous prétexte que l'exposition est visitée par des jeunes filles, il ait pris une mesure de rigueur à l'encontre de charmantes statuettes. Il n'y a pas d'impudeur en art, mais s'il

---

1. Maurice Raynal, « Les arts », *L'Intransigeant*, 4 mars 1930.
2. Charles Kunsler, « Une exposition d'art nègre », *Le Cahier*, mars 1930.
3. Lucien Farnous Reynaud, « Grandeur et décadence », *L'Ordre*, 31 mars 1930.
4. G.J. Gros, « La semaine artistique », *Paris-Midi*, 4 mars 1930.

pouvait y en avoir, la statuaire nègre, qui est très stylisée, pourrait être considérée comme bien plus chaste que la statuaire grecque. Or, personne ne songe à procéder à des expulsions dans les musées et les jardins publics[1]. » Devant l'obstination de Rothschild, Tzara décide de l'assigner en référé au tribunal pour obtenir la nomination d'un expert appelé à statuer sur l'obscénité des statuettes.

La presse relate la controverse artistique et judiciaire. Finalement, M. le Baron décide de réintégrer les statuettes sans faire de commentaires mais laisse son directeur artistique, Valentin Marquety, calmer le jeu en déclarant : « Voyez-les, elles ont regagné leur place et vous pouvez constater que la pudeur n'a pas à s'offusquer[2]. » Et comme on pouvait s'y attendre, le scandale fait venir du monde. Il y a foule au théâtre Pigalle et Tzara n'est pas mécontent de revenir sur le devant de la scène parisienne.

---

1. Tristan Tzara, « Une controverse artistique et judiciaire », 1ᵉʳ avril 1930.
2. « M. Tristan Tzara et M. Henri de Rothschild sont d'accord ! », *Paris-Midi*, 2 avril 1930.

Les plaisirs de la capitale

Dès 1928, Tzara ne boude plus les mondanités. Paris est toujours une fête et il compte bien en profiter. Il s'est assagi et avec Greta il se montre sélectif dans ses choix. Plus question de courir d'une boîte à une autre. Les années folles s'achèvent dans un certain climat désenchanté. Mais pour Tzara, il n'est pas question de se laisser aller à la nostalgie. Si l'époque change, certains soirs, il retrouve les paillettes et les tenues de gala. En novembre 1928, il se rend à un grand dîner organisé par le directeur des Ballets suédois Rolf de Maré. Le journaliste de *Paris-Midi* remarque qu'il n'y a qu'un Suédois pour réunir autour de lui « une telle variété internationale d'artistes [1] ». Les cinq continents sont représentés autour de cinq petites tables. On aperçoit Paul Colin, Braque, Chagall, Foujita, Léger, Brancusi et Tzara...

L'envoyé spécial de *Paris-Midi* semble s'y être beaucoup amusé. « Et si l'on ne cessa de parler français et de commenter les derniers potins de la vie parisienne, on dîna à la suédoise. Wassilief proposa que chacun fît un speech dans sa langue maternelle, ce qui nous eût valu du russe, de l'anglais, du suédois... » Quelques semaines plus tard, Tzara est de nouveau à Montparnasse [2]. C'est le *Chicago Tribune*

1. Paul Achard, *Paris-Midi*, 8 novembre 1928.
2. *Paris-Midi*, 31 décembre 1928.

qui note sa présence lors d'un tea afternoon au milieu des Américains de Paris dont Man Ray et Crosby[1]. Mais surtout, le 14 novembre 1929, il retrouve Picabia, le compagnon des débuts[2]. Fidèle à lui-même, le franc-tireur de l'art moderne a de nouveau rameuté le Tout-Paris pour son vernissage dans une galerie de la rue de Berri. De 9 heures à minuit, c'est de nouveau un défilé où se mêlent les cocottes, les arrivistes milliardaires et les vrais artistes comme Vallotton ou Pascin. Les vernissages et les cocktails se succèdent mais ne se ressemblent pas forcément. Tzara y démontre une fois de plus sa liberté d'esprit et son éclectisme. Le 5 décembre il inaugure une nouvelle galerie située en face de l'Ecole des Beaux-Arts[3].

Sur les cimaises, les dernières toiles mystérieuses et angoissantes d'un peintre tchèque : Sima. Discret, tendu et sombre, le jeune homme est presque l'anti-Picabia par excellence et les invités ne sont pas les mêmes.

Mais Tzara a beau faire, certains lui en veulent d'avoir évolué avec son temps. Ils font semblant de regretter l'homme au monocle qui animait les rubriques à scandale. Ce sont les éternels spécialistes d'un âge d'or mythique qui n'a d'ailleurs jamais vraiment existé.

Le « c'était mieux avant » est leur rengaine. Et si Montparnasse a changé, Tzara est en partie responsable ! Dans *Cyrano*, une revue qui aime les « boute-en-train », un certain Géo London n'est pas très tendre avec « l'empereur de Dada »... « Il est devenu un gros monsieur, rangé, marié, qui habite un hôtel

1. *Chicago Tribune*, 9 mai 1929.
2. *Paris-Midi*, 14 novembre 1929.
3. *Paris-Midi*, 5 décembre 1929.

particulier dans le coin le moins montmartrois de la Butte[1]. »

Paris-Montparnasse qui s'efforce de cultiver le bon filon des « Montparnos » publie la fameuse photo des habitués du Jockey prise par Man Ray en 1923 comme une relique du bon vieux temps[2]. Même *Comœdia* s'y met en regrettant l'âge d'or où Tzara animait les terrasses de café[3].

Plus sérieusement, c'est souvent Dada qui est cloué au pilori. Le cadavre bouge encore et incommode certains. C'est le cas dans la petite bande nauséabonde du *Crapouillot*. Quelques jeunes gens de bonne famille y cultivent un anarchisme de droite et crachent sur tout ce qui bouge. Dans un article intitulé « Le cafard universel[4] » Adolphe Basler écrit : « A notre époque, l'ennui est une jouissance. Des centaines de pages sur la pédérastie et la nymphomanie mondaines procurent autant de joies aux nouveaux riches de Paris et de Berlin qu'aux petits-bourgeois bolcheviks de Moscou. Le même jargon métaphorique est adopté par les poètes du surréel sur les rives de la Seine, du Danube et de la Volga. On voit de Bruxelles à Bucarest tout un peuple d'esthètes bâiller aux accents de la muse roumaine de Tristan Tzara. »

Avec Georges Duhamel, l'écrivain bien-pensant, on est loin de ce genre de propos. Dans ses « Lettres au Patagon[5] » il revient sur la crise littéraire du dadaïsme. Avec beaucoup de sagesse, il accorde volontiers les circonstances atténuantes à ces jeunes

---

1. *Cyrano* , 6 octobre 1929.
2. *Paris-Montparnasse*, « Le Jockey en 1923 ! », 15 avril 1929.
3. *Comœdia* , 10 mars 1929.
4. Adolphe Basler, « Le cafard universel », *Le Crapouillot*, 1928.
5. Gabriel Reuillard, « A propos de Georges Duhamel », *Les Nouvelles littéraires*, avril 1929.

gens turbulents. Après tout, ils ont échappé à la grande boucherie de 1914. Constatant la dégénérescence d'un vieux monde qui viole allégrement ses principes moraux, Duhamel pense que Dada est à la fois un mouvement littéraire, philosophique et anarchiste. En observant ces trublions qui s'amusent à renverser les valeurs établies, l'auteur en tire une leçon très politiquement correcte pour l'époque.

Et si nous étions tous un peu raisonnables, cela devrait nous inciter à certaines réformes... Voilà bien une analyse qui a de quoi faire sourire Tzara. Il ne prend pas la peine de répondre à cet ancêtre qui donne ses bons conseils aux enfants terribles.

Les règlements de comptes musclés sont bien loin.

« *Je passe mon temps*
à compter les rayons du soleil »

De nos oiseaux, une belle plaquette de poèmes, est un peu la réponse de Tzara à ses détracteurs. Une trentaine de textes écrits entre 1912 et 1922. Conçu comme une petite anthologie non exhaustive, le livre retraverse dix ans d'expériences littéraires. La publication semble avoir été beaucoup plus difficile que prévu. Les exemplaires de luxe portent l'achevé d'imprimer du 15 juillet 1923 par Dietsch et Brueckner à Weimar pour les Editions des Feuilles libres. Enfin, un certain nombre d'exemplaires à couverture grise portent la mention des Editions Stock. Après ces quelques déboires, Tzara avec le soutien de Crevel et Arland propose le manuscrit à Gaston Gallimard pour la collection « Une œuvre, un portrait ». Le 18 novembre 1924 le patron lui fait répondre qu'il regrette de ne pouvoir éditer le livre, la collection étant « trop encombrée pour qu'il puisse prendre de nouveaux engagements ». C'est finalement Léon Pierre-Quint qui le publie aux Editions Kra, en 1929, mais la diffusion reste plutôt confidentielle [1].

Tzara a rassemblé habilement tout son savoir-faire. Quatre cycles associent successivement un

---

1. Tristan Tzara, *Œuvres complètes*, tome I, *op. cit.* — *L'Intransigeant*, 25 janvier 1930.

thème expressionniste, un poème épuré, un poème
manifeste, une œuvre humoristique, une œuvre
lyrique ou un poème de caractère plus secret. Philippe Soupault est le premier, dès 1923, à saluer ces
« paroles qui se gonflent pour monter au ciel ». Et
qu'importe si Tzara a tendance à écrire de trop...
« La fécondité, explique Soupault qui sait de quoi il
parle, la virtuosité même malgré tout ne sont pas
inutiles. Elles sont peut-être nuisibles, mais jamais
vaines. » Mais pour lui ce livre est un pied de nez à
tous les tenants de la littérature classique. « Tzara
plus vivant que jamais passe son chemin une canne
à la main ; sur les bords de la route des troupeaux
de crapauds sautent et sifflent, sur les arbres des cor-
beaux un pinceau dans le bec battent des ailes et le
délire flamboie dans ses lorgnons, dans ses yeux[1]. »
Dans *Les Nouvelles littéraires*, c'est un nouveau
journaliste Jean Cassou qui remarque cette poésie
avec « je ne sais quelle franchise ingénue, un peu
simpliste, mais véritablement violente[2]. » Compagnon de route des dadas, le jeune garçon qui a longtemps fréquenté les terrasses et les bars de
Montparnasse a pris l'habitude de retrouver Tzara
avenue Junot.

Semaine après semaine, il suit la longue introspection de son ami qui écrit ce qui deviendra *L'Homme
approximatif*. En contact avec les élèves de l'Ecole
Normale Supérieure il lui propose même une petite
lecture poétique devant ces étudiants qui l'attendent
avec impatience. Mais Cassou est aussi très impliqué
dans le lancement d'une nouvelle maison d'édition.

Avec des moyens limités, Fourcade a l'ambition
de promouvoir la nouvelle littérature. Georgette

---

1. Philippe Soupault, *Manomètre* n° 4, août 1923.
2. Jean Cassou, *Les Nouvelles littéraires*, 24 août 1929.

Camille qui fait partie de l'aventure se souvenait bien de plusieurs réunions avec Tzara [1].

C'est dans une revue roumaine, *Unu*, qu'il faut retrouver la critique la plus aboutie, la plus terrible. Elle est signée par Benjamin Fondane. Il s'agit en fait d'un portrait dépouillé de Tzara, un instantané sur ce qu'il est en 1930, loin, très loin de l'euphorie dada... « Le destin des héros, des révolutions est souvent tragique. Ils inspirent une méfiance absurde, une vague horreur. Cependant, Tzara malgré ses ressorts félins et ses écailles apparentes, marche enveloppé de solitude. »

Depuis *De nos oiseaux* jusqu'à *L'Homme approximatif*, le livre auquel il travaille à présent, comme sa sensibilité s'est ridée, comme son expérience de l'homme est devenue une expérience de soi et comme la violence autour de lui s'est tamisée, est devenue ennui, souffrance [2]. » Fondane est passé, lui aussi, avenue Junot. Se coltinant aux mêmes démons intérieurs, il entretient avec Tzara une complicité sombre. Quand ce dernier lui fait parvenir *L'Homme approximatif*, l'autre envoie une lettre lapidaire : « Merci pour l'envoi. Je me suis déjà engagé, enfoncé jusqu'au cou dans *L'Homme* et j'en ai des sangsues plein la peau. Le terrible voyage ! Vous êtes grand comme un tremblement de terre [3]. »

En comparaison, le portrait de Tzara publié dans *L'Intransigeant* est d'une légèreté à toute épreuve. Mais on n'est pas très loin de la vérité non plus... « Maintenant on le voit solitaire un peu partout. Les lueurs de son monocle l'annoncent. Il est flegma-

---

1. Entretien avec Georgette Camille de Gérando.
2. Benjamin Fondane, *Manomètre* n° 4, août 1923.
3. Jean Cassou, *Les Nouvelles littéraires*, 24 août 1929.

tique et doux avec un grand sourire patelin, une voix hachée et sonore. Il aime les nus océaniens et les idoles mexicaines, la musique du phono, le tabac anglais, la poésie. La poésie surtout[1]. »

---

1. Entretien avec Georgette Camille de Gérando.

Enfance

Tous ces portraits publiés dans la presse omettent une face cachée du personnage. Loin des interviews et des maisons d'édition, Tzara est devenu père. Une expérience qui n'a pas été facile à vivre. En 1927, Christophe est né dans des conditions difficiles. Greta est tombée gravement malade à la fin de sa grossesse. Ne voulant pas affoler ses parents, il leur écrit rapidement en essayant de les rassurer... « Ma femme a été très malade, elle a failli mourir à cause d'une septicémie. Pourtant elle avait accouché avec un des meilleurs médecins ; Christophe est né. Il se porte bien. Il est beau, intelligent, mais un peu faiblard[1]. » Sa mère lui renvoie un courrier pour lui faire part de sa joie. Elle compte bien venir en France et en profiterait pour faire une cure thermale.

Tzara a pris une nurse d'origine suisse. Mais avec Christophe, c'est pour lui la découverte de la paternité. Comme beaucoup de pères, il est impatient de voir grandir ce bébé. Il veut y consacrer du temps, l'aider à découvrir le monde. Lui qui a longtemps pensé que l'enfance est un fonds essentiel où tout créateur puise les forces secrètes de son inspiration, sait qu'elle est également le creuset où naissent les désirs et les goûts de tout homme.

---

1. Correspondance Tristan Tzara-Famille Rosenstock, Bibliothèque Doucet (traduction Iona Popa).

Dans un long article consacré à l'art océanien publié en 1931 dans la revue *Omnibus*, Tzara fait référence à la sensibilité de l'enfant, comme en écho à son expérience personnelle... « elle est, malgré tout, ce qui nous touche le plus profondément. Dans sa nucléaire puissance d'interprétation sont réunies des forces primordiales ou ignorées. Nous connaissons trop superficiellement chez les enfants les affinités sentimentales ou sympathiques qui les amènent à former des groupes strictement fermés, les clans, l'éclosion des mythes, l'adoration des poupées, jouets, totems, les déguisements, le style ornemental et figuratif dans leurs dessins, la formation des mots, des langages secrets, la valeur des symboles, etc.[1] »
Le monde de l'enfance c'est aussi le domaine du Douanier Rousseau que Tzara admire depuis tant d'années. « Egaré dans notre civilisation, écrit-il, et mis devant le spectacle d'une perpétuelle découverte, le Douanier adopte d'emblée une position de simplification à outrance (...) Un merveilleux involontaire s'en dégage qui caractérise une œuvre où les lieux communs sont sublimés et dépassent leurs limites conventionnelles[2]. » Ce faisant, Rousseau réalise, sans aucun frein, le monde particulier de son rêve. L'accord entre la réalité du monde extérieur et son univers personnel s'effectue en vase clos. Comme l'enfant, Rousseau ne connaît pas « la tragique rupture qui s'opère dans l'être tant soit peu conscient de sa nature partagée ».
Beaucoup de peintres ont ce pouvoir de puiser dans les trésors de cette enfance. Il écrira plus tard à propos de Paul Klee, c'est une peinture dans

---

1. Tristan Tzara, « L'Art et l'Océanie », *Omnibus* (1931).
2. Tristan Tzara, Préface à *Une visite à l'exposition de 1889*, Paris, Pierre Cailler (1947).

laquelle on peut voir « une enfance conduite tout au long d'une voie musicale sur les cordes fuligineuses d'une radiographie universelle [1] ». Dans les grands espaces de l'avenue Junot, Tzara découvre Christophe et son jardin secret.

Ce n'est sans doute pas un hasard si, en cette année 1929, le même Tzara publie dans la revue *Orbes* le drame du Douanier Rousseau intitulé *La Vengeance d'une orpheline russe* [2]. Il en possède le manuscrit original en provenance de la bibliothèque des Delaunay.

Certains soirs, c'est Crevel qui passe avenue Junot. Après avoir été terrassé par la tuberculose qui l'a obligé à s'isoler en Suisse pendant de longs mois, il est de retour à Paris. Un voyage à Dublin l'a remis en forme [3]. Plus que jamais, il est un fidèle lieutenant de Breton. A Tzara, il confie ses doutes et ses certitudes.

1. Tristan Tzara, « Paul Klee l'apprenti du soleil », *Cahiers d'art* (1939).
2. Catalogue de la vente Tzara, Drouot, mars 1989.
3. François Buot, *René Crevel, op. cit.*

Avis de tempête chez les surréalistes

Malgré ses longs mois de travail solitaire, Tzara s'est toujours tenu au courant des multiples activités du groupe de Breton. Au terme d'une longue réflexion, menée parfois avec Crevel, il est convaincu qu'il faut en finir avec cette révolte individualiste qu'il a souvent défendue avec brio.

Il cherche aussi à se prémunir contre toute forme d'engagement qui transforme l'intellectuel en propagandiste. Sur ce point-là en tout cas, sa quête rejoint celle de Breton et de ses amis. De loin et sans s'en réjouir, il assiste à l'agonie du groupe surréaliste confronté à la pire crise de sa courte histoire. C'est la direction du parti communiste qui ouvre les hostilités [1], Henri Barbusse, directeur des pages culturelles de *L'Humanité*, mène l'opération. Les surréalistes ont peut-être leur carte du Parti, mais leur littérature ne correspond pas au credo prolétarien. Dans *Monde*, la nouvelle revue que Barbusse dirige, on peut lire « le poète s'évade sur les traces de Lautréamont quand il n'a pas le courage de proclamer le règne de la folie pure. Cette abdication est le signe le plus sensible du pessimisme contemporain ». Mais au sein même du groupe, Pierre Naville et Gérard Rosenthal pensent que la répression qui

---

1. Maurice Nadeau, *Histoire du surréalisme*, Paris, Ed. du Seuil (1964).

s'abat en URSS sur Trotski et l'opposition de gauche exige une mobilisation politique immédiate. A l'heure où le communisme dégénère en tyrannie, il n'y a plus rien à attendre du Parti communiste français et les recherches purement surréalistes doivent passer au second plan[1]. A l'heure de l'apéritif, au Cyrano, de telles déclarations sèment le trouble. Breton essaye de faire front, mais il est de plus en plus seul.

Et comme si tout cela n'était pas suffisant, un groupe de jeunes gens, dont Daumal et Gilbert Lecomte, lance une revue dissidente intitulée *Le Grand Jeu...* Spiritualité, mysticisme sont au sommaire. On est à des années-lumière des analyses bolcheviques des Naville et Rosenthal.

Il faut crever l'abcès. Breton tente de reprendre l'initiative pour repartir sur de nouvelles bases. Il sait qu'il va une nouvelle fois donner des arguments à ceux qui le traitent de grand excommunicateur... Sa réputation d'intransigeance n'est pas usurpée.

En 1926, il a déjà manœuvré pour exclure du groupe Artaud et Soupault : procès bâclés, réquisitoires simplistes, Breton et ses proches n'ont pas donné dans la dentelle. Mais en 1929, on est loin de ces petites manœuvres. Il s'agit maintenant de poser le seul problème qui vaille : comment certaines activités purement surréalistes sont-elles conciliables avec le devenir révolutionnaire qui anime le groupe ? Calquant sa démarche sur celle des partis révolutionnaires il propose une action commune à des groupes ou individualités. Il s'agit de se mettre d'accord sur un programme minimum et sur une discipline qu'ils s'engageront à suivre. A la façon des purges bolcheviques, il entend bien mettre au pied du mur certaines personnalités dans lesquelles il n'a

---

1. Entretien avec Pierre Naville.

plus confiance. Beaucoup décident d'ignorer la convocation, les autres se rendent au bar du Château, non loin de Montparnasse. Le débat tourne rapidement au pugilat entre ceux qui se prononcent pour la poursuite pure et simple de l'activité surréaliste et ceux qui prônent un engagement plus militant. Le débat n'a pas lieu et au milieu des alcools forts, on met rapidement en cause les jeunes du *Grand Jeu*. Les quelques maladresses de ces gamins sont étudiées à la loupe, ce qui provoque un tollé. Ribemont-Dessaignes demande qu'on cesse de « sonder les cœurs et les reins ». Les non-surréalistes invités refusent de se soumettre aux exigences de Breton et préfèrent claquer la porte.

Fatigué, Crevel n'est pas rue du Château, mais il suit toute l'affaire avec beaucoup d'attention. Il partage l'intransigeance de Breton. Pour lui, une certaine rigueur s'impose à l'intellectuel, sinon on finit par soutenir l'ordre établi et finalement on se met au service de l'ennemi. Accepter la moindre concession est un engrenage fatal. Obsédés l'un et l'autre par l'idée de ne pas trahir ce qu'ils étaient à vingt ans ils conviennent que le degré de « qualification morale » est une question essentielle.

Tzara vacille et admet que la position difficile de Breton est sans doute la bonne.

Et quand celui-ci publie son dernier livre le *Second Manifeste*, à la fin de l'année 1929, les dernières hésitations de Tzara s'effondrent. Après tout comment ne pas se reconnaître dans ce plaidoyer pour une rupture radicale avec le monde tel qu'il nous est donné. Si le surréalisme repose sur un dogme, c'est bien celui de « la révolte absolue, de l'insoumission totale et du sabotage en règle[1] ».

---

1. André Breton, *Second Manifeste du surréalisme*, Paris, Gallimard.

Tzara retrouve là, intacts, les accents de sa jeunesse. Et si rien n'a vraiment changé, le temps semble n'avoir aucune prise sur Breton. Dans l'adversité, il revient à ce qui faisait le prix de Dada et de leur amitié : le refus sans concession. Tzara relit ces phrases où Breton proclame que tout est à faire... Tous les moyens sont bons pour ruiner les idées de famille, de patrie, de religion. Loin des accommodements et des petites combines, la position surréaliste exige bien une pureté de la part de ceux qui l'ont adoptée. Mais surtout Tzara se félicite de l'autocritique de Breton, concernant l'activité surréaliste. Sans remettre en cause le côté expérimental, il en montre les limites. Trop de négligence et de naïveté permettent à Breton d'épingler méchamment certains de ses anciens amis... Artaud, Vitrac, Soupault, Delteil, Limbour passent à la trappe. Même Duchamp, Ribemont et Picabia ne trouvent pas grâce à ses yeux. Seul Tzara semble n'avoir pas abandonné « l'ombre pour la proie ». Seule son attitude intellectuelle n'a pas cessé d'être nette. Il en profite pour faire son autocritique concernant les regrettables incidents du *Cœur à gaz* et l'assure de son estime. Soyons clairs, la main tendue de Breton n'est pas sans arrière-pensée. Isolé, il a besoin de quelqu'un qui n'a jamais transigé.

Le travail solitaire de Tzara sur l'écriture et son retrait du « monde » lui donnent une sérieuse crédibilité aux yeux de Breton. Les extraits de *L'Homme approximatif* transmis par Crevel confirment bien que Tzara n'a pas dégénéré en littérateur facile pour snobs et fils de bonne famille. Il lui prédisait un destin à la Cocteau, il doit admettre son erreur de jugement. Il écrit dans le *Second Manifeste* : « Nous croyons à l'efficacité de la poésie de Tzara et autant dire que nous la considérons, en dehors du surréalisme, comme la seule vraiment située. Quand je parle de son efficacité, j'entends signifier qu'elle est opérante dans le sens le plus vaste et qu'elle est un pas marqué aujourd'hui dans le sens de la délivrance humaine. Quand je dis qu'elle est située on comprend que je l'oppose à toutes celles qui pourraient être aussi bien d'hier et d'avant-hier : au premier rang des choses que Lautréamont n'a pas rendues complètement impossibles, il y a la poésie de Tzara. »

Dans cette nouvelle révolution surréaliste que Breton entrevoit, l'apport de Tzara serait plus qu'utile. Au moment où il écrit ces lignes, il paraît sûr de lui. C'est paradoxalement la politique qui va accélérer ces retrouvailles. Comme Crevel, Tzara est convaincu qu'il faut se méfier des leçons de morale révolutionnaire d'un Naville. Pas question de rentrer dans les querelles d'appareil du bolchevisme russe pour se transformer en petits soldats de la révolution. L'intellectuel doit garder son indépendance tout en se coltinant la question sociale.

Dans ce difficile cheminement entre le tout communiste et le tout artistique, la voie médiane proposée par Breton paraît la seule qui vaille.

Une première rencontre entre les deux hommes a lieu dès 1928. C'est une reprise de contact plutôt chaleureuse, si l'on en croit une lettre de Tzara envoyée à Crevel[1]. Retrouvé chez un collectionneur, ce document confirme que c'est Breton qui est demandeur. Revenant sur la malheureuse affaire du *Cœur à gaz*, il fait son mea culpa ! Oui, il regrette ses propos et son attitude. Il ajoute même qu'après coup, toute cette histoire l'a traumatisé, une vraie crise de désespoir... Que Breton en fasse trop, on en

---

1. Correspondance Tristan Tzara-René Crevel, Collection privée.

243

conviendra, mais il fallait en passer par là pour rentrer dans le vif du sujet. Constatant leurs convergences d'analyse sur beaucoup de points l'atmosphère est très détendue. Le lendemain c'est Breton qui se rend avenue Junot. Les deux hommes conviennent même d'échanger et d'acheter ensemble des statuettes africaines. C'est de nouveau la complicité, et tout semble reparti comme au début des années 20.

Pour preuve, cette dédicace de Breton sur un exemplaire de *Nadja* destiné à Tzara :

> « A Tristan Tzara
> par ce singulier retour des choses
> qui me le fait à nouveau considérer
> comme je l'ai connu
> Quel joli rire que le sien[1] »

---

1. Catalogue de la vente Tzara, Drouot, mars 1989.

Feu sur le quartier général

Le ralliement de Tzara à Breton est un geste isolé. En face c'est un véritable front du refus qui se met en place, rassemblant tous ceux qui pour des raisons diverses en veulent à la rigueur de Breton. A la pointe de ce combat parisien, un certain Georges Bataille que Tzara a croisé à plusieurs reprises [1]. Sur les conseils de Michel Leiris, ce bibliothécaire à la Nationale a rejoint le groupe surréaliste en 1924, mais est toujours resté un franc-tireur. Avec ses allures de séminariste viré dandy, Bataille préfère les dissidents au chef de file.

Au café Cyrano, il est impressionné par Breton et dans les brumes du Zelli's il trouve Aragon très séduisant, mais il préfère le libertinage bohème du petit groupe de la rue Blomet. Avec les Masson, Limbour, Desnos, il est déjà un « schismatique » en puissance.

Débauche, bordel, scatophilie, fascination de la mort, avec Bataille on s'éloigne de l'amour unique prôné par Breton. Son *Histoire de l'œil* publiée à 134 exemplaires jette un froid sur les banquettes de moleskine du Cyrano.

---

1. Michel Surya, *Georges Bataille, la mort à l'œuvre*, Paris, Séguier (1987). — Georges Bataille, *Œuvres complètes 1922-1940*, Paris, Gallimard (1987).

En 1929, c'est la rupture. Le surréalisme incarne cet idéalisme qu'il faut combattre par tous les moyens. L'homme de l'ombre se découvre. Sa revue *Documents* est conçue comme une machine de guerre anti-surréaliste destinée à attirer les dissidents. Il y cultive tous ses thèmes favoris dans des articles incendiaires, sans nommer Breton. Mais dans le *Second Manifeste*, ulcéré, ce dernier rejette sa « bestialité ».

Tzara n'a jamais été proche de Bataille, mais ils ont un ami commun : l'ancien dada Théodore Fraenkel. Revenu de tout et très éloigné de toutes les querelles de groupuscules, il est devenu médecin de quartier. Mis à part quelques poèmes, il n'a jamais rien publié mais a gardé des contacts avec tout le monde... Il croise Breton avec lequel il entretient toujours une correspondance et fréquente Tzara qu'il retrouve parfois du côté du promenoir du Casino de Paris ou au Moulin Rouge[1]. Souvent drôle et farceur dans ses lettres, c'est surtout un esprit libre et curieux. C'est par Michel Leiris qu'il rencontre Bataille.

Il ne déteste pas discuter avec celui que certains de ses amis traitent d'obsédé sexuel. En 1929, quand la guerre est déclarée, il sait que Bataille se prépare à assassiner Tzara dans un article destiné à *Documents*. « Figure humaine » est en effet une charge violente contre Dada, mais aussi une attaque personnelle : « Il est temps de constater que les plus criantes révoltes se sont trouvées récemment à la merci de propositions aussi superficielles que celles qui donnent l'absence de rapport comme un autre rapport. Dès 1921 lorsque Tzara reconnaissait que

---

1. Correspondance Théodore Fraenkel -Tristan Tzara, Bibliothèque Doucet.

l'absence de système est encore un système mais plus sympathique. (...) il ne reste plus aucune raison de ne pas revenir sur la lâcheté inutile exprimée par Tristan Tzara. Personne ne verra jamais, en effet, ce que le parti pris de s'opposer comme une brute à tout système peut avoir de systématique, à moins qu'il s'agisse d'un calembour... (...) Mais il n'y a pas ici, matière à plaisanterie et pour une fois, le calembour témoigne au fond d'une triste sénilité. On ne voit pas la différence entre l'humilité — la moindre humilité devant le système — c'est-à-dire devant l'idée et la cruauté de Dieu. Il semble d'ailleurs que cette lamentable phrase ait comme de juste littéralement étranglé Tzara, qui depuis lors, s'est montré inerte, en toutes circonstances[1]. »

Plus tard, loin des polémiques et des insultes, Bataille reviendra sur la poésie de Tzara. En fait, même s'il concède que ces textes ont une « réelle puissance d'expression », il remarque « qu'ils apparaissent étrangers et situés en dehors de la vie ». Cette fuite est un signe grave d'aveuglement pour Bataille qui prône l'inverse ; « le surréalisme ne peut avoir d'autre sens que de porter à leur extrême l'épuisement, le vide et le désespoir qui donnent son sens le plus profond à l'existence mentale des sociétés modernes. Il ne pourrait en aucun cas tenir la promesse qu'il a faite de procéder à une sortie hors de cette existence étant incapable de réaliser une liaison de la poésie avec la vie[2]. » A cette époque, nous sommes en 1933, Tzara est pleinement engagé dans le groupe surréaliste et ne peut que constater le fossé qui le sépare de Bataille. Poursui-

---

1. Georges Bataille, « Figures humaines », *Documents* nº 4, 1929.
2. Georges Bataille, « Breton, Tzara, Eluard », *La Critique sociale* nº 7, janvier 1933.

vant ses propres expériences, tout en gardant une
certaine distance avec les croyances au merveilleux
d'un Breton, il réfute ces critiques. Au Cyrano, on
est plus intransigeant... Bataille est jugé morbide !

« *Le lyrisme est le développement d'une protestation* [1] »

Loin des polémiques et des règlements de compte Tzara s'intéresse de près à la fabrication de *L'Homme approximatif.* Encouragé par Jean Cassou, le livre est publié par les Editions Fourcade. Un petit tirage à 500 exemplaires avec une dizaine d'exemplaires contenant une gravure originale de Paul Klee. Dans les milieux littéraires on attend avec impatience ce nouvel opuscule. En fait, sur les dix-neuf chants que comporte ce recueil, quatorze ont déjà été publiés dans différentes revues, de *La Revue européenne* à *La Révolution surréaliste* en passant par *Variété* ou *The Little Review.* Tzara a longtemps travaillé ces textes dans la plus grande solitude. De temps en temps il se rappelait aussi au bon souvenir de tous ceux qui le suivaient depuis longtemps. Mais n'y voyons là aucun plan de publication. *L'Homme approximatif* est avant tout un règlement de compte avec lui-même [2]. Cette longue introspection lyrique est le fruit de ce retrait volontaire du monde. C'est sans doute ce qui lui a permis de survivre pour mieux réapparaître au grand jour, un peu plus tard.

Cinq ans de réflexion pour aboutir à ce long

---

1. André Breton, Paul Eluard, « Notes sur la poésie ». — Paul Eluard, *Œuvres complètes*, Paris, Gallimard.
2. Tristan Tzara, *Œuvres complètes*, tome II, Paris, Flammarion.

fleuve rythmé par les mots. Rédigé dans la fièvre, rongé par l'angoisse de vivre, Tzara veut se raconter pour se sauver. Mais inutile de chercher des détails autobiographiques. L'œuvre est impersonnelle. On sait que les notations sur sa vie sont exceptionnelles chez Tzara et c'est tout juste si l'on note çà et là l'obsession des souvenirs. C'est à l'homme moderne qu'il s'intéresse et cette vision hallucinée d'un être perdu au milieu du cauchemar urbain rappelle certains éclats très noirs de l'Expressionnisme allemand [1].

« Je sens en moi contre le mur se jeter le désespoir de toute la ville. » A cette différence près que *L'Homme approximatif* n'a rien d'un chant désespéré. De la solitude et de l'angoisse c'est le feu qui surgit. A la fois destructeur et constructeur, c'est un souffle de révolte absolue. Avec le temps, Tzara n'a pas perdu sa capacité d'indignation. Il y a bien longtemps qu'il rêve de mettre le feu à la plaine, mais ses appels ne débouchent jamais sur la mort.

Pour ceux qui redécouvrent ces textes longtemps éparpillés c'est un hymne à l'espoir et à la liberté. Efficace et cohérent, Tzara livre ici l'une de ses plus belles réussites. Pour la première fois, il va jusqu'au bout de son entreprise. « Je me vide devant vous, poche retournée », écrit-il.

Travaillé par les tensions idéologiques de son époque, bousculé par ses amis proches ou lointains, il nous donne à la fois ses convictions et toutes ses contradictions. Echappant aux clichés faciles du poète maudit, et du combattant de nouveau prêt à penser révolutionnaire, il forge un instrument neuf d'expression et de connaissance. Emporté par cette

---

1. Serge Fauchereau, *Expressionnisme, dada surréalisme et autres ismes, op. cit.*

vague finalement très romantique, on songe à certains textes de Claudel ou d'Aragon.

Jean Cassou est le premier à réagir dans *Les Nouvelles littéraires*. Ce livre c'est son affaire, lui qui a suivi pendant de longs mois l'élaboration du texte[1]. D'emblée il justifie la démarche solitaire d'un Tzara à contre-courant des modes... « extraordinaire poème primitif, l'un des plus résolus, des plus complets témoignages de la poésie contemporaine. Il démontre qu'en poésie, il n'y a jamais d'impasses et que seules les positions extrêmes sont valables. En s'obstinant dans ce qui pouvait ne paraître qu'un acte de négation stérile, une explosion fatale, Tzara produit une œuvre positive, abondante, généreuse, passionnée. (...) Le domaine de l'esprit, c'est souvent d'un sol calciné que renaissent les forêts vierges[2] ».

Si *L'Action française* ne paraît pas convaincue[3], la très sérieuse revue *Le Mercure de France* salue l'avènement d'un vrai poète... « dont la philosophie attentive, assidue, profonde par endroits fouille en le plus intime de soi et en ressort exprimée par des suites pressées d'images fortes, suggestives, souvent neuves, presque toujours inquiètes, vivaces, tourmentées[4] ».

Côté surréaliste, c'est un autre fidèle de l'avenue Junot, Georges Hugnet, qui ne cache pas son émotion : dans cette « chanson perpétuelle », on trouve « la circulation de l'espoir et de la détresse, le cri d'amour et l'appel qui rénovent l'oubli »[5]. Aussi

---

1. Correspondance Jean Cocteau-Tristan Tzara, Bibliothèque Doucet.
2. Jean Cassou, « Poésie », *Les Nouvelles littéraires*, 9 mai 1931.
3. *L'Action française*, 18 juin 1931.
4. André Fontainas, « Les Poèmes », *Mercure de France*, 1ᵉʳ juillet 1931.
5. Georges Hugnet, *Orbes* n° 3 printemps 1932.

chaleureux que soient ces articles, les réactions restent très limitées. Qu'importe, avec ce texte, Tzara signe son vrai retour au sein d'un groupe. Il retrouve ce plaisir des débats et du travail en bande.

Il n'a d'ailleurs jamais caché ce goût pour l'aventure collective. Le surréalisme devient sa seconde famille, son refuge. On le voit souvent aux apéritifs du Cyrano et en quelques semaines la villa de l'avenue Junot devient le nouveau quartier général du groupe. Enthousiaste, Tzara ne compte plus. Généreux il paye les factures[1], échafaude des projets. Comme avant, on a l'impression de s'aimer et d'être inséparables. Le magnétisme de Breton y est pour quelque chose, mais chacun y met du sien et Tzara y croit. Mais curieusement, alors qu'il semble très loin de tout cela, Dada le rattrape encore et toujours.

---

1. Norbert Bandier, *Sociologie du surréalisme*, Paris, Ed. La Dispute (1999). — Georges Ribemont-Dessaignes, « Histoire de Dada », *Nouvelle Revue française*, 1ᵉʳ juillet 1931.

Le retour de Dada

C'est la publication d'une histoire de Dada par Georges Ribemont-Dessaignes dans une revue de référence, la *NRF*, qui ramène Dada sur le devant de la scène[1]. Outre quelques anecdotes qui virent parfois aux ragots, Ribemont donne sa vision très personnelle et très détachée de l'aventure. Franc-tireur et fier de l'être il joue à l'équilibriste en essayant de concilier une certaine objectivité et ses rancœurs.

Pour les surréalistes, il est un homme à abattre. On n'aime pas les électrons libres chez Breton, surtout quand celui-ci s'est disqualifié en participant au fameux « cadavre », une suite de textes injurieux destinés à abattre l'auteur du *Second Manifeste*[2]. Aragon, Eluard et Tzara exigent un droit de réponse ; aussitôt accepté par la rédaction de la revue. Et si les deux premiers s'en tiennent à réfuter quelques « âneries », Tzara lui enfonce le clou[3]. Visiblement touché, il dénonce la méthode utilisée par Ribemont : « Une attitude "jemenfichiste" dada, que l'auteur semble observer tout au long de son exposé, s'allie mal avec une besogne, prétendant, par moments, à un enchaînement logique des faits. »

1. Georges Ribemont-Dessaignes, « Histoire de Dada », *Nouvelle Revue française*, 1er juillet 1931.
2. *Tracts et déclarations surréalistes*, Paris, Losfeld (1980).
3. Louis Aragon, Paul Eluard, Tristan Tzara, « Notes et discussions », *Nouvelle Revue française*, 1er août 1931.

Refusant des critiques de détail, il dénonce « la légèreté et l'insouciance » de l'auteur qui aboutit à « détacher Dada des phénomènes sociaux ou même littéraires qui l'ont précédé et entouré ». Et il ajoute : « Je déclare formellement qu'une grande partie des exposés sont faux, incomplets, interprétés arbitrairement, insuffisamment documentés et envisagés uniquement d'un point de vue pittoresque, anecdotique, journalistique qui a toujours répugné à la plupart des personnes ayant pris part à Dada. »

Une telle polémique donne des envies à certains d'en découdre une fois de plus avec le fantôme de Dada. *L'Ami du peuple*, du parfumeur Coty, très porté sur l'ordre moral version Mussolini, en rajoute... « Le dadaïsme et la coco sont deux produits de la dernière guerre et le premier de ces toxiques n'est pas le moins nuisible[1]. » S'attardant sur les premiers pas de Dada à Zurich, le journaliste raconte ces soirées obscures où on pouvait observer le déchaînement d'un « conglomérat répugnant » pour conclure que Dada est bien « une agression contre l'esprit français puisqu'il s'agissait de libérer l'animal ». Dans *Le Figaro*, on n'a pas peur de l'infamie. Un certain Gilbert Charles y récupère le suicide récent de Jacques Rigaut. « Nous ne nous éloignons pas de Dada, écrit-il, et je voulais seulement montrer où conduisait une logique précisément mortelle. Car il est des poisons de l'esprit et tout le monde ne peut pas trouver d'antidotes[2]. »

Léon Pierre-Quint est très loin de ce marécage nauséabond. Pour la *Revue de France*, il revient assez longuement sur ces jeunes anarchistes qui rêvaient d'une ère de nihilisme intégral. Constatant

1. Branthome, « Dada », *L'Ami du peuple*, 4 juin 1931.
2. Gilbert Charles, « La logique de Dada », *Le Figaro*, 8 juin 1931.

que tout ce remue-ménage a porté un coup terrible à la littérature de second ordre, il remarque en bon connaisseur du petit monde des lettres qu'il « s'est créé un abîme, désormais impossible à combler, entre le petit groupe des écrivains qui cherchent à la limite même des possibilités humaines, à atteindre en profondeur le réel, but de tout art, et d'autre part les écrivains qui travaillent à distraire le public[1] ».

Voilà de quoi satisfaire Tzara... Mais c'est sans doute un court article de Pierre de Massot qui réussit à l'émouvoir. Loin des analyses documentées « Pèlerinage aux lieux fantômes[2] » est une petite promenade à travers quelques endroits qui marquèrent les années folles. Tout était possible et les nuits étaient souvent blanches. C'était le temps de la bande des copains du Certa, des amitiés particulières avec Picabia ou Radiguet. Aucune nostalgie dans cette évocation, juste le regret que tout cela soit si loin. Revenant une nuit au music-hall de l'Alhambra pour écouter du jazz, de Massot note : « Je ne puis oublier les soirs où nous vînmes en troupe : Rigaut, Picabia, Duchamp, Cocteau, Radiguet, Morand et Tzara. » Puis découvrant avec tristesse que L'Olympia a été transformé en cinéma il poursuit, « que de fois nous y sommes allés le vendredi (jour du changement de programme). Nous y rencontrions tel ou tel de nos amis... Auric, Picasso, Fargue, Picabia et Tzara. »

Alors que l'été arrive, Paris semble avoir bien changé. Tzara passe quelques semaines en Corse, du côté de Calvi. Georges Hugnet, qui vient de fêter ses 25 ans, le constate amèrement : « Dernières nou-

---

1. Léon Pierre-Quint, « Lectures », *Revue de France*, 15 octobre 1931.
2. Pierre de Massot, *L'Intransigeant*, octobre 1931.

velles de ce Paris où il ne se passe jamais rien, sinon dans et chez soi[1]. » Et d'énumérer quelques projets d'articles sur Bérard, Miró ou « la fripouille Cocteau ». Mais surtout Hugnet vient de commencer ses recherches pour une série de papiers consacrés à l'aventure Dada, à paraître dans *Les Cahiers d'art*. Hugnet a toutes les qualités pour faire quelque chose de sérieux. Avec Limbour ou Crevel, il faisait partie de cette petite bande de gamins qui suivaient avec passion le tohu-bohu orchestré par les aînés. Il n'a jamais participé aux affrontements internes et a un réel talent d'essayiste. Tzara accepte bien volontiers de l'aider en lui ouvrant ses archives et en relisant ses premières notes... « Ayez la gentillesse, demande Hugnet, de prendre quelques notes sur la période Berlin, Hanovre et Cologne et surtout Berlin. Manifestations, anecdotes, noms, etc. J'ai demandé le même service à Arp. Je prends avec moi mes notes et j'y ajouterai tout ce que vous me signalez. Merci pour l'aide que vous m'apportez. » Un retour serein sur Dada est bien nécessaire, mais pour l'heure le surréalisme reste à l'ordre du jour.

---

1. Correspondance Georges Hugnet-Tristan Tzara, Bibliothèque Doucet.

Effervescence surréaliste

La Révolution, le parti communiste, l'URSS, autant de sujets qui enflamment les apéritifs du Cyrano[1]. Le ton monte, et Breton qui tente de concilier les points de vue en véritable chef de bande monte au créneau. Alors que Maïakovski vient de se suicider, il dénonce ceux qui ne le trouvent « pas assez prolétarien ». Il s'emporte contre ceux qui voient dans le suicide la preuve qu'il n'était pas vraiment acquis au socialisme. L'Humanité est de ceux-là, et Breton le remet vertement à sa place. Aragon est évidemment plus vindicatif, il casse la figure à un journaliste des Nouvelles littéraires qui avait calomnié Maïakovski et se met à injurier Barbusse qui dans sa revue Monde accorde une place importante à... Claudel.

Dans un réquisitoire à la Saint-Just, Aragon cloue au pilori ces intellectuels « Communisants » qui « essaient d'acclimater pour le plus grand bien de la culture ouvrière, les valeurs bourgeoises, les célébrités incontestables, dans l'atmosphère de la Révolution qui s'en tamponne ». En procureur bolchevique, Aragon fait merveille et en ravit plus d'un le soir place Blanche[2]. Mais tout le monde semble

---

1. Maurice Nadeau, Histoire du surréalisme, op. cit. — Serge Fauchereau, Expressionnisme, dada, surréalisme et autres ismes, op. cit. — Norbet Bandier, Sociologie du surréalisme, op. cit.
2. Pierre Daix, Louis Aragon, Paris, Flammarion (1994).

d'accord, les camarades du Parti doivent reconnaître les surréalistes et cesser de passer des compromis douteux. *Le Surréalisme au service de la révolution* entend bien mériter son titre ! En tête du premier numéro on peut lire cet échange de télégrammes : « Bureau international révolutionnaire prie répondre question suivante laquelle sera votre position si impérialisme déclare guerre aux soviets. » Aragon et Breton répondent : « Camarades, si impérialisme déclare guerre aux soviets notre position sera conformément aux directives Troisième Internationale, positions membres du Parti communiste français. »

Dans cette affaire, André Thirion[1], qui à cette époque milite en tant que membre du parti communiste chez les surréalistes, confirme que Tzara est bien sur les positions de Breton et Aragon. Il a même tendance à en rajouter dans l'orthodoxie et la rigueur révolutionnaires...

Comme beaucoup d'autres il croit à la thèse de Staline. Partie des Etats-Unis, la crise économique gagne l'ensemble du monde capitaliste. Le système court à sa perte. Il faut donc s'attendre à des luttes ouvrières qui pourraient déboucher sur des révolutions et surtout se préparer à la guerre. L'URSS, l'ennemie numéro 1, est donc menacée. Les masses doivent se préparer ! Le raisonnement du Komintern confine à la paranoïa et le petit Parti communiste français a du mal à suivre. Confronté à une véritable hémorragie de militants et à des résultats électoraux calamiteux, le Parti s'enfonce dans un délire ultragauchiste. Profitant de cette déroute, le jeune Maurice Thorez élimine le groupe de Barbé Celor. Les surréalistes sont loin de ces subtilités. Ce qui les

---

1. Entretien avec André Thirion.

séduit c'est ce parti d'action, intransigeant, menant pied à pied une véritable guerre à la société capitaliste, avec comités centraux clandestins, grèves dures et batailles de rue. Avec Crevel, Tzara est convaincu que l'heure n'est plus aux états d'âme [1]. La révolution approche et dans ce combat décisif resteront face à face l'URSS, ses partisans et les tenants du monde capitaliste. Qu'on ne s'y trompe pas, dans leur esprit peu de slogans et de grands mots, simplement le sentiment que des millions d'hommes et de femmes ne vivent pas comme ils le devraient et qu'il faut faire quelque chose.

Dans ce contexte, la terreur imposée par Staline est perçue comme une nécessité pour défendre les acquis de la révolution d'Octobre. Vues de Paris les mises en garde répétées des trotskistes sont risibles face aux combats qui s'annoncent. Dans ses lettres, Crevel, le confident, toujours isolé par la maladie, ne manque pas de rappeler à son ami qu'il faut vivre pour mieux haïr [2]. Tzara retrouve ainsi certains accents de sa jeunesse zurichoise. Mais les années ont passé et l'anarchisme verbal n'est plus de mise. Aussi quand Aragon et Sadoul annoncent leur intention de partir en URSS pour participer au Congrès des écrivains qui s'ouvre à Kharkov, le 6 novembre 1930, Tzara suit l'affaire de très près.

Comme Breton, il analyse cette invitation comme une première reconnaissance du groupe surréaliste. On connaît la suite. Le pistolet sur la tempe les deux néophytes se font piéger par les soviétiques. Ils approuvent la littérature prolétarienne, font leur autocritique et dénoncent Freud et Trotski...

---

1. François Buot, *René Crevel*, *op. cit.*
2. Correspondance René Crevel-Tristan Tzara, Bibliothèque Doucet. — François Buot, *ibid.*

Se mettre au service de la révolution est une chose, trahir ouvertement le surréalisme en est une autre ! Breton est effondré par un tel revirement. Honteux Aragon tarde à venir s'expliquer au Cyrano. Tzara prône l'indulgence. Avec tact, pour ne pas froisser Breton, il fait valoir que le combat politique doit rester la priorité, sans abandonner les recherches surréalistes.

Au milieu de la tempête, il joue les Monsieur Bons-Offices. Aragon est pour une fois très clair sur ce point : « Et l'enthousiasme fit que Tzara reprit parmi nous une place qui lui donne même en 1930-31, une sorte de rôle d'arbitre, quand on se réunissait avenue Junot, dans la maison construite en 1926 par l'architecte Adolphe Loos, à partir, me semble-t-il, de 1929, et notamment après le Congrès de Kharkov en 1931-32. Que Tzara se soit au printemps 32, solidarisé, après le Congrès, avec André lorsque s'est produite la rupture entre nous deux, je le comprends fort bien[1]. » On n'est pas obligé de suivre Aragon jusqu'au bout, mais une chose est sûre, Tzara garde sa liberté de parole et son indépendance tout en continuant à soutenir Breton. C'est dans cette atmosphère tendue qu'il décide de rendre publique sa contribution au service de la révolution[2].

---

1. Louis Aragon, « L'Aventure terrestre de Tristan Tzara », *Lettres françaises* n° 1010, 2 janvier 1964.
2. Tristan Tzara, « Essai sur la situation de la poésie », SASDRL n° 4, décembre 1931.

Situation de la poésie

Le texte de Tzara fait écho à celui d'Aragon publié dans le précédent numéro de la revue. Celui-ci martelait qu'il est impossible de considérer le devenir du surréalisme indépendamment de celui du matérialisme dialectique, et il est également impossible de considérer le devenir des surréalistes en dehors de celui du prolétariat[1].

Tzara ne dit pas autre chose et souligne que « toute création de l'esprit, en tant qu'impression de cet esprit, ne saurait se dérober à l'idéologie régnante résultant elle-même de la lutte des classes ».

Toujours préoccupé par la cohérence de son aventure personnelle, il fait écho aux idées de Dada : « Je n'ai jamais été capable d'accorder aux faits qui se sont produits et aux œuvres que j'aime, une autre importance que celle qui, sur un plan où ils pouvaient se maintenir comme signe, comme témoin, comme jalon, dans une transformation continuelle, n'était mesurable qu'à l'échelle de son devenir. »

Dans cet article, Tzara ébauche une théorie qu'il reprendra à plusieurs reprises : « Dénonçons au plus vite un malentendu qui prétendait classer la poésie sous la rubrique moyen d'expression. La poésie qui

---

1. Louis Aragon, « Le Surréalisme et le devenir révolutionnaire », SASDLR n° 3, décembre 1931.

ne se distingue des romans que par sa forme extérieure, la poésie qui exprime soit des idées, soit des
sentiments n'intéresse plus personne. Je lui oppose
la poésie "activité de l'esprit". » Tzara voit naître
cette poésie-là dans le roman noir et le romantisme
et se prolonger par Nerval, Baudelaire, Lautréamont, Mallarmé, Cros, Apollinaire[1]. Et c'est bien de
ceux-là que les surréalistes « peuvent fièrement se
recommander ».

En reprenant une expression de C.G. Jung, Tzara
prône une poésie en opposition radicale au penser
dit « dirigé ». « La poésie, précise-t-il, ne pourra
donc devenir uniquement une activité de l'esprit
qu'en se dégageant du langage et de sa forme. » Et
là, le travail de sape des dadas s'avère capital. Il
revient longuement sur ce travail de dynamitage
qu'il a orchestré avec quelques autres depuis le
Cabaret Voltaire : « A travers toute cette activité
tentaculaire, et dispersée que fut Dada (...) la poésie
se voit harcelée, insultée et méprisée. Une certaine
poésie, entendons-nous bien, la poésie-art, la beauté
statique. » Et Tzara d'enrôler sous sa bannière Aragon qui publie l'alphabet en forme de poème dans
Cannibale, Breton qui retranscrit un extrait de l'an-
nuaire téléphonique sous le titre *PSST*. Sans oublier
sa fameuse recette pour fabriquer un poème dadaïste
(les mots sortis au hasard d'un chapeau).

Après avoir fait table rase, il a fallu reconstruire
autre chose, « ce n'est que plus tard, d'une façon
suivie, qu'on commence à placer l'un à côté de
l'autre des mots n'ayant apparemment aucun sens.
Dénués le plus souvent du lien grammatical (style

---

1. Serge Fauchereau, *Expressionnisme, surréalisme et autres ismes*,
op. cit. — Maryse Vassevière, « Breton, Tzara et Aragon, les trois
camarades », *Mélusine* n° 17 (1997). — Paris, L'Age d'Homme.

elliptique), il était naturel qu'une tendance génerale se dessinât sous la forme d'une lutte organisée contre la logique ». Se servir des mots uniquement pour leur force évocatrice, inventer un nouveau langage, travailler sur le son et pratiquer le collage, Tzara récapitule toutes les nouvelles voies de son art poétique. Iconoclaste, cette pensée nouvelle s'oppose par principe à la logique terre à terre de la bourgeoisie, et pour Tzara si proche du parti communiste, il ne fait pas de doute que la société future donnera sa place à ce langage non dirigé... D'ailleurs, toutes ces activités s'opposent radicalement à l'esthétisme bourgeois et permettent au surréalisme d'être sans équivoque au service de la révolution. On le voit, Tzara réussit avec brio son examen de passage.

En quelques mois, il s'est imposé comme l'un des membres les plus actifs du groupe surréaliste. Face à Aragon qui semble sombrer dans la confusion, le voici désormais théoricien incontournable de la nouvelle révolution surréaliste aux côtés de Breton. Habilement il réussit à réévaluer Dada et par là même son action personnelle dans le long cheminement qui mène au surréalisme. Ce numéro d'équilibriste en éblouit plus d'un. Ses thèses sont d'ailleurs acceptées sans broncher par le groupe tout entier. Breton admet que dans les combats qui se profilent il devra compter avec lui.

Dans la *NRF*, c'est Roland de Renneville, un ex du *Grand Jeu*, qui fait part de sa stupéfaction devant l'article de Tzara[1]. Pour lui, pas question d'accepter cette coupure entre la poésie et le réel. « Cela conduit, explique-t-il, à ne voir d'autre fin à la poésie que celui d'organiser le loisir des ouvriers dans

---

1. Roland de Renneville, « Correspondance sur Tzara et autres sujets », *NRF*, 1er juillet 1932.

la société future. » La poésie n'est pas un simple
délassement mais au contraire « l'ascèse de la pensée
tendue vers le réel ».

Renneville reste isolé et ne trouve aucun relais au
sein du groupe. Et Thirion de confirmer que l'ascendant de Tzara n'a jamais été aussi fort[1]. Il est de
toutes les réunions et il n'est pas rare de le voir partir
avec Crevel. De temps en temps ils finissent la nuit
chez Emilio Terry ou Tony Gandarillas, les copains
milliardaires de Crevel... Ils retrouvent souvent ce
jeune peintre catalan qui a déjà fait sensation à la
terrasse du Cyrano : Salvador Dali. Tzara n'est pas
toujours convaincu par ses explorations de l'inconscient et des rêves, mais lui reconnaît un certain
talent[2]. Dans la lignée d'un Picabia grande époque,
il sait mieux que tout autre orchestrer sa propre promotion en multipliant les frasques et les propos vengeurs. Crevel, fasciné, le suit de très près et prépare
même un livre sur son travail. Son amitié, ancienne,
avec Gala qui est devenue la compagne de Dali, lui
permet d'avoir ses entrées à Cadaquès, l'atelier du
peintre.

Crevel ne manque pas de faire parvenir un exemplaire à Tzara avec cette dédicace en forme de clin
d'œil :

« A Tristan
en souvenir du cœur à Barbe usse.
Amicalement. »

Et quand il écrit, en 1933, un complément à cette

---

1. Entretien avec André Thirion.
2. Meryle Secrest, *Salvador Dali l'extravagant surréaliste*, Paris,
Hachette (1988). L'auteur cite longuement le témoignage d'André
Thirion qui précise qu'en 1929, quand Dali débarque à Paris, il a
comme interlocuteur Miró et Tzara. Une rencontre visiblement décevante et sans suite. — Entretien avec André Thirion.

première étude, le manuscrit autographe est pour son ami avec ce joli envoi :

« A Tristan Tzara pour la bibliothèque de l'avenue Junot, ces feuilles tombées des arbres du boulevard de l'amitié.

RENÉ[1] ».

Enfin, sur cette butte Montmartre, que Tzara connaît maintenant comme personne, c'est surtout Eluard qu'il aime retrouver. Son adhésion au surréalisme a permis à Tzara de revoir ce complice des années folles. Avec lui, il mesure vraiment le temps qui passe. Ces garçons qui voulaient secouer le vieux monde ont un peu changé. Ils ont franchi le cap de la trentaine. Eluard est un véritable ami, mais toujours lointain, insaisissable. Cependant avec lui, il ne faut jamais se fier aux apparences. Désabusé, il vient pourtant d'écrire avec Breton un livre expérimental, déroutant et inclassable : *L'Immaculée Conception*. Dans l'atelier de Breton, ils ont simulé des états démentiels. Le résultat est étonnant. Très amoureux en public d'une jeune femme qu'il a rencontrée par hasard, Nush, il reste néanmoins très attaché à Gala, partie vers d'autres horizons. Pétri de contradictions, assailli par les problèmes d'argent, Eluard traîne sa nonchalance du côté du cimetière Montmartre. Avec Tzara, il partage une vraie passion ravageuse pour les éditions originales. Ensemble ils font le tour des librairies et des collectionneurs. En quelques années ils se sont constitué des bibliothèques et des archives de référence. Leur connaissance des tirages de tête et des plaquettes introuvables est illimitée...

---

1. Catalogue de la vente Tzara, Drouot, mars 1989.

Un soir, Eluard lui raconte l'histoire de Joë Bousquet cloué au lit dans sa chambre de Carcassonne par une blessure de guerre. Fin connaisseur du monde des lettres et écrivain lui-même, il entretient une correspondance avec Eluard. Aussitôt Tzara lui fait parvenir un exemplaire de *L'Homme approximatif*.

A la réception, Bousquet envoie une première lettre de remerciement pour aussitôt avouer, « depuis très longtemps je lis tout ce que vous écrivez. Je vous vois avec un égal bonheur suivre une route où contre toute évidence vous êtes seul. Je récite vos poèmes. Ce n'est pas parce que cette œuvre donne des couleurs au monde moderne qu'on peut la caractériser. Et puisque j'aurai trop vécu d'elle pour devoir me permettre de la juger, je me contenterai de l'aimer profondément[1] ». En retour, Tzara lui envoie un courrier. Bousquet semble très touché par ce geste. Il lui écrit aussitôt : « Je me sens fort satisfait, cher Monsieur, d'exister à vos yeux quand mes plus vieux cahiers de notes fourmillent de citations étonnantes que j'avais empruntées à vos écrits d'il y a dix ans ; donnés, je crois aux *Feuilles libres*. Et parce que mon admiration pour vous a ses racines dans la jeunesse que je sens à travers votre signature et votre hommage. »

Avec Bousquet, la littérature est bien ce qui sauve du désastre. Avec Eluard, c'est un sujet qui revient souvent dans la conversation. Et si la vie était le moment de toutes les déceptions ?

---

1. Correspondance Joë Bousquet-Tristan Tzara, Bibliothèque Doucet.

L'amour perdu

Beaucoup l'ont constaté, Tzara est souvent seul depuis plusieurs mois. Pire, il multiplie les rendez-vous de travail et les réunions interminables comme pour s'oublier lui-même. Son histoire d'amour avec Greta s'est abîmée avec le temps. Elle est loin la magie des rendez-vous à La Cigale. Loin aussi, cette image d'un couple heureux voulant s'isoler du monde pour voyager et vivre son amour. Tout s'est détérioré dans la routine de la vie quotidienne, et pour Tzara cela confirme encore et toujours son incapacité à avoir une histoire d'amour qui dure. Cette fatalité de l'échec, il en est persuadé, lui colle à la peau. Mais cette fois-ci, il ne va pas se réfugier dans les paillettes et les bulles de champagne des boîtes de nuit. D'ailleurs Paris s'est bien assagi. Reste l'écriture et de longs moments de solitude loin de la capitale. Dans les lettres qu'elle lui envoie, Greta constate simplement cette volonté d'éloignement : « Loup, mon loup petit. Je ne sais pas si le loup va être seulement, seulement mécontent d'avoir une lettre du croc, car je ne sais pas quelle est sa disposition d'esprit. Loup est-il uniquement préoccupé par ses projets ? Besoin de personne ? Greta reste attachée à son "loup" [1]. »

---

1. Correspondance Greta Knutson-Tristan Tzara, Bibliothèque Doucet.

Ses lettres sont des appels sans illusion pour qu'il revienne... « Donc je sais que le mieux est de se taire. Surtout que l'intérêt vrai du loup se porte bien ailleurs et loin non seulement des emmerdements mais encore de nous ici, voir du croc. Mais je voudrais encore plus qu'il soit ici et voilà ce qui est terrible. » Tzara a simplement laissé une adresse en poste restante à Toulon. Greta est en Bourgogne avec Christophe, du côté de Vézelay. En dessinant un cœur, elle écrit : « Nous t'attendons. Dis où tu es. »

Pour Tzara, la rupture semble définitive. 1932 s'annonce bien comme une année difficile. Renouant avec la dépression, il ne donne plus signe de vie pendant de longues semaines.

Avenue Junot, l'atmosphère est lourde. Alice Halicka, la compagne de Marcoussis, est souvent témoin de ces moments de tension : « Malgré son hôtel particulier, raconte-t-elle, sa jeune femme, leur petit garçon délicieux — Christophe — on avait l'impression que Tzara s'ennuyait désespérément et regrettait ses années de vie de bohème. Greta sa femme, peintre et poète elle-même, était d'une sensibilité extrême. Le moindre événement insignifiant, un potage servi trop froid, un rideau rendu brûlé par la blanchisseuse prenait des proportions d'un sombre drame de Strindberg ou d'Ibsen. Une atmosphère de tragédie nordique pesait sur la maison[1]. »

Au détour d'une nouvelle, écrite bien plus tard, Greta décrit elle-même l'émerveillement des premiers moments d'une rencontre amoureuse et ce lent retour à la solitude : « Tout ce qu'une fille peintre peut apprendre dans l'arrivisme impitoyable d'une grande ville étrangère — tout excepté la peinture —, je l'avais appris dans les cafés enfumés avec leurs

---

1. Alice Halicka, *Hier (souvenirs)*, *op. cit.*

philtres magiques et leur musique endiablée. Combien de fois n'y ai-je pas rencontré l'amour éternel, immense ? (...) Cette existence continua jusqu'au dégoût complet. En moi ne restait frais et sain que la faim aveugle du silence qui m'attendait dans mon paysage natal[1]... »

Pour oublier, Tzara se réfugie parfois dans les bras d'une demi-mondaine. Témoins ces lettres de Caridad de Laberdesque retrouvées par hasard, en mars 1931 ; elle lui laisse un court message : « Puisque je t'aime beaucoup, à très bientôt. Peux-tu ? Je compte sur toi ♥ C. » Quelques semaines plus tard elle lui écrit de Dieppe : « Il fait bien beau où je suis et cela te dit assez combien je suis heureuse. Je dors dans une chambre magnifique sur la mer et je mange de très bonnes choses. J'aimerais bien avoir malgré tout un bon et charmant ami comme toi près de moi. L'amant qui dort à mes côtés fait de son mieux pour me faire oublier ceux qu'ailleurs j'aime ♥ C[2]. »

Mais tout cela ne dure qu'un printemps.

Comme toujours, Tzara cherche un refuge dans son travail d'écriture. Souvent enfermé dans son grand bureau, entouré de ses livres et de ses fétiches africains, il se livre à ce long effort d'introspection qui le sauve d'un désastre annoncé.

---

1. Greta Knutson, *Lunaires*, Paris, Flammarion.
2. Correspondance Caridad de Laberdesque, Bibliothèque Doucet.

Entre poésie et pourritures

Où boivent les loups paraît en cette année 1932 aux Editions des Cahiers libres. Les dix exemplaires sur Japon comportent une eau-forte signée par un vieux complice de Tzara : Max Ernst. Les poèmes ont tous été écrits entre 1930 et 1932. Ils sont donc contemporains de son essai. De la théorie il passe ici à la pratique de cette poésie « activité de l'esprit » qu'il appelle de ses vœux. Ce sont des textes sans message apparent. L'ensemble est touffu, parfois difficilement abordable. Quelques critiques se risquent toutefois à commenter l'ouvrage. Jean Cassou est l'un des premiers pour *Les Nouvelles littéraires*. « Chez Tzara, explique-t-il, le désordre de la pensée, la lutte contre le mécanisme du langage, l'effort de libération et d'explosion, l'imprévu des jeux de mots et des rencontres atteignent au plus vif degré de la surprise et de la violence. » Constatant cette profusion d'images sidérantes et la richesse composite du vocabulaire, Cassou trouve que Tzara est « un poète cosmique et épique ». Même constatation à l'autre bout du monde. Un journaliste chilien féru de littérature française note dans *El Mercurio* : « Tzara est un poète de haut vol, son style tumultueux, son imagination délirante, la poésie volcanique de sa pensée heurtent violemment les traditions de mesure et de modération du langage français. »
Retour à Paris où les fameux treize se hasardent,

eux aussi, à une critique du livre pour *L'Intransigeant*. Pas facile de rentrer dans cet univers poétique. « Un monde à part, écrivent-ils, une forêt tropicale d'une richesse et d'une épaisseur inouïes où l'on doit pénétrer avec une hache à la main pour écarter les mots qui s'enchaînent et se referment sur vous. Mais une fois dans l'ambiance, quel merveilleux déroulement d'une pensée où se bousculent les visions, les feux d'artifice et l'angoisse d'un sens cosmique surhumain. Quel éblouissement, quelle scintillation ! »

Tzara n'est pas mécontent de son effet de surprise. Seul, mais profondément original, il s'affirme plus que jamais comme un poète épris de tout l'univers et des hommes qui l'affrontent. Entre panique et féerie il continue à faire participer ses lecteurs à une aventure qui dépasse de loin sa personne. Confronté à ses angoisses, il marque avec brio son indépendance au sein du groupe surréaliste. Solitaire et solidaire à la fois, il trace son chemin en toute liberté.

Sur l'exemplaire de Breton, il glisse cet envoi tout en nuance.

« A André Breton,
Tout au long d'une vie et d'une mort corrigées
Sans égard pour les écuries des sommeils
Sans solitude dans l'instable souffle des insectes
Dans la raréfaction des contrastes où boivent les loups
En signe de complicité linéaire et d'amitié. »

Au milieu de l'activité débordante du groupe, il fait preuve d'une certaine réserve. Il prend bien garde de ne pas signer tous les appels collectifs. La protestation indignée contre l'exposition coloniale se fait par exemple sans lui. Mais quand l'extrême droite bien-pensante saccage le Studio 28 pour protester contre la projection de *L'Age d'or*, le film de Dali et Buñuel, il organise la riposte.

En avril 1931, il est présent au café Batifol des Grands Boulevards pour régler son compte au *Journal des Poètes*. Cette revue bruxelloise est depuis longtemps la risée du groupe. Dans la bonne tradition dada, on rédige une lettre d'injures largement diffusée dans la presse. Chacun y va de sa formule. Eluard précise : « *Le Journal des Poètes*, je me suis justement torché avec ce matin. Excellent ! » Breton se surpasse : « Les collaborateurs belges du *Journal des Poètes* se la font sucer tous les jours par la princesse belge Maréchaussée. » Tzara s'en tient à un lapidaire : « *Le Journal des Poètes* et des pourritures. »

Quelques mois plus tard, *le Journal des Poètes* revient à la charge. Jacques Henry Levesque y consacre un article fort élogieux pour Tzara. Mais celui-ci s'ouvre sur une suite de citations du *Manifeste Dada 1918*. Le but paraît clair : il s'agit de montrer tout ce qui oppose Tzara au surréalisme en général et à Breton en particulier. La manœuvre est habile. Tzara se montre sensible à cette opposition pourtant discrètement marquée. Il est vrai que son statut particulier qui, d'ancien adversaire le transforme en militant important au sein du mouvement, le pousse à donner des preuves de son orthodoxie nouvelle et des preuves d'autant plus probantes qu'intimement il se sait toujours tributaire de Dada.

Sa réponse, parfois confuse, réaffirme son adhésion au surréalisme : « Je tenais à déclarer que mon adhésion au surréalisme étant totale et tous ses buts étant les miens, c'est au moins faire preuve de déplorable aveuglement que d'appliquer sous des prétextes qui cachent mal un désir de me désolidariser de mes amis, mes idées de 1916-1922, à une situa-

Samuel Rosenstock et sa
sœur Lucie, vers 1910.
collection privée

Trois générations de
Rosenstock, juillet 1912.
collection privée

Samuel au moment de quitter
la Roumanie (1914).
collection privée

Hans Arp, Tristan Tzara, Max Ernst.
Autriche, 1921.
collection privée

Cabaret Voltaire,
par Marcel Janco.
collection privée © ADAGP,
Paris 2002

Dada à Paris. René Crevel, Tristan Tzara et Jacques Baron (1922), par Man Ray.
© *Man Ray Trust-ADAGP, Paris 2002*

Marcel Duchamp, Brancusi et Tristan Tzara (1924). La photo est prise par Man Ray
qui a juste le temps de poser sur le côté.
© *Man Ray Trust-ADAGP, Paris 2002*

Au temps du surréalisme.
Georgette, Greta, René Char
et Tristan Tzara.
collection privée

L'amour avec Greta.
collection privée

Tristan et Greta sur le toit du
15 avenue Junot.
collection privée

Tristan à la plage en Bretagne.
© *MNAM*

Christophe, Greta et Tristan :
 ne famille dans l'entre-deux-guerres.
collection privée

Le bureau
de l'avenue
Junot (vers
1930).
*collection
privée*

Congrès international des écrivains (Paris, 1935). Au bureau de gauche à droite : Barbusse, Tobridgi, Madeleine Paz, Nizan, Malraux, Gide. Au second plan : Vaillant-Couturier. Assis à gauche sur l'estrade : Tzara. © *Roger-Viollet*

Les années 50 à Saint-Germain-des-Prés.
Fernand Léger, une amie, Tristan Tzara, Pierre Seghers, Claude Roy, aux Deux-Magots.
Photo Tony Ciotowski

Duel à la Sorbonne. Breton face à Tzara (17 mars 1947).
collection privée

Tristan Tzara au milieu de ses livres,
rue de Lille.
collection privée

Dernière photo, rue de Lille.
collection privée

tion acquise par une évolution sur laquelle je me suis maintes fois expliqué et qui, au point actuel, est définie par mon active collaboration avec les surréalistes et mon amitié pour eux. »

L'affaire n'en reste pas là puisque, en janvier 1933, la feuille bruxelloise publie un article anonyme — vraisemblablement dû à son directeur — intitulé : « M. Tzara écrit l'histoire ou défense d'avouer ». Le temps des précautions de style est terminé. Place aux propos orduriers « ... d'autres, hélas, bien avant Monsieur Tzara, ont montré qu'on peut avoir quelque génie par intermittence et par ailleurs, faire figure de pauvre type. Mais cette petite crise surréaliste nous donne l'occasion de démasquer une fois de plus l'hypocrisie de gens qui ne font si haut profession de pureté, que pour mieux se conduire en petits littérateurs (...) Vous veniez tout justement de rentrer dans l'église surréaliste. Vous aviez l'air de quelqu'un qui vient de reprendre un vieux froc encore tout vert d'avoir traîné dans les orties et vous aviez bien peur de ces foudres papales dont Monsieur Breton vous menaçait... (...) Nous trouvâmes, alors bien élastiques votre manière de comprendre la discipline, la fidélité à vos amis. Vous l'avouerons-nous à notre plus grande honte ? Elle nous parut même un rien canaille. »

Tzara ne répond pas directement à ce flot d'insultes. C'est *Le Surréalisme au service de la révolution* qui s'en charge en publiant, dans son numéro 6, une lettre de lecteurs du *Journal des Poètes* indignés par « la bassesse, l'imbécillité et l'indignité ».

Mais cette polémique semble peu de chose comparée à « l'affaire Aragon » qui va secouer le groupe surréaliste pendant plusieurs mois.

La tentation révolutionnaire

Tzara n'a jamais été un proche d'Aragon. Il se méfie de ses foucades et de ses excès. A plusieurs reprises, il l'a regardé s'empêtrer dans ses contradictions.

Un jour anarchiste virulent, l'insulte à la bouche, le lendemain bolchevique convaincu, l'homme est insaisissable. Pour Tzara, ce goût de la surenchère permanente n'est plus de mise. L'époque n'est plus la même et l'heure serait plutôt à la réflexion pour tenter de concilier surréalisme et matérialisme dialectique. Jeune chien fou qui se cherche, Aragon lance son ultime provocation en publiant *Front rouge*. L'outrance sert de moteur au poème où on retrouve pêle-mêle un éloge de l'armée rouge, de la patrie du socialisme, une dénonciation du colonialisme et le fameux appel pour faire « feu sur les ours savants de la social-démocratie ».

Si le poème paraît dans *Littérature de la Révolution mondiale*, une revue moscovite, *L'Humanité* reste sourde à la démesure aragonienne... La police, elle, saisit le numéro et inculpe l'auteur d'« incitation au meurtre ». Breton convoque une réunion plénière au Cyrano et rédige aussitôt un tract. André Thirion se souvient des réticences de Tzara pour afficher une solidarité sans faille. Pour lui Aragon va trop loin et son texte est inacceptable. Il ne signera pas l'appel proposé par Breton. Le débat qui s'engage a son mot à dire. Mais c'est Breton qui gagne la partie en imposant son texte. Ramenant le poème du plan politique à celui de l'écriture, il s'en tient aux poursuites et les dénonce, tout en prenant garde de ne pas froisser les susceptibilités du parti.

Tzara maintient son refus de signer, mais accepte de soutenir un appel qui dénonce juste l'inculpation d'Aragon. Consensuel, le texte très court reçoit le soutien de plus de 300 signataires, dont beaucoup sont très éloignés des rivages surréalistes.

Alors que Tzara se fait discret, Breton revient très longuement sur l'affaire Aragon dans « Misère de la poésie ». Ce texte a le mérite de la clarté et laisse éclater au grand jour le malentendu qui couve depuis longtemps entre Aragon et Breton.

Si l'auteur de *Front rouge* veut explorer le monde extérieur à l'aide de moyens conçus pour la saisie de l'aventure intérieure, c'est son affaire. Pour Breton, cette aventure ne fait que commencer. L'exploration surréaliste doit continuer en toute liberté. Pas question de se retrouver sous le contrôle du Parti !

Et comme pour mieux illustrer cette volonté d'indépendance, le SASDLR publie au même moment un texte sans aucune censure de Salvador Dali, *Rêverie*, dont l'héroïne est une petite fille de onze ans, Dulita. Pour les instances dirigeantes du Parti, la coupe est pleine et pour Aragon c'est l'heure du choix. « Il est sommé de s'expliquer devant une commission de contrôle politique... » Le surréalisme est accusé d'inciter à la pornographie et à la débauche ! Hésitant et sans doute mal à l'aise, Aragon choisit le Parti. La rupture, longtemps évitée, survient au bout du compte à propos de ce que Breton a ainsi formulé dans sa brochure : « La poésie (...) se voit ainsi sommée en notre personne de ne plus puiser dans le domaine où ces collisions (de la vie

humaine) se montrent de beaucoup les plus riches,
je veux dire le domaine sexuel (...). Ce sera, j'espère,
un jour, l'honneur des surréalistes d'avoir enfreint
une interdiction de cet ordre, d'esprit si remarqua-
blement petit-bourgeois. »

Tzara rentre dans le rang et soutient Breton contre
l'obscurantisme du Parti. Mais ce qui a emporté ses
dernières réticences c'est le rappel de la fidélité à leur
jeunesse. Depuis Dada, leur aventure commune est
avant tout une exaltation de la liberté de penser et
d'agir. Breton a fait le pari risqué qu'il s'y tiendrait.
Contre vents et marées il se refuse à accepter toute
forme de censure et de contrôle, même pour
défendre la cause du prolétariat. Sur ce point, Tzara
est de tout cœur avec Breton.

Sur un exemplaire du *Revolver à cheveux blancs*,
Breton avait glissé cet envoi[1] dès juillet 1932 :

> « A Tristan Tzara
> à la poésie qu'il incarne et qui aura eu
> son front, ses yeux, son rire (son rire
> inoubliable) quand j'avais vingt ans,
> trente ans et encore d'autres âges
> et à l'homme que j'adore qui est fait
> d'idées étonnantes pour les cheveux, de
> bons sentiments hors ligne pour les
> moindres mouvements d'actions futures
> pleines de signification et de grandeur
> pour la main fine et parfaite
> avec l'orgueil et la joie de le connaître à
> toutes les minutes où je ne me tue pas. »

Visiblement touché, Tzara profite de ses vacances
au Grand-Bornan, en Haute-Savoie pour écrire à
Breton : « Relu tranquillement *Le Revolver* — excu-

---

1. Collection privée.

sez-moi si je suis incapable de vous écrire le très grand bien que j'en pense et le profond plaisir qu'il m'a fait[1]. »

Un peu plus tard c'est Paul Eluard qui lui fait parvenir *La Vie immédiate* avec ces mots :

> « A Tristan Tzara
> avec toute l'émotion (la même que j'ai ressentie
>   en 1917
> alors que je ne l'avais vu que dans ses poèmes)
>   qui donne
> à ma vie finissante encore un peu de saveur,
>   à mon ami
> si pur, si triste.
> L'affection de Paul Eluard. »

Valentine Hugo, qui partage depuis 1930 la vie de Breton, va fixer sur la toile ce surréaliste qui semble résister aux tempêtes[2]. Sur un fond noir constellé d'étoiles et de corps dénudés, elle dessine les portraits d'Eluard, Breton, Char, Crevel et Tzara. Ce sont des rêveurs définitifs un peu perdus au milieu de l'immensité. Dans un coin du tableau elle a reproduit quelques belles dédicaces qui lui sont parvenues. On reconnaît l'écriture fine de Tzara sur *Où boivent les loups*. Pour Valentine, c'est le tableau de sa vie, elle le gardera et le reprendra sans cesse pour modifier quelques détails jusqu'en 1948.

Ce sont les quelques traces de ces moments de bonheurs partagés entre la rue Fontaine et le café Cyrano. Mais, on le devine, cela ne va pas durer. Si le départ d'Aragon est resté un fait isolé et s'il n'a

---

1. Collection Pierre Leroy, Catalogue de la vente Sotheby's, 26 juin 2002.
2. Anne de Margerie, *Valentine Hugo*, Paris, Jacques Damase (1983).

entraîné aucune autre rupture fracassante, le groupe est fragile. René Char, par exemple, a déjà pris quelque distance. Depuis le mois d'avril il s'est installé à L'Isle-sur-la-Sorgue. A Tzara qu'il connaît bien, il confie un certain malaise : « J'ai quitté Paris un fusil sur le dos et depuis mon arrivée ici, je dors comme une vieille carne... Je te représente si bien dans ce village rouge où les gens sont très accueillants. Je suis allé à Carpentras. J'ai assisté à un meeting mouvementé puisqu'à la sortie, la garde a chargé ! La réplique a été vive. Mais les socialistes s'étaient défilés. L'unité d'action reste encore à faire. Mais l'élément communiste est magnifique de combativité et d'intelligence [1]. » La tentation révolutionnaire est toujours là et Tzara n'est pas loin de la partager lui aussi... Vu de province et au milieu de la rue qui commence à s'agiter, les querelles du Cyrano paraissent superficielles.

Et quand Tzara lui fait part d'un projet de nouvelles conférences surréalistes, Char ne peut s'empêcher de lui répondre aussitôt : « J'ai bien sous les yeux le minable, l'odieux menu surréaliste des conférences. Pauvres cons ! »

On le devine ici, l'atmosphère au sein du groupe reste très tendue. L'affaire Aragon a laissé des traces. Mais chacun y met du sien pour éviter de nouveaux drames. Et si Breton s'emporte contre Tzara, il préfère aussitôt s'excuser... « Il est regrettable, explique-t-il, que contre toutes mes intentions, je me sois mis en colère au téléphone et vous ai adressé des injures. » Il préfère des explications claires et publiques, tout en déplorant son manque de sang-froid. « Il n'a jamais été dans mon dessein, poursuit-il, de vous empêcher de vous expliquer, bien au

---

1. Correspondance René Char-Tristan Tzara, Bibliothèque Doucet.

contraire. » Et pour mettre fin à la brouille, il renouvelle par écrit, quelques jours plus tard, ses regrets.

La nervosité ambiante est aussi liée à la crise amoureuse que traversent nos protagonistes... Breton vient de quitter Valentine Hugo. Mais son nouveau coup de foudre se révèle être une histoire sans lendemain. Quant à Tzara, sa relation avec Greta semble vouée au malheur.

L'année terrible

Tristan et Greta font désormais tout pour s'éviter tout en semblant le regretter. Dans toute histoire d'amour qui se termine, il y a cette période insupportable où chacun mesure le gâchis avec l'espoir secret de sauver ce qui ne peut pas l'être. Sur l'exemplaire de *L'Homme approximatif* qui lui est dédié, Tzara écrit pour Greta cet envoi :

> « A Greta
> cet itinéraire douloureux
> en pays de connaissance
> où se débat un ♥ de loup
> avec la soif et la faim perpétuelles
> du loup. »

En fait, chacun essaie de se sauver lui-même. La séparation totale est alors inéluctable. A regret, emportant quelques objets personnels, Tzara a quitté l'avenue Junot pour s'installer provisoirement en province, loin de Paris, à Veulette-les-Bains. Dans la plus grande confusion, il imagine sa nouvelle vie loin de Greta, mais lui envoie encore des lettres...

Greta lui répond aussitôt : « Loup, lilla quelle bonne lettre et comme il y a dans le loup une grande bonté pour le vieux, vieux, vieux croc... Mais lilla et ses photos m'ont guérie de tout. Qu'il est beau, qu'il est grand, qu'il a bon cœur et tant de fières pensées

280

et que je l'aime et je ne voudrais jamais lui faire de peine. »

Greta semble hésiter, et dans la lettre suivante, elle avoue : « Nous embrassons notre loup, on se demande si vraiment il fallait qu'il s'en aille. N'y avait-il pas un moyen de s'arranger autrement ? »

Celui que Greta appelle « Poupi, Papa, Poète, Paysan et Propriétaire parisien » continue d'envoyer des lettres, des photos, des livres et des couleurs pour le petit Christophe. Mais quand Tristan revient avenue Junot, c'est Greta qui part avec Christophe pour le Sud de la France. A la dérive, elle se débrouille comme elle peut. Ses lettres sont alors des appels désespérés... « Ce soir, loup, je suis triste, angoissée et peinée, tout me fait très peur. J'ai de grosses craintes pour Christophe. Il est malheureux ici. Il est soucieux, énervé. Il dit tout le temps que les garçons se moquent de lui et de mama. Pourquoi on rit de nous ? Pourquoi c'est si sale ici ? Cela me touche et me fait bien réfléchir. Et je me dis que nous sommes des égoïstes atroces de vouloir croire que ça fait du bien à Christophe d'être en classe ici. Il est si dépaysé. » Un peu plus loin, elle revient sur leur amour qui s'est délité au fil des années et sur tous ces moments difficiles... « Et puis Christophe a trop assisté à nos scènes et à nos discussions et disputes. Quand nous sommes tous les trois, nous ne nous occupons pas assez de lui. Et toi tu es souvent injuste, coléreux avec lui. Et toi tu me dis tous les jours que la vie est male. Où aller ? » Et Greta d'envisager un départ définitif de l'avenue Junot : « Il faudra que je vienne à Paris, je crois. Il y a un tri général à faire de tout. C'est affreux comme travail, si décourageant, mais j'aimerais que la vie se simplifie. J'ai peur de tous les changements parce que je ne les supporte plus du tout. »

Mais aussitôt l'hésitation resurgit. Comment sauver un amour ? Comment sauver un amour perdu depuis longtemps ? Comment ne pas commettre l'irréparable ? « J'ai très peur que venue à Paris, j'aurais envie d'y rester et de rester dans la maison... Oh que j'ai froid... »

En octobre, Greta et Christophe ont quitté Perpignan pour se rendre en Espagne. Ils sont installés à Collioure et rendent visite régulièrement à Dali du côté de Figueras. Il n'est plus question de revenir à Paris. Les sortilèges de l'Espagne ont réchauffé un peu le cœur de Greta : « Les rues grouillantes, les couleurs, le paysage clair, tu ne peux pas savoir. C'est si beau ! Mon amour pour l'Espagne a afflué vers le centre de ma conscience et j'ai senti que je voudrais y rester encore[1]. » Tristan continue d'écrire des lettres et laisse espérer à Greta qu'il va même venir les rejoindre... « Le loup, écrit-elle, il va venir un de ces quatre jours. J'ai peur. N'aura-t-il pas le regret de Paris ? » Tristan ne vient pas. Mais le soleil espagnol met un peu de baume au cœur... « Pauvre loup, le temps va de beau en beau. Il y a des jours célestes. On ne pourrait assez les chanter. »

Tristan reste à Paris où il est publiquement un fidèle de Breton. Au printemps 1933, il participe au projet d'exposition surréaliste à la galerie Pierre-Colle[2]. Le groupe tout entier a travaillé sur le thème de l'objet. C'est une réussite saluée par la presse, et le vernissage le 9 juin rassemble toujours son lot de curieux et de mondains. *Les Cahiers d'art* saluent l'événement : « Les expositions d'ensemble des surréalistes sont généralement tristes. Celle qui vient de

---

1. Correspondance Greta Knutson-Tristan Tzara, Bibliothèque Doucet.
2. *Cahiers d'art* n° 5/6, 1933.

s'ouvrir est gaie. Ce sont les objets des poètes qui font rire... Arp, Dali, Ernst, Giacometti, Miró, Tanguy... Leurs fantaisies sont toujours ouvertes aux illuminations de l'esprit, aux rayonnements de l'amour. Tzara est bien le seul poète d'aujourd'hui qui connaisse vraiment le secret plastique des choses. Il s'est abstenu de confectionner un objet et a remplacé celui-ci par un manuscrit qui en dit plus long qu'un objet. »

Tzara toujours un peu décalé se montre assez réservé quand Breton et Eluard échafaudent un projet de revue avec l'éditeur Albert Skira. Par l'entremise de Picasso, on ne lésine pas sur les moyens pour faire de *Minotaure* la revue d'art la plus luxueuse du monde ! Et c'est justement le problème car Tzara trouve que le contexte politique et social n'est pas approprié. Inutile pour lui de prêter le flanc à cette critique habituelle qui place le surréalisme dans la lignée des mouvements d'avant-garde tout juste bons à amuser la bourgeoisie éclairée. Avec les autres membres du groupe, Tzara a rejoint l'Association des écrivains et des artistes révolutionnaires (AEAR)[1]. Tout en gardant son autonomie et donc sa liberté de parole il prend la chose très au sérieux. Avec Crevel, quand celui-ci n'est pas obligé d'aller s'ennuyer au sanatorium à Davos, il est devenu militant de la cause antifasciste. Prêts pour de nouveaux combats, ils trouvent le temps de se replonger dans leurs années de jeunesse...

---

1. François Buot, *René Crevel*, op. cit.

La nostalgie des années 20

Dès septembre 1932, Tzara propose à Crevel de faire le bilan de plus de seize ans de recherches. Crevel accepte, et ensemble ils commencent à relire tous les textes parus depuis les débuts de Dada : manuscrits originaux, articles publiés dans les revues, Tzara a tout classé dans les archives de son bureau. Les deux amis remuent trop de souvenirs pour ne pas être touchés. La nostalgie des années 20 les tient tous les deux. En retrouvant les lettres, les revues et les photos de leur jeunesse, ils se revoient dans les boîtes de nuit à Montparnasse.

Tout se mélange, les saxophones du Jockey, les chambres de l'hôtel Istria, les numéros d'*Aventure*, les vernissages dada, les spectacles de La Cigale... Tzara portait le monocle et le feutre, Crevel adorait les foulards et les costumes anglais. Tous ces souvenirs paraissent si loin...

Georges Hugnet qui vient de terminer sa longue enquête sur Dada pour les *Cahiers d'art* les rejoint très souvent. Mais la nostalgie n'exclut pas une certaine lucidité ; commentant les vers de *L'Homme approximatif*, Hugnet écrit : « Il repasse dans sa mémoire la théorie des déboires et soupèse ses faillites perpétuelles. Sa jeunesse s'écroule devant ses souhaits tournés en dérision[1]. » Le retour sur le

---

1. « Pérégrinations de Georges Hugnet », Catalogue du Centre Pompidou. — Georges Hugnet, « Tristan Tzara », *op. cit.*

passé n'est pas forcément idyllique. Les bons moments et les heures inoubliables ne peuvent cacher les erreurs, les gâchis et les échecs. Pour Crevel, comme pour Tzara, ces années 20 sont aussi synonymes de projets qui n'ont pas abouti et d'amours brisés.

Dans l'un de ses livres, *Le Clavecin de Diderot*, Crevel avait déjà dénoncé le recours à un passé révolu. C'est un piège qu'il condamne avec fermeté : « Au reste le désir de l'homme de replonger dans sa poésie, dans du passé indéfini ne peut naître que de cette obsession de la mort à quoi ont su le contraindre les Eglises, en lui escamotant son devenir par le sempiternel rappel de son périr. » Le retour sur le passé est possible, non pour s'y complaire, mais pour mieux construire l'avenir.

Au bout de quelques semaines, les recherches ont avancé. Les textes sont sélectionnés. Ils s'échelonnent de 1916 à 1932 pour bien montrer la continuité d'une vie. *L'Antitête* est sans doute l'un des plus beaux livres de Tzara. Recevant un exemplaire de tête sur Japon nacré avec une eau-forte de Picasso, Crevel écrit aussitôt à son ami : « Tu sais quelle émotion ce fut pour moi de relire avec toi, cet hiver, ces textes qui m'avaient tant ému jadis et les nouveaux qui ne me touchaient pas moins[1]. » Crevel est donc le mieux placé pour présenter l'ouvrage sur le bulletin de souscription pour les Editions des Cahiers libres : « Nous pouvons suivre, écrit-il, une courbe qui va du plus secret au plus extérieur de l'inconscient au conscient, à travers les choses, les idées et les sentiments, va son crépitant chemin qui est celui de la poésie, de la connaissance. »

---

1. Correspondance René Crevel-Tristan Tzara, Bibliothèque Doucet.

La première partie du livre rassemble des textes nettement dadaïstes. Certains ont été hurlés au Cabaret Voltaire. Ce sont les appels ravageurs d'une jeunesse qui voulait changer le monde. M. Aa l'anti-philosophe est son porte-parole. Il s'exprime avec une violence sans retenue pour mieux bousculer le langage. S'attaquer au système en place passe d'abord par cette révolution-là. Une nouvelle fois, Tzara impose son « style » qui mélange l'humour et la provocation débridée. C'est bien lui qui perfectionne le collage littéraire. Au fond de son chapeau on trouve des aphorismes de jolies formules, des lieux communs. Avec ses talents d'archiviste, il « compile » des centaines de morceaux éparpillés dans des revues ou des livres. Il secoue et choisit au hasard. Cela donne ce joyeux désordre dada. « Les phrases, écrit Crevel, souvent, tombent, dansent en cascades. » Le second groupement de textes occupe une position charnière entre la déconstruction dadaïste et l'inspiration libre du surréalisme. Après c'est l'immersion vers les nouveaux continents du rêve et de l'inconscient. « Avant que la nuit » est le récit de ce moment où l'homme se retrouve seul. Les éclairs de la jeunesse sont déjà loin. Confronté à ses échecs, au pied du mur, il se laisse glisser vers le sommeil. Cette perte de conscience est un moment d'angoisse : monstres, paysages de lèpre, miroirs stériles hantent l'esprit du rêveur...

Mais Tzara ne sombre jamais au fond du gouffre. Il continue à jouer avec le langage, en multipliant les alliances de mots, les associations d'idées et parfois les calembours. La littérature semble le sauver du désastre pour mieux renaître à la réalité du monde. « Tzara, note toujours Crevel, ne va pas se laisser s'arrêter, se figer sa pensée au point le plus tragique de son mouvement. Et du reste "la sérénité d'un volcan ne se juge pas". Le désespéranto final va, de sa lave, rallumer l'univers. Rêve réalité se trouvent entraînés, mêlés, fondus. »

La presse n'est pas insensible au destin singulier de Tzara. Dans *Document 33* on peut lire : « Cet homme est trop grand pour tomber dans les gouffres et un extrême en appelant un autre se lance dans la joie et aboutit à cette déclaration : il est doux de savoir. » Dans *Esprit*, André Delage pense qu'il s'agit du « meilleur poète français d'aujourd'hui et l'un des grands successeurs de Rimbaud ». Quant au *Mercure* il souligne : « Le goût de l'approximatif y complique toujours le mystère, mais la simplicité souvent charmante de l'élocution y dessine des arabesques hardies et neuves[1]. »

La sortie du livre est l'occasion d'une ultime soirée avenue Junot. Tous les surréalistes sont là, en essayant d'oublier un moment les tempêtes qui s'annoncent. C'est encore l'amitié et quelques souvenirs reviennent en mémoire.

En juillet, on annonce la fermeture du Bœuf sur le Toit. La revue *Charivari* revient assez longuement sur « ce produit étrange du siècle » où Tzara régnait avec quelques autres en maître, « un œil comme une lettre de faire-part grâce à un monocle d'écaille[2] ».

On n'en a jamais vraiment fini avec sa jeunesse. Elle vous poursuit. Ainsi en juin, Tzara se retrouve à la bibliothèque Sainte-Geneviève pour la première exposition publique des trésors de la bibliothèque du couturier collectionneur Jacques Doucet. Le jeune journaliste Frédéric Pottecher pour *Comœdia*

---

1. Page de publicité pour *L'Antitête, Les Nouvelles littéraires*, 8 juillet 1933. — C'est toujours Jean Cassou qui rédige le papier des *Nouvelles* sur *L'Antitête*.
2. *Charivari*, 22 juillet 1933.

rend hommage à cet « amoureux perspicace des beaux papiers et des livres rares[1] ».

Dans les vitrines on retrouve quelques manuscrits de Lautréamont, Baudelaire ou Rimbaud et beaucoup d'éditions originales, dont celles au grand complet de Tzara.

En octobre, c'est encore un ancien compagnon de route du surréalisme qui fait l'éloge de la poésie de Tzara dans un article de la *Nouvelle Revue française* : « L'écriture automatique, note Roland de Reneville, inaugurée par Breton dans le *Manifeste* et bientôt considérée par lui et ses amis comme un simple moyen de recherche sur la nature de l'inspiration, devait trouver son poète en Tristan Tzara. Il réussit assez souvent à atteindre dans ses discours-fleuves une assez confuse mais frappante grandeur. Quel prodigieux chaos verbal[2] ! »

1. Frédéric Pottecher, *Comœdia*, 26 juin 1933.
2. Roland de Reneville, « Le Surréalisme et la poésie », *Nouvelle Revue française*, 1ᵉʳ octobre 1933.

Les pieds dans le plat

Tzara et Crevel poursuivent discrètement leur travail inlassable de militants. On évoque même des articles pour la revue communiste *Regard*. Dans une lettre à Marie-Laure de Noailles, Crevel écrit : « Ce matin j'ai rendez-vous avec des photographes dames communistes pour photographier une rue riche et une rue pauvre. Dali trouve ça bête. Moi, non. J'entre dans la danse et Tzara est avec moi[1]. »

Dans la présentation de son prochain livre il précise : « c'est le spectacle d'une Europe déshonorée par le fascisme et l'impérialisme » qui a décidé l'auteur spectateur à mettre « les pieds dans le plat ». Et pour ce nouveau combat, Tzara est prêt à payer de sa personne.

Il passe de longues journées dans les locaux de l'AEAR, donne des conseils pour le projet de revue qui doit lancer l'association. Les nouvelles en provenance d'Allemagne sont suffisamment alarmantes pour justifier un tel engagement. Avec le carnet d'adresses de Crevel, Tzara tente d'alerter tous ses copains fortunés pour les appeler à la solidarité financière. Et quand Hitler est aux portes du pouvoir après l'incendie du Reichstag, ils soutiennent

---

1. Correspondance René Crevel-Marie-Laure de Noailles, Collection particulière.

sans aucune réserve l'appel de l'AEAR. "Protestez"[1] ! »

C'est évidemment une dénonciation virulente du nazisme, un appel à l'unité pour sauver les militants allemands en danger et une mise en garde très claire contre l'action néfaste de l'impérialisme des démocraties occidentales. On peut y lire : « L'ennemi c'est l'impérialisme et pour nous en France c'est l'impérialisme français. » L'AEAR est bien sur les positions du Komintern, même si une telle ligne politique a eu en Allemagne des conséquences désastreuses, puisque les communistes ont été amenés à affronter les socialistes au même titre que les nazis. Crevel et Tzara n'entrent pas encore dans toutes ces subtilités. Pour eux, face au nazisme, il faut mobiliser toutes les énergies et les communistes en ont plus que les autres.

Quelques jours plus tard, le 21 mars, Crevel et Eluard représentent le groupe surréaliste dans un meeting de solidarité, appelé par l'association, salle du Grand-Orient, rue Cadet. Crevel envoie à Tzara parti se reposer quelques jours en province, un compte rendu détaillé[2]. Il raconte : la détermination de l'assistance, les poings levés, la présence de ses amis allemands comme Klaus Mann, l'ombre de Gide à la tribune, le discours d'Eluard qui appelle au front unique du prolétariat contre le fascisme, et surtout sa fascination pour Malraux dont il cite une partie du discours... « depuis dix ans le fascisme étend sur l'Europe ses grandes ailes noires. Bientôt ce sera l'action, sang contre sang. S'il y a la guerre notre place est dans les rangs de l'armée rouge... »

---

1. François Buot, *René Crevel*, op. cit.
2. Correspondance René Crevel-Tristan Tzara, Collection particulière.

« Malraux, explique-t-il à son ami, dit les choses clairement. Sa détermination est un exemple à suivre [1] ».

Et le surréalisme continue. Les numéros 5 et 6 de la revue sont bouclés et le contenu risque de provoquer de belles empoignades... Breton émet des doutes sur la littérature prolétarienne à la mode soviétique ; Eluard et Peret s'en prennent violemment aux écrivains d'extrême gauche, traduisez communistes, qui osent accepter l'outrage de la Légion d'honneur : Andrée Viollis et Jean Richard Bloch. « Ils gardent, écrivent-ils, dans ce pays démocratique où la flicaille a le haut du pavé, leurs convictions. Ces convictions sont décorées et voilà tout. » Peret en rajoute en se moquant de Gide converti au communisme. Quant à Ferdinand Alquié, il est encore plus provocateur... Dans sa longue lettre publiée dans la rubrique *Correspondance* il s'en prend au sujet tabou... l'URSS ! Il dénonce « le vent de crétinisation » qui souffle de l'Est. Et comme pour aggraver les choses, les pages suivantes reproduisent un tableau de Dali intitulé « *Hallucination partielle* » : six images de Lénine sur un piano qui offre une vision pas très orthodoxe du révolutionnaire russe. Dans le numéro 6, c'est Crevel qui monte au créneau pour saluer « le prolétariat libéré et libérateur de l'URSS ».

On imagine les discussions orageuses qui animent l'apéritif rituel du Cyrano. Crevel dénonce Alquié tout en souhaitant la liberté d'expression au sein du groupe. Tzara est sur la même position. Il trouve les déclarations d'Alquié « déplacées et inopportunes ». Breton en chef d'école temporise. Pour les dirigeants du Parti, c'est une attaque anticommuniste d'une

---

1. *Ibid.*

rare violence. La parution d'une nouvelle revue intellectuelle patronnée par l'AEAR et intitulée *Commune*, en juillet, lui permet de lancer une offensive en règle. C'est Paul Nizan qui se charge de ce travail dans la rubrique « Critique des revues ». Le verdict est cinglant : « La profonde séparation du surréalisme et des masses s'accentue. Les thèmes sociaux et politiques s'affaiblissent au profit d'expérimentations prématurées. »

Puis, Nizan se fait menaçant en demandant à la direction de la revue un désaveu officiel de Ferdinand Alquié. Breton répond immédiatement en faisant savoir qu'il n'est pas question de se désolidariser d'un article qui a reçu l'approbation du groupe surréaliste tout entier. Les responsables de l'AEAR répliquent en excluant Breton. Eluard ne se fait pas prier pour envoyer sa démission. Crevel, lui, préfère envoyer une lettre d'explication à Paul Vaillant-Couturier. Plus intelligent et plus ouvert, ce dernier est le meilleur interlocuteur pour espérer un peu de souplesse du côté de la direction du Parti... Crevel y prend la défense de Breton : « Ne vous rappelez-vous point combien d'intellectuels doivent à l'influence de Breton et du surréalisme d'être allés à la révolution ? » Et il ajoute un peu plus loin : « Aujourd'hui la clairvoyance et le courage intellectuel d'André Breton m'apparaissent plus et mieux que jamais au service de la révolution. »

Suit une dénonciation de l'AEAR qui est passée « d'un ouvriérisme de bas étage » à un « opportunisme journalistique ».

Tzara, tout en reconnaissant le courage de Breton, reste convaincu que la situation internationale imposera tôt ou tard la plus grande clarté vis-à-vis de l'URSS. Ses apparitions au Cyrano se font de plus en plus rares. A la fin de l'année, il part s'installer à

Nice pour retrouver Greta et Christophe. Georges Hugnet lui envoie de longues lettres pour le tenir informé de l'évolution du groupe. « On a bien du mal à se mettre d'accord [1] », constate-t-il avec regret. Mais pour lui, c'est Crevel qui a raison... « Les mots d'ordre de l'Internationale communiste sont ridicules. C'est de la connerie à couper au couteau. A en croire les camarades, tout va pour le mieux et la révolution est pour demain. Tout simplement ! Je pense qu'il appartient aux surréalistes de démasquer d'une façon ou d'une autre la déficience actuelle du PC et de ses méthodes. Mais nous arrêterons-nous à ce projet ? » Il raconte une conférence « idiote » de Georges Politzer consacrée au freudo-marxisme. « Nous l'avons sabotée et on nous a expulsés ! »

C'est la guerre ouverte, mais Hugnet pense que la clarté dans cette affaire a du bon... « Notre situation envers l'AEAR est nette et tant mieux. Pauvres types et pauvre public ! »

Tzara, lui, reste discrètement membre de l'AEAR. Sans illusion, mais avec une certaine détermination son choix est fait. Inlassablement il continue son travail de militant bénévole au service de l'association. A ce sujet, il prend garde de ne plus intervenir publiquement sur cette question. Pour ne pas froisser Breton il préfère se taire. Ce choix inquiète un peu Crevel et Eluard. Ensemble ils passent quelques jours à la montagne. De l'hôtel Mont-Blanc à Passy, en Haute-Savoie, ils envoient une longue lettre à Tzara : « J'ai des échos de votre activité, écrit Eluard, et de son efficacité au sein de l'AEAR. Nous aurions bien voulu néanmoins, Crevel et moi, savoir ce que vous pensez de la situation compliquée qui

---

1. Correspondance Georges Hugnet-Tristan Tzara, Bibliothèque Doucet.

nous est faite. Enfin, nous rentrons dans une semaine et nous espérons pouvoir vous aider, vous et vos amis, à dresser un plan de travail pratique conciliant les différentes tendances qui sont celles des individus de notre groupe. Au point précis où nous sommes tous, il doit bien y avoir moyen d'exploiter notre acquis au mieux de nos aspirations communes. Nous sommes, je pense, tous d'accord pour ne rien abandonner de l'activité surréaliste proprement dite qui est depuis longtemps et qui reste au service de la Révolution[1]. » Crevel ajoute : « Bonjour Tzara, ici c'est d'un réalisme au service de la réaction et de la religion qui donne plus que jamais envie de travailler au Surréalisme au service de la Révolution[2]. »

A Paris, Tzara revient par intermittence. Il évite le Cyrano où le groupe s'active comme jamais. Pour contrebalancer le grief d'éclectisme esthétique et mondain, Breton propose de réaliser une nouvelle plaquette collective en hommage à Violette Nozière. Cette jeune femme a défrayé la chronique en assassinant son père. L'enquête prouve que la victime n'est pas celle que l'on croit. Son père violait sa fille alors qu'elle n'avait que quinze ans. La condamnation à perpétuité de Violette a divisé l'opinion, et la presse de droite s'est déchaînée contre la meurtrière. Les surréalistes s'en donnent à cœur joie, Char déjà en marge approuve et participe, mais pas Tzara qui se met aux abonnés absents[3].

A la fin de l'année, on le retrouve encore à Nice

1. Correspondance Paul Eluard-Tristan Tzara, Bibliothèque Doucet.
2. Correspondance René Crevel-Tristan Tzara, Bibliothèque Doucet.
3. José Pierre, *Tracts et déclarations surréalistes*, tome I (1922-1939), Paris, Le Terrain vague.

en compagnie de Greta et de Christophe. Eluard et Nush décident de les rejoindre[1]. Accaparé par les problèmes d'argent, Eluard trouve une chambre après avoir vendu un masque africain à Charles Ratton. Il a besoin de repos et de soleil. Avec Tzara, il fait souvent le point sur la situation du groupe. Tzara ne lui cache pas sa détermination à poursuivre son action dans l'AEAR, aux côtés des communistes. Char et sa femme les retrouvent un peu plus tard. On parle beaucoup et on se promène au grand air. Greta fait un beau portrait de Nush, et un remarquable dessin de Paul. Si on s'en tient à la correspondance d'Eluard, l'humeur est mélancolique. Comme en écho de certaines conversations avec Tzara, Eluard écrit à sa fille... « Ma vie ancienne disparaît. J'espère que je ne disparaîtrai pas avec elle. Mais ma jeunesse, comme ton enfance, s'efface. Nous resterons les mêmes, ma petite Cécile chérie, en nous aimant très fort. Tu sais que je crois que l'amour vécu ne disparaît jamais. Mais l'amour n'est pas le bonheur, jamais[2]... »

Si Eluard ne trouve pas le temps d'écrire, Tzara lui, a déjà bien commencé son prochain livre. Un texte assez touffu qui mêle la prose poétique, le poème et le développement théorique[3]. Il s'agit pour lui de prolonger, par l'écrit, le rêve à l'infini. Plus surréaliste que jamais, il invente un personnage dont la tête est constituée d'un bidon, agrémentée d'un peigne espagnol, son tronc est une manne d'osier, le sexe est une pomme d'arrosoir, les jambes sont en crêpe de Chine. L'ensemble fait songer à certains

---

1. Jean-Charles Gâteau, *Paul Eluard ou le Frère voyant*, Paris, Robert Laffont (1988).
2. Correspondance Paul Eluard-Cécile Eluard, cité par Jean-Charles Gâteau.
3. Henri Béhar, « Inédits de Tzara », *Europe*, juillet-août 1975.

collages de Max Ernst et plus encore à des tableaux de Joan Miró. Récit merveilleux ou philosophique, le texte est un conte pour adulte libéré de toute contrainte formelle et de toute censure. On y retrouve l'angoisse du monde propre à Tzara. L'ouvrage ainsi conçu ne paraîtra jamais dans sa totalité. On le retrouve par morceaux dans un numéro des *Cahiers d'art*, après la guerre et dans un choix de textes publiés chez Seghers en 1960.

Dans son petit hôtel parisien, et alors que sa relation avec Greta ne s'est pas améliorée, il écrit : « Il ne se rendait plus compte que le travail aurait fini par manger sa vie, l'engloutir entièrement, tant et si bien que l'un se confondrait dans l'autre sans laisser de place à la libre interprétation de ses velléités ou même de ses tics. Il y avait de quoi grincer des dents. Et rien d'étonnant à ce que en dédoublement du dégoût profond que lui inspirait sa vie à répétitions, sa révolte dut s'exprimer d'une manière exhaustive, presque à l'insu de sa conscience corporelle. »

C'est au cours de ce séjour qu'éclate une nouvelle au sein du groupe surréaliste... Les divagations théâtrales de Dali sont à l'origine de cette tempête, place Blanche.

Dali nazi ?

L'article de Dali publié dans la plaquette *Violette Nozière* a déjà créé un certain malaise. On y retrouve un « Jeu de mots » d'un goût assez douteux... « Nazi, dinazos, Nozière, Nez ». Puis enfreignant la discipline du groupe, Dali décide d'exposer au salon des Indépendants qui s'ouvre le 2 février 1934. Il y accroche une immense toile de deux mètres sur trois, *L'Enigme de Guillaume Tell*. On peut y admirer un Lénine ridicule avec fixe-chaussettes et casquette démesurée, il est accroupi, les fesses à l'air, menaçant de dévorer le petit Dali terrorisé.

Que le jeune Catalan soit un des membres les plus doués du mouvement Surréaliste, tout le monde en convient au Cyrano. Avec ses multiples contributions aux revues de Breton, et ses brochures parues aux Editions surréalistes, il a donné un nouvel élan à l'aventure collective du groupe. Avec son intransigeance fanatique il a pris tout le programme surréaliste et en a sondé les limites. Mais son côté outrancier pose problème. Aragon fut en son temps le premier à considérer ses idées extravagantes et ses textes érotiques incompatibles avec les objectifs de la révolution prolétarienne.

Tzara, qui n'a pas de sympathie particulière pour le personnage, partage ce sentiment. Mais opposé à toute forme de censure, il pense aussi que l'activité surréaliste doit continuer sans aucun contrôle. Breton, lui, temporise en essayant de calmer les ardeurs du jeune homme. Les choses se gâtent sérieusement quand Dali propose dès juillet 1933 une étude sérieuse du phénomène « Hitler[1] ». Pour lui, il y a du nouveau et de l'irrationnel ! Les multiples provocations qui suivent cette incroyable proposition n'arrangent rien.

Au Cyrano, c'est le tollé et une majorité du groupe exige son exclusion. Breton, tout en récapitulant ses provocations, lui lance un ultimatum en espérant bien qu'il se rétracte... C'est mal connaître le personnage. Dali se défend et refuse de se contredire. La coupe est pleine. Breton convoque une assemblée générale afin d'entériner l'exclusion du trouble-fête pour actes contre-révolutionnaires tendant à la glorification du fascisme hitlérien !

Le texte proposé par Breton a reçu le soutien de plusieurs surréalistes, Brauner, Ernst, Hugnet, Peret, Tanguy... Mais ce qui devait n'être qu'une formalité tourne à la catastrophe pour Breton. Eluard et Tzara qui sont toujours à Nice se désolidarisent de toute cette affaire. Certes ils sont d'accord pour considérer les extravagances de Dali ridicules. Mais cela ne mérite pas une telle chasse aux sorcières. Eluard, dont on connaît l'attachement pour Gala, écrit à cette dernière visiblement inquiète : « Avant de recevoir ta lettre, nous en avions, Tzara et moi, envoyé une à Breton dans laquelle nous lui exprimions notre regret de la violence des attaques dont Dali est l'objet et que nous ne croyions pas possible de continuer une activité surréaliste sans lui[2]. » Et il ajoute une

1. Karin von Maur, « Breton et Dali à la lumière d'une correspondance inédite ». — « André Breton », Catalogue du Centre Georges-Pompidou, Paris, Ed. du Centre-Pompidou (1991).
2. *Correspondance Paul Eluard-Gala Eluard*, Paris, Gallimard (1984).

sérieuse mise en garde que Tzara aurait pu signer de sa main... « Il faut absolument que Dali trouve un autre sujet de délire (...) Et l'éloge d'Hitler, même et surtout sur le plan où Dali le place, est inacceptable et entraînera la ruine du surréalisme et notre séparation, sans laquelle toute activité individuelle deviendra vite nuisible, car elle s'embourgeoise. » Crevel, toujours au sanatorium, est sur la même position, ce qui n'arrange pas les affaires de Breton. Finalement Dali décide de se rendre à l'assemblée générale, tout en changeant de stratégie. Au milieu de l'atelier de la rue Fontaine, il se livre à un véritable « one man show » comme il en a le secret. Il multiplie, devant une assistance médusée, les pitreries burlesques, prenant sa température en permanence, invitant à se régaler de la « comestibilité dodue » d'Hitler Maldoror. Il se prosterne devant Breton tout en expliquant qu'il rêve de l'enculer. Dans la plus grande confusion, tout le monde se sépare sans prendre de décision. Georges Hugnet envoie un compte rendu détaillé de la réunion à Tzara. « Le cas Dali, écrit-il, malgré son importance est laissé quelque peu de côté. Enfin, politiquement il est muselé pour un certain temps et c'est ce à quoi nous voulions arriver[1]. »

Hugnet est plutôt rassuré par ce « coup de barre à gauche qui s'imposait ». Il ne cache pas son admiration pour Luis Buñuel, l'ancien compagnon de Dali qui a clairement condamné ce dernier pour s'engager dans « un communisme militant ». Eluard, lui, est furieux d'apprendre que le Catalan incontrôlable n'a pas tenu compte de ses conseils.

A Gala, il parle de « véritable trahison » et décide

---

1. Correspondance Georges Hugnet-Tristan Tzara, Bibliothèque Doucet.

finalement de donner sa voix à Breton « qui en disposera à l'avenir comme bon lui semble ». Le résultat de toute cette affaire est de creuser un peu plus le fossé entre Breton et Tzara. Car l'auteur de *Nadja* n'a pas vraiment apprécié l'absence de solidarité d'un Tzara qu'il ne croise plus au Cyrano. C'est la situation politique qui va précipiter un divorce annoncé.

Une répétition générale

Tandis que se déroule le procès de Dali, des événements graves agitent la France. Exploitant l'antiparlementarisme suscité par le scandale Stavisky, les ligues d'extrême droite, dont certaines ne cachent plus leur admiration pour le fascisme, mobilisent une foule considérable le 6 février 1934. L'émeute se déchaîne aux portes du pouvoir. On compte les morts devant le Palais-Bourbon et pour la gauche il s'agit bien d'une tentative de putsch. Victime du syndrome allemand, communistes et socialistes sont incapables de se mobiliser ensemble. Mais pour beaucoup ce sont les communistes les plus déterminés.

Dans toute la France, ils appellent à faire barrage au fascisme et à donner le coup de grâce à cette IIIᵉ République bourgeoise. Emporté par un vertige gauchiste qui ne va pas durer, le Parti décide d'aller à l'affrontement. La jeunesse est appelée au combat encadrée par un service d'ordre impressionnant. Cette longue nuit du 9 février est le baptême du feu pour Tzara. A Nice, il est au milieu de la foule qui déferle vers le centre-ville. Au coude à coude avec Eluard, il a l'impression d'être emporté par un mouvement qui le dépasse, une vraie lame de fond dont il est peut-être partie prenante. A quoi pense-t-il au cœur de l'émeute qui va durer plusieurs heures ? Sans doute à sa jeunesse révoltée qui ne le quittera vraiment jamais. Il a la certitude de ne pas renier ses 20 ans quand il hurlait sa haine contre la société en place. Il chante *L'Internationale* comme une suite logique à ses provocations d'autrefois.

Que les discussions de bistrot lui paraissent vaines ! Le groupe de Breton semble coupé de la réalité sociale. Les débats de l'affaire Dali paraissent grotesques et les pages sur papier glacé du *Minotaure* à mille lieues des enjeux du moment. C'est la guerre civile sous ses yeux et les seuls qui se donnent les moyens de faire reculer les « flics », ce sont bien les communistes. Au milieu des incendies, ce sont eux les héros capables de faire barrage au fascisme.

Eluard reçoit un coup de crosse dans les côtes. Il trouve exaltant ce « cyclone de fraternité dans le beau Nice prêt pour son carnaval ». Il écrit à Gala : « Toutes les balustrades en maçonnerie furent abattues, les boutiques crevées, les réverbères démolis, les kiosques, les colonnes au milieu des rues [1]... »

Drapeaux rouges et poings levés, ils sont fascinés. « J'ai eu un moment très peur pour Tzara, raconte Eluard, très courageux, très excité, mais réfugié avec des manifestants séparés des autres dans un couloir où on apporta un gendarme évanoui, blessé et où l'on arrêta à tour de bras. »

Eluard et Tzara ne s'en remettront jamais. Le surréalisme à ce moment-là paraît si loin. Ils ne sont pas les seuls à vivre un tel dilemme. Hugnet écrit à Tzara pour lui décrire la bataille des Grands Boulevards à Paris : « Une véritable atmosphère de révolution [2]. » Il évoque les fuites éperdues, les fusillades, les combats avec « sans cesse des patrouilles et des

---

1. Paul Eluard, *Lettres à Gala*, Paris, Gallimard (1984).
2. Correspondance Georges Hugnet-Tristan Tzara, Bibliothèque Doucet.

blessés ». Mais pour lui aussi ce sont bien les communistes qui forcent l'admiration : « J'ai vu des jeunesses communistes faire preuve dans des échauffourées d'un courage inouï. » Et comme pour saluer, peut-être la fin d'une époque, Hugnet travaille à une anthologie du surréalisme ! Il demande à Tzara quelques textes inédits et précise pour ne froisser personne... « Eluard, Breton et vous aurez sensiblement le même nombre de pages. » Dans ce contexte, le dernier ouvrage de Tzara *Grains et Issues* apparaît comme un testament, la somme d'une réflexion, partie prenante d'une aventure collective qui s'achève.

Testament surréaliste

Le livre est surprenant. C'est un gros volume de prose assez rarement coupé de vers. Un texte déroutant où alternent penser dirigé et penser non dirigé. Sept longues notes occupent une partie du volume et complètent l'ensemble sous forme de rappels théoriques. Inclassable, on est à mi-chemin entre poésie pure et philosophie. Tzara le présente comme un long rêve expérimental inspiré du « penser onirique » de Jung : « Ce qui lie ce rêve à la valeur expérimentale que j'aimerais lui octroyer réside précisément dans sa nature de rêve éveillé, car l'opposition et la réunion de ces deux termes dont les aboutissements paraissent contradictoires exigent impérieusement la création d'une nouvelle notion, celle de la poésie. La qualité expérimentale de ce rêve est définie par les interventions de l'activité lyrique, dans le domaine rationnel, interventions produites en vue d'éclaircir le problème de l'interpénétration des mondes rationnel et irrationnel, car les mobiles, les provocations, les moments de déclenchement, ne se trouvent plus uniquement soumis à la volonté du poète, mais tiennent en grande partie à l'automatisme des nécessités et des réactions créées, pour la cause, par le récit logique lui-même [1]. »

---

1. Tristan Tzara, *Œuvres complètes*, tome III, Paris, Flammarion (1977). — Serge Fauchereau, *Expressionnisme, dada, surréalisme et autres ismes, op. cit.*

Tzara poursuit ainsi la réflexion qu'il avait esquissée dans l'*Essai sur la situation de la poésie*. Au fil des pages, il aborde quelques notions qui lui tiennent à cœur comme l'humour... « Elle existe bel et bien, cette force de persuasion (je prends ici son sens actif de véritable objet de mutation) dont l'humour, disposé dans la poésie, intègre comme il est dans la masse de celle-ci par la vision dont il éclaire les relations des choses et des êtres, par une négation intrinsèque et constante de l'objet affirmé qu'il accompagne et qu'il détruit ou par la suspicion qu'il jette, gratuitement en apparence, nécessairement à l'examen, sur l'entre-jeu des pensées dirigé et non dirigé. » Le hasard aussi revient souvent, mais plus question de s'en tenir au jeu comme au temps de Dada. Le monde a changé, il est devenu effrayant. Comme dans *L'Homme approximatif*, Tzara revient sur « les angoisses de vivre dans la société actuelle ». Peu d'espoir ici, mais une dénonciation très claire du monde capitaliste. Tzara, le militant, apporte sa contribution à un combat qu'il juge maintenant essentiel : « Cette angoisse d'habitude liée aux misérables conditions d'existence que la bourgeoisie contrôle en exploitant souterrainement, depuis des siècles, la vie même de l'esprit sous ses aspects et les plus élevés et les plus anodinement sentimentaux. L'opposition économique serait facilement abolie si elle n'était pas soutenue par la culture qu'elle a engendrée. » Dans les combats révolutionnaires qui s'annoncent, la culture est bien un élément déterminant. Sur la place de l'intellectuel, il ne varie pas et réaffirme : « Il n'est pas nécessaire de renoncer à la poésie pour agir comme révolutionnaire sur le plan social, mais être révolutionnaire est une nécessité inhérente à la condition du poète. » C'est l'un des messages de ce livre curieux où la théorie se mêle sans cesse à la pratique.

Quelques semaines plus tard, dans un article pour *Les Cahiers du Sud*, il revient à la charge sur la question de l'engagement des intellectuels.

S'en prenant clairement aux collaborateurs surréalistes de *Minotaure*, revue « trop artistique » à son gré, il écrit « la poésie est considérée comme un but en soi, ce contre quoi, en raison même de l'affection révolutionnaire de celle-ci, je ne saurais jamais assez m'élever [1] ».

Avec un Eluard déchiré et déprimé, il revient sur toutes ces questions. Les nuits blanches sont interminables et Eluard semble convaincu. Il faut rompre avec Breton et rejoindre les communistes. A Gala, il se confie : « Je n'ai plus depuis assez longtemps, de nouvelles de Paris, de nos "bons amis". Je commence à trouver que notre inactivité est une honte et j'ai l'intention de le leur dire [2]. » Plus question d'aller perdre son temps au Cyrano.

En mars 1934, Eluard et Nush quittent Nice dans l'urgence. Cécile a la rougeole. Il faut la récupérer au pensionnat et la prendre en convalescence. Eluard retrouve Breton rue Fontaine. Sa résolution de prendre du recul semble fondre devant les arguments de Breton. Il n'ose avouer sa volte-face à Tzara et c'est Nush qui envoie un courrier aux Tzara restés à Nice : « Ici tout est pareil. J'espère que Paul va écrire à Tzara. Le pauvre, il ne faut pas que Tzara soit fâché. Paul veut vraiment tous les jours écrire mais je ne sais pas il court toute la journée et est embêté par tout le monde [3]. »

---

1. Tristan Tzara, *Œuvres complètes*, tome III.
2. Paul Eluard, *Lettres à Gala*, op. cit.
3. Correspondance Nush Eluard-Tristan Tzara, Bibliothèque Doucet.

Rentré dans le rang, il semble bien qu'Eluard reprenne en main une grande partie de l'activité du groupe. Au programme : la préparation du numéro 5 de *Minotaure*, la confection pour juin d'un numéro spécial de la revue belge *Documents 34* et l'organisation d'une exposition *Minotaure* à Bruxelles. Eluard fait tout, dessine les plaquettes, court après les articles, vérifie les épreuves... Sur le front politique c'est Breton qui a pris les choses au sérieux. Les surréalistes prennent l'initiative d'un « Appel à la lutte », d'une enquête sur « l'unité d'action » lancée auprès des principaux représentants de la classe ouvrière, et simultanément protestent par le tract « La Planète sans visa » contre l'expulsion de Trotski le proscrit chassé par le pouvoir soviétique.

Sollicité à plusieurs reprises, Tzara s'en tient à sa position. La note qu'il rédige est très claire.

« Je demande :

1) la suppression du groupement politique du surréalisme,

2) l'élargissement du front des intellectuels dans le but d'appuyer inconditionnellement affirmativement et sans discussion le parti communiste,

3) l'exclusion de ce front de tout individu qui mettrait des bâtons dans les roues du parti communiste, aussi fondées soient les raisons philosophiques ou tactiques qui en dernier ressort ne serviraient qu'à la bourgeoisie [1]. »

Pour la première fois, Tzara ne prend plus de précaution. La rupture avec Breton paraît bien irrémédiable. Plus question de faire semblant, ou pire, faire machine arrière comme Eluard. Quant à Breton, il

---

1. Tristan Tzara, *Œuvres complètes*, tome III. — Henri Béhar, « Figures du chassé-croisé », *Mélusine* n° 18. — Paris, L'Age d'Homme (1997).

donne des signes de bonne volonté et veut garder le contact. Dans le livre qu'il prépare, consacré à la position politique du surréalisme, il se dit favorable à la constitution de ce front unique des intellectuels que Tzara appelle de ses vœux... « Si ce qu'on incrimine en moi est la volonté de dégager et de défendre ce qu'il peut y avoir de commun et d'inaliénable dans les aspirations de ceux à qui il appartient aujourd'hui d'aiguiser à neuf la sensibilité humaine, par-delà tous les différends qui les séparent et dont je tiens la plupart pour à bref délai réductibles, oui, je suis pour la constitution de ce front unique de la poésie et de l'art. » Mais de là à se mettre à la remorque du parti communiste, il y a un pas que Breton se refuse à franchir. Et au fil des semaines, les vieilles rancunes refont surface. La publication du nouveau numéro de la revue *This Quarter* déclenche la colère de Tzara. Breton y fait allégrement débuter le surréalisme en 1919, gommant ainsi toute l'activité dada. Un livre de David Gascoyne, présenté comme le premier essai anglais sur le mouvement surréaliste, renouvelle ce tour de passe-passe historique. Or, c'est encore Breton qui a fourni les documents et les conseils au poète anglais. La manœuvre est d'autant plus grossière que Breton ne s'arrête pas là. Dans un article publié dans *Minotaure*, il déclare qu'il ne voit quant au processus de symbolisation artistique « aucun antagonisme fondamental » entre, par exemple, Jouve, Malraux et Tzara. Jusqu'ici plutôt discret, Tzara est bien décidé à rendre publique sa démission et même si cela est possible à organiser un départ groupé !

Sécession

En contact étroit avec Char et Crevel qui partagent sur bien des points ses analyses, Tzara prépare un texte et une initiative commune. Il se rend à plusieurs reprises à L'Isle-sur-la-Sorgue où Char s'est installé avec sa femme Georgette. Sur le principe de la démission tout le monde semble d'accord, mais Char pense que cela doit rester avant tout une affaire individuelle.

Quelques semaines plus tard, il précise à Tzara : « Sans aucun doute, je ne partage pas vos opinions actuelles, mais comme vous, je mets l'amitié — lorsque les êtres sont honnêtes — au-dessus de cela[1]. »

Quant à Crevel, il est toujours bloqué à Davos platz où il lutte contre la tuberculose qui le ronge. Sur tous les fronts, il tente l'impossible... Essayer de concilier son appartenance toujours officielle au groupe de Breton et mener à bien son action militante du côté des communistes. Très au courant, malgré son isolement forcé, il envoie de longues lettres à son ami Tzara[2].

Il ne souhaite pas de rupture brutale et veut garder plus que tout la confiance d'Eluard, qui d'ail-

---

1. Correspondance René Char-Tristan Tzara, Bibliothèque Doucet.
2. Correspondance René Crevel-Tristan Tzara, Bibliothèque Doucet.

leurs vient le rejoindre en décembre 1934 à Davos pour se soigner. « Je suis quant à moi, écrit-il, disposé à cultiver mon particulier dans l'intérêt général du surréalisme. Les épuisantes et stériles séances ne se verront accorder de ma part qu'un tout petit nombre d'heures. » Il reste très attentif à l'activité du groupe et attend avec impatience le nouveau *Minotaure*.

Mais quand il a l'autorisation de sortir et qu'il se rend à Zurich, sa première lettre est pour son « cher Tristan » : « Ici, on est loin d'avoir oublié le Cabaret Voltaire. Ça me fait pardonner beaucoup de choses à cette blondasse de ville. »

Tzara revient bientôt à la charge et croit toujours trouver une solution de compromis avec Char. Crevel lui expédie aussitôt une lettre très détaillée où il précise sa position : « Mon départ n'a rien changé à mes idées. Bien entendu, je ne veux ni injures, ni linge sale. Je ne veux rien qui puisse paraître le moins du monde dirigé contre Paul, non parce qu'il est ici, mais parce que son attitude est celle d'un homme contre qui je ne voudrais pas que pût être prise la moindre virgule tracée de ma main, signée de mon nom. D'ailleurs, je suis sûr que nous pensons la même chose en ceci et j'attends avec impatience et entière confiance le brouillon que vous aurez mis à jour, toi et Char. A mon avis, il s'agirait de dire que les acquisitions du surréalisme demeurent, se continueront, etc. Mais que le groupe ne compte plus, parce qu'à l'heure actuelle les contradictions chez les intellectuels issus de la bourgeoisie sont telles que nous assistons à une décomposition, d'ailleurs prometteuse, selon la marche dialectique, de nouvelles germinations. (...) Il faudrait donner à ce papier une forme interrogative, une forme qui permette les réponses de l'extérieur. (...) Si un texte commun est difficile, impossible, pourquoi ne pas publier un papier où chacun en quelques lignes expliquerait son point de vue. Des points de vue quasi identiques ne sont pas toujours un seul et même point de vue commun. » Finalement le texte commun ne verra jamais le jour et chacun partira en toute discrétion, sauf Tzara qui annonce publiquement sa démission du groupe surréaliste. Et Crevel d'ajouter quelques jours plus tard... « Ce n'est point dire que je m'attende à un échec, mais je crois qu'avant de regrouper des individus, il faudrait que chaque individu s'exprimât catégoriquement sur ce qui lui tient le plus à cœur. Pour moi je n'ai pas fait le point, mon point. Il me semble que je ne me retrouverai qu'en me perdant dans la vie, dans la moins littéraire des vies. »

En retour, Tzara fait parvenir à Crevel une lettre douce-amère : « Je respecte ton point de vue. La situation qui nous est faite est difficile. J'attends avec impatience ton retour à Paris pour continuer le combat qui nous tient à cœur. Les communistes allemands ont besoin de nous. Mais je ressens comme un grand vide qu'il va falloir combler. Je suis avec toi. Embrasse Paul. Tristan [1]. » Cette lettre retrouvée par hasard chez un collectionneur nous permet de mesurer la détresse d'un Tzara qui voit s'éloigner une nouvelle fois ses amitiés de jeunesse. Tout défile encore dans sa tête, les appels enflammés, les soirées avenue Junot et cette belle complicité qui disparaît. Avec une certaine lassitude il a l'impression de revivre les affrontements qui marquèrent la mort de Dada. C'est le même divorce avec des enjeux différents. Crevel ne manque pas d'y

---

1. Correspondance Tristan Tzara-René Crevel, Collection particulière.

faire allusion dans une nouvelle lettre... « A force de parler de toi avec Paul, je me sens bien près de toi. Et me sentir près de toi, c'est revivre dans l'atmosphère des premières années 20 et d'autant m'y sentir qu'après plus de dix années il y a résurrection des mêmes situations. » Il lui précise qu'il est résolu à rompre avec Breton, ce qui n'est pas simple... « Il y a tout l'attirail, tout l'esthétisme de la rue Fontaine liés à de vieilles affectivités (...) Il y aura toujours cette fameuse question du magnétisme bretonnant. Je ne le nie pas, je l'ai subi trop longtemps... » Et puis comme il y a toujours un clin d'œil amusant chez Crevel, il annonce à son copain qu'il vient de gagner un lot au tirage de la tombola du comité pour la libération du dirigeant communiste allemand Thaelmann. C'est une sculpture de Giacometti, un autre surréaliste passé lui aussi discrètement avec armes et bagages du côté des communistes de route du Parti...

Communion dans l'antifascisme

Crevel est enfin de retour à Paris, à la fin de l'année 1934. Avec Tzara il réintègre sans difficulté l'AEAR et surtout le comité Thaelmann. Dans les locaux de la rue Notre-Dame-de-Lorette, ils sympathisent avec André Seigneur[1], le responsable dépêché par la direction du Parti pour coordonner toutes les initiatives.

Grand, sûr de lui, Seigneur a l'allure d'un héros prolétarien comme on en voit dans les films soviétiques. Lui, au moins, ne perd pas de temps à palabrer, il est en contact avec tous ces jeunes intellectuels prêts à se battre contre la peste brune.

Il est devenu l'ami de Sadoul, Unik, Tanguy, ces ex-surréalistes ralliés à la bonne cause. En liaison avec Florimond Bonté, il est détaché à l'agit-prop et devient un spécialiste de la communication. Il n'est pas le seul autodidacte que le Parti forme pour en faire des révolutionnaires professionnels. Tzara et Crevel s'intègrent à cette petite équipe de bénévoles[2]. Ils réalisent des brochures, tirent un journal, envoient des délégations en Allemagne, organisent un tribunal du peuple à la salle Bullier. Une nouvelle fois ils utilisent leur carnet d'adresses pour multiplier les contacts. Un dimanche après-midi ils sont

---

1. Entretien avec Pascal Seigneur.
2. François Buot, *René Crevel*, op. cit.

313

au milieu de la foule du stade Buffalo à Montreuil pour écouter Romain Rolland et chanter *L'Internationale*. La foule est impressionnante et ce « Libérez Thaelmann ! » qui revient sans cesse est un défi lancé au milieu de cette banlieue triste et lépreuse... Tzara et Crevel n'ont plus d'états d'âme, ils savent que leur place est bien là au milieu de ces gens qui refusent la soumission.

Un enthousiasme un peu gâché par les nouvelles en provenance d'URSS. « Le réalisme socialiste », cette nouvelle notion très en vogue à Moscou, ne les séduit pas. Utilisé pour la première fois dans *Commune* pour caractériser le nouveau roman de Paul Nizan, *Antoine Bloyé*, le réalisme version soviétique est conçu comme « l'expression naturelle des nouvelles relations socialistes de la conception révolutionnaire du monde ». Tzara et Crevel y voient poindre un nouvel académisme qui ne peut que nuire à la portée révolutionnaire d'une œuvre.

Les interventions de Radek et de Boukharine, au Congrès des écrivains soviétiques, reproduites dans le même numéro de *Commune* ne parviennent pas à les convaincre[1]. Quant aux commentaires du journaliste de *Monde*, qui se félicite de la « dénonciation des œuvres décadentes de la littérature bourgeoise, des histoires d'amour pornographiques », et qui salue « les grandes œuvres de l'humanité travailleuse », ils les feraient plutôt frémir[2].

Et pourtant dans les cénacles intellectuels du Parti, le réalisme socialiste marque des points. Aragon qui vient de publier *Les Cloches de Bâle* se voit

1. Karl Radek, « Littérature bolchevique et littérature prolétarienne ». — Nikolaï Boukharine, « Le Réalisme socialiste », *Commune* n° 13-14, septembre-octobre. 1934.
2. Compte rendu du Congrès des écrivains socialistes, *Monde*, n° 309, septembre 1934.

récompenser de cette appellation soviétique par Pierre Unik dans *Commune*. Crevel, qui entre-temps est reparti pour quelques semaines en Suisse, n'est pas convaincu. Il écrit à Tzara : « Le roman d'Aragon pour le peu que j'en ai lu, cela m'a déçu. Curieux journal que cela, d'ailleurs bien démoralisant[1]. »

Mais *Commune* ne s'arrête pas au roman d'Aragon, la revue salue aussi la publication d'un livre très documenté sur « La littérature des peuples d'URSS ». Les dirigeants du PCF poursuivent ainsi, en l'amplifiant, leur offensive en faveur du réalisme. La lecture de ce document précise bien la nouvelle éthique culturelle. On y trouve une attaque en règle contre la littérature de « parasites ».

Monde s'en prend directement aux surréalistes, comme Max Ernst dont « l'imagination angoissée ne trouve pas le contact avec ceux qui portent en eux un avenir meilleur ». Et c'est Vladimir Pozner qui est chargé de lancer les menaces... Il dénonce la nouvelle littérature française qui se perd dans l'introspection. « Nul n'a le droit, écrit-il, d'exploiter ses doutes et ses désaccords au détriment de l'URSS, sous peine de glissements dans le camp de la contre-révolution. » Voilà nos deux amis prévenus. Ils savent que pour continuer leur combat antifasciste avec les communistes, l'attitude vis-à-vis de l'URSS est déterminante.

Or, via André Gide et son copain Jef Last, Tzara et Crevel ne se font plus guère d'illusion sur le paradis soviétique. Jef Last revient tout juste d'un long voyage en URSS. Il raconte l'appareil policier déployé dans tout le pays. L'homosexualité y est

---

1. Correspondance René Crevel-Tristan Tzara, Bibliothèque Doucet.

maintenant criminalisée et Gorki, lui-même, la dénonce comme un fléau social ! Last, par ailleurs très engagé dans le combat antifasciste, ne peut pas être suspecté d'anticommunisme forcené. Bien au contraire, c'est un compagnon de route effrayé par la réalité du système stalinien.

Qu'importe, il faut passer outre sans succomber au désespoir et au vertige de l'échec. Il est nécessaire de continuer l'action sur le terrain au service des autres en donnant des preuves qu'on ne cède à aucune injonction de la « bureaucratie ».

Dans une plaquette, hommage qu'il publie en 1955, Tzara revient sur l'engagement de Crevel, un texte qui s'applique aussi à lui-même. « Vers la fin de sa vie, l'action n'avait plus un caractère théorique, mais était spécifiquement immédiatement limitable, localisable. Avec sa fougue et sa perspicacité, il s'y adonna entièrement sans renier son passé[1]. »

Sans illusion, mais assez déterminés, les deux amis se retrouvent donc au comité de préparation d'un grand congrès international des écrivains à Paris. *Monde* en publie l'appel et *Commune* s'y associe. Dans la liste des premiers signataires on retrouve Aragon, Barbusse, Rolland, mais aussi Guéhenno, Alain, Giono, Malraux... La volonté des organisateurs est donc de rassembler le maximum d'écrivains sur une base très large, mais qui englobe nécessairement le combat antifasciste et une sympathie sans faille vis-à-vis de l'URSS. Pour ne pas se retrouver isolé, Breton se sent obligé de faire un geste. Invité à Prague avec Eluard par l'organisation « Front Gauche » il prononce plusieurs conférences où il donne des signes de bonne volonté en direction des

---

1. Tristan Tzara, Plaquette d'hommage à René Crevel (1955).

communistes[1]. *Rude Pravo*, l'organe officiel du parti tchèque, en convient et présente Breton et Eluard comme les deux plus grands poètes français... Les surréalistes ont gagné leur ticket pour participer au Congrès.

Crevel veut encore croire au rapprochement. Tzara est plus prudent parce qu'il sent bien l'intransigeance de ses nouveaux camarades staliniens. Il sait qu'à la moindre critique les surréalistes seront mis sur la touche. Il connaît aussi Breton, son opportunisme calculé quand il s'agit d'éviter l'isolement et sa rigueur quand il faut défendre la liberté de pensée. Cette lucidité est peut-être ce qui le sépare d'un Crevel toujours fasciné par le charisme de l'auteur de *Nadja*.

Compagnon de route fidèle et discret, Tzara accepte d'écrire dans *Commune* et apporte son concours à toutes les initiatives de l'AEAR et du comité Thaelmann.

Avec Crevel, il suit non sans angoisse les événements qui se déroulent en Espagne. L'insurrection armée des Asturies a été réprimée par la Légion étrangère de Franco. Il faut porter secours aux milliers de prisonniers qui s'entassent dans les geôles...

Tzara et son ami Jean Cassou, qui connaît très bien l'Espagne, aident Crevel à organiser un voyage de solidarité avec plusieurs associations humanitaires. Un voyage de courte durée puisqu'il faut rentrer à Paris pour l'organisation du Congrès.

---

1. Maurice Nadeau, *Histoire du surréalisme, op. cit.* — Entretien avec Maurice Nadeau.

Bataille perdue

Après plusieurs nuits de discussion serrée, les surréalistes obtiennent l'autorisation d'intervenir à la tribune du Congrès qui doit se dérouler en juin. On connaît la suite, une altercation malheureuse boulevard du Montparnasse va tout remettre en cause. Breton y croise Ilya Ehrenbourg, écrivain soviétique qui dans son dernier livre présente ainsi l'activité surréaliste : « L'onanisme, la pédérastie, le fétichisme, l'exhibitionnisme et même la sodomie. » De quoi provoquer la fureur de Breton qui ne manque pas de corriger l'insolent. La délégation soviétique demande des excuses publiques et de son côté Breton radicalise sa position en faisant cause commune avec ceux qui exigent que la question des droits de l'homme en URSS soit enfin abordée à la tribune du Congrès.

La rupture semble inévitable. Crevel fatigué veut tenter un rapprochement de la dernière chance. Tzara, très sceptique, lui rappelle les conditions posées par les communistes, mais accepte d'organiser une réunion de conciliation. Il réussit à convaincre Jean Cassou, Jean-Richard Bloch, Aragon, Malraux et André Chamson. Ehrenbourg fera même le déplacement. Crevel qui est en contact permanent avec Eluard défendra le point de vue des surréalistes. Tout le monde se retrouve le 18 juin à la Closerie des Lilas. Aucun procès-verbal n'ayant

318

été dressé lors de cette réunion, restent les quelques témoignages des participants.

Aragon y revient longuement dans les commentaires qu'il donne en marge de ses Œuvres complètes [1]. Selon lui, Ehrenbourg se montre d'emblée menaçant. Il s'est vu confier la tâche d'éviter à tout prix toute question gênante concernant l'URSS. Il ne veut rien entendre et se montre très agressif vis-à-vis de Breton. Ce qui provoque la colère de Crevel. Le ton monte. Aragon, bien entendu, se donne le beau rôle : « Je me tenais sur une certaine réserve en ne tenant pas plus à me donner des gants pour défendre mes anciens amis qu'à soutenir la position exprimée par Ehrenbourg. »

La réunion s'éternise dans un certain désordre. Les participants se séparent après avoir trouvé un compromis : le représentant du groupe surréaliste pourra bien intervenir, mais dans une petite salle annexe... Sur le fond Ehrenbourg a gagné.

La version de Jean Cassou est légèrement différente. Il est tout d'abord frappé par « l'air affreusement anxieux » de Crevel que son arrivée rassure. Il est vrai qu'il peut compter sur lui pour faire entendre raison à Ehrenbourg. De fait, Cassou prend la parole le premier en développant une argumentation très simple : « Le surréalisme, dit-il, est un des mouvements capitaux de notre temps ; comment pourrions-nous prétendre ne garder avec nous que ceux qui l'ont quitté et rejeter ceux qui, comme Breton, marquent leur volonté révolutionnaire en lui restant fidèle [2] ? » Cassou parle bien, mais échoue. « Je me heurtai à un mur, Breton avait commis à l'égard de l'un des hommes les plus représentatifs de la délégation soviétique un acte dont la

---

1. Louis Aragon, *Œuvres poétiques*, Paris, Livre Club Diderot.
2. Jean Cassou, *Une vie pour la liberté*, Paris, Robert Laffont.

brutalité était digne d'un policier. » Crevel sent que
la partie est perdue... « Crevel à son coin de table
suivait notre dialogue d'un regard angoissé. »
Quand Cassou se lève, il lui annonce qu'il n'y a plus
rien à espérer.

Reste Tzara. Son témoignage est précieux, mais il
est écrit en 1945, à une époque où il pense adhérer
à un parti communiste auréolé de son combat dans
la Résistance et de sa victoire sur le nazisme[1]. Le
texte est plutôt laconique comme un bulletin officiel.
Il constate d'abord que Crevel avait changé. Après
avoir tenté de concilier l'action et le rêve, il avait
finalement reconnu « dans l'action révolutionnaire
la seule qui fût moralement, raisonnablement digne
d'être entreprise ». Aux « fantômes des rêves », il
avait préféré « les hommes en vie qui cherchent non
plus des compromis avec la société, mais entendent
la transformer ». Crevel était bien engagé dans un
combat à mort avec la société. Tout compromis avec
elle signifiait une trahison et un « renoncement à lui-
même ». Suit une description ultra-rapide de la réunion de la Closerie des Lilas : « Je le vis pour la
dernière fois à la Closerie. Il s'agissait de prendre les
dispositions en vue du congrès. Vers 1 heure du
matin, Crevel, Cassou et moi nous montâmes dans
un taxi. Après avoir déposé Cassou en route, nous
nous séparâmes à la Concorde. Crevel rentra chez
lui. Le lendemain, on le retrouva mourant. » Tzara
met en valeur son dernier discours rédigé pour le
Congrès et salue « sa lucidité et son courage intellectuel dans sa lutte pour la libération de l'homme ».

Tzara est bien le dernier à avoir vu Crevel juste
avant son suicide. Mais pas un mot sur le drame du
Congrès, juste une allusion, « des événements mal-

---

1. Tristan Tzara, Plaquette d'hommage à René Crevel, *op. cit.*

heureux jouèrent le rôle de la goutte qui fait débor-
der le vase ». Tzara préfère donner de son ami
l'image d'un communiste, d'un militant.

Les organisateurs du Congrès s'en tiendront eux
aussi à cette image-là, tranquille et rassurante. Dans
une salle de la Mutualité pleine à craquer, c'est
Pierre Abraham qui rendra hommage à Crevel « que
la mort vient de nous enlever ». Il cède aussitôt la
place à Aragon chargé de lire le dernier discours de
Crevel. Or, ce texte n'est pas celui qu'avait rédigé
l'auteur. Aragon dans ses Souvenirs se défend
d'avoir écrit ou même réécrit le texte. « On m'a
donné le texte, déclare-t-il, je l'ai lu. Je ne le connaissais pas. » Aragon n'a pas tort. Le discours qu'il a
lu est en fait un texte très politique que Crevel avait
prononcé au nom de l'AEAR le 1er mai devant les
ouvriers de Boulogne-sur-Seine[1].

Le correspondant de L'Humanité peut alors se
féliciter de « cet ardent appel à l'action » et en citer
largement toute la conclusion. La salle applaudit
longuement et se lève pour une minute de silence.
Reste que le discours n'est pas le bon. Pour Aragon,
il n'y a pas eu manipulation et il ajoute pour preuve
de sa bonne foi que le bon discours a été publié
intégralement quelques semaines plus tard par
Commune. Les propos ne sont évidemment pas tout
à fait les mêmes... Crevel y défend les surréalistes et
montre sa défiance vis-à-vis du réalisme socialiste.

Il fallait un congrès sans fausse note. Et de ce
point de vue les communistes peuvent être satisfaits.

Un numéro spécial de Monde[2] salue cette réussite
de « l'unité antifasciste ». Certaines interventions
dont celle d'Eluard ne sont pas reproduites, Cassou

---

1. François Buot, René Crevel, op. cit.
2. Monde, numéro spécial, n° 432, juin-juillet 1935.

y peaufine l'image du Crevel militant. Quant à Tzara, il marque par un long article son éloignement définitif du surréalisme. Il y dénonce, en effet, « les derniers soubresauts d'un scepticisme petit-bourgeois, c'est-à-dire une attitude qui consiste, au nom de quelque gauchisme révolutionnaire, à critiquer dans les moindres détails l'action sociale et à retrouver, par un chemin détourné, les ennemis de la révolution ». Mais Tzara, qui donne ainsi un nouveau gage d'orthodoxie stalinienne, ne va pas jusqu'à chanter les louanges du nouveau réalisme socialiste. Sa prise de position, à quelques jours du suicide de Crevel, constitue néanmoins une pièce maîtresse dans l'offensive du parti communiste pour isoler toute voix dissidente.

Cependant, qu'on ne s'y trompe pas, derrière les effets de tribune, on peut deviner le drame personnel d'un Tzara qui voit disparaître un de ses plus fidèles amis. Au milieu du cimetière de Montrouge, on est loin de la langue de bois des camarades et on imagine son regard vide quand il accompagne pour la dernière fois son meilleur compagnon de route. Avec Crevel, ce sont les plus beaux moments de sa vie qui disparaissent encore un peu plus. Il le sait, sur tant d'années, il est rare de conserver une telle complicité. Ils avaient traversé toutes les tempêtes ensemble, parce qu'ils acceptaient leurs différences. Ils étaient frères aussi. Ils partageaient les mêmes causes avec une égale violence et une égale sincérité. Jamais malheureux, ni très heureux, ils avaient cette angoisse de vivre qui les rongeait et qui les conduisait à la plus terrible des solitudes. Ils avaient enfin la même nostalgie de la jeunesse perdue. Combien de fois ne s'étaient-ils pas retrouvés pour tenter de réveiller les fantômes de Dada... Tout cela est bien fini. Tzara aura un mal fou à tourner la page.

Le vent de l'histoire

Les appels à manifester se succèdent en ce début d'été 1935. La France s'enflamme. Le coup de semonce du 6 février et les nouvelles en provenance d'Allemagne font l'effet d'un électrochoc.

L'heure est à la mobilisation, et dans tout le pays on lance des appels à l'unité d'action antifasciste. Le 14 Juillet, c'est une véritable marée humaine qui défile dans les rues de Paris. Tzara est au milieu de cette foule à la fois bon enfant et déterminée. « Le fascisme ne passera pas ! » est un cri de ralliement. Dans le dernier numéro de *Commune*[1] qui sort au même moment, Tzara n'hésite pas à écrire : « La révolution n'est pas une flamme brusque et spectaculaire qui se produit en dehors de nous. Elle est un travail patient, mouvant et minutieux. Ce travail est aussi bien de nature politique qu'intellectuelle et poétique. Nous vivons dans une époque révolutionnaire. Cela dépendra du couronnement qui se trouve au bout, lorsque la bataille sera livrée, si la direction que prendra ce mouvement servira en fin de compte la classe dominante ou la classe dominée. Notre choix est fait. Devons-nous accepter une ligne intermédiaire qui finalement nous mette hors du combat ? Non. Si notre choix est fait, il faut que

---

1. Tristan Tzara, « Initiés et précurseurs », *Commune* n° 23, juillet 1935.

nous en subissions le parti pris. » Et Tzara d'insister
sur la nécessité pour le poète d'aujourd'hui de
« donner son existence pour la révolution ». L'heure
n'est plus aux demi-mesures ou aux hésitations.
Tout état d'âme doit être sanctionné. Ce poète qui
doute doit « être écarté de la communauté révolutionnaire qui se forme ». Suit un éloge de l'URSS
sans qui cette profession de foi kominternienne
n'aurait pas de conclusion valable.

En réalité, Tzara a besoin de faire de la surenchère
pour mieux prouver son orthodoxie après les émotions du Congrès pour la défense de la culture. Il se
trouve par là même en décalage avec le nouveau discours de la direction du PCF. Le bureau politique s'est
mis au diapason d'une base qui exige une entente
antifasciste au sommet avec les autres organisations
de la gauche. Menacé dans sa réalité et dans son existence même, exclu de la communauté nationale,
conscient du vide qui se fait autour de lui, le PCF
— tout au moins les plus jeunes générations — voit
dans l'adhésion à un large front antifasciste le moyen
de s'intégrer à nouveau dans la vie politique française[1]. Pour Thorez, la défaite du fascisme ne peut
être assurée que par l'union de toutes les forces pro-
gressistes. « Les masses n'ayant pas à choisir, selon
l'expression du secrétaire général, entre la dictature
du prolétariat et la démocratie, mais entre la démocratie bourgeoise et le fascisme. » Le sectarisme est
enterré et les délires gauchistes ne sont plus de saison.
La révolution n'est plus à l'ordre du jour et dans les
réunions du Parti on se met à chanter *La Marseillaise*,
on évoque le patriotisme et les drapeaux tricolores. Le
Parti change. En éternel franc-tireur, Tzara est un peu

1. Jacques Droz, *Histoire de l'antifascisme en Europe*, Paris, Ed.
La Découverte (1985).

en décalage. Pour lui les considérations tactiques se règlent au bureau politique. Il accepte sans broncher. De toute façon, il n'a jamais été sensible aux surenchères trotskistes, ceux qui appellent à la défiance vis-à-vis de l'URSS et qui s'apprêtent à condamner le nouveau tournant du PCF vers le réformisme, la « collaboration de classe » et l'union sacrée.

La rupture irrémédiable avec Breton passe aussi par l'acceptation totale de la ligne du Parti. Le chef de file des surréalistes n'est pas près de transiger. Dans son discours lu par Eluard au Congrès des écrivains, il a prévenu. « Nous refusons pour notre part de refléter dans la littérature comme dans l'art la volte-face idéologique qui s'est traduite récemment, dans le camp révolutionnaire de ce pays par l'abandon du mot d'ordre : transformation de la guerre impérialiste en guerre civile. »

A l'automne, Breton passe un compromis avec Bataille pour fonder Contre-attaque, un groupe de combat des intellectuels révolutionnaires. Pas question d'avaler les couleuvres du PCF. Les signataires se dressent contre les idées de patrie, contre le capitalisme et ses « institutions politiciennes ». Ils dénoncent le Front populaire en formation, dont ils prévoient la faillite parce qu'il veut accéder au pouvoir dans le cadre des institutions bourgeoises. Ils proclament que leur cause est « celle des ouvriers et des paysans » sans reconnaître par démagogie la vie de ceux-ci « comme la seule bonne et vraiment humaine ».

Pour eux la tactique traditionnelle des partis de gauche anesthésie le prolétariat alors qu'il faudrait au contraire regrouper les forces prêtes à l'affrontement sans avoir peur du fanatisme [1]. Pour Tzara, la

---

1. Maurice Nadeau, *Histoire du surréalisme, op. cit.* — José Pierre, *Tracts et déclarations surréalistes, op. cit.* — Michel Surya, *Georges Bataille, la mort à l'œuvre, op. cit.*

situation est claire : Breton sous l'emprise de Bataille s'isole encore un peu plus. Sans contact avec les forces vives de l'Histoire, et sans racines dans le prolétariat, il semble condamné à une impasse dramatique... Or, il y a urgence et pour Tzara l'heure n'est plus aux états d'âme. Il faut se battre.

La morale de l'urgence

Il a bien choisi de se rallier aux positions les plus communistes tout en maintenant ses distances. Il multiplie les concessions et les actions militantes pour prouver sa bonne foi ou se racheter de ses quelques années frivoles. Le combat de Tzara part d'un refus des inégalités sociales et des atteintes aux droits de la personne humaine dans les pays capitalistes. Cet engagement pour la liberté exige une certaine éthique. Son action au sein de l'AEAR est utile puisqu'elle consiste à porter secours aux victimes du fascisme. Avec Crevel, ils ont inventé la morale de l'urgence. Alors que tous ses amis deviennent des idéologues patentés et se mettent à disserter sur les malheurs du monde, Tzara préfère le terrain pour sauver des vies humaines. Derrière les discours, il se veut lucide dans un monde qui fait peur. Pour lui, la politique n'est pas un loisir. On ne change pas d'idées comme on change de boîte de nuit ou de salle de sport... Alors que la France s'apprête à voter pour les candidats du Front populaire, c'est en Espagne qu'il faut être.

Là-bas, c'est une vraie révolution qui se prepare et la victoire contre le vieux monde n'est pas gagnée d'avance. A Madrid aussi la gauche est au pouvoir. Jean Cassou est, en compagnie de Malraux, le témoin de cette victoire [1]. Il raconte en détail à Tzara

---

1. Jean Cassou, *Une vie pour la liberté*, op. cit.

ce voyage de solidarité avec les frères de combat du Frente Popular... les poings dressés, les discours enflammés, les banquets républicains.

L'inquiétude aussi, encore vague, de vivre une nouvelle expérience historique qui va dégénérer en catastrophe. L'armée n'est pas sûre et une partie de l'Espagne prépare sa revanche.

De retour à Paris, le 18 juillet 1936, Cassou et Tzara apprennent la nouvelle du coup de force de Franco. Cassou se souvient alors du mot que lui avait glissé l'écrivain président, Manuel Azana : « Il y a des expériences qui coûtent cher. » La guerre d'Espagne vient de commencer, et les communistes français sont en première ligne. Dès le 27 juillet, Tzara participe à l'organisation d'une commission de solidarité pour l'aide au peuple espagnol. Au 38, rue de Châteaudun, c'est l'effervescence. Il faut faire vite et les tâches ne manquent pas : souscription internationale, envoi de nourriture, mise en place d'un service de santé avec des médecins volontaires. L'objectif est de créer partout où cela est possible des comités de solidarité avec des réunions publiques, des affiches, des tracts [1]. Encore une fois, Tzara admire toute l'efficacité des communistes. Il côtoie Madeleine Braun, la toute nouvelle secrétaire de l'association. Il remue ciel et terre pour assurer le succès de la première action concrète qui consiste à acheter un avion sanitaire en Hollande pour l'envoyer sur le front. Le 27 août, le Parti met le gouvernement Blum devant ses responsabilités.

Maurice Thorez exige des armes pour les combattants espagnols. Puis c'est Romain Rolland qui prend le relais dans les colonnes de *L'Humanité*. Il

1. Georges Soria, *Guerre et révolution en Espagne (1936-1939)*, Paris, Livre Club Diderot (1976).

s'adresse à tous les peuples du monde : « Au secours de l'Espagne ! A notre secours, à votre secours, car c'est vous, c'est nous tous qui sommes menacés. » Tzara signe toutes les pétitions en faveur de l'Espagne républicaine. On le retrouve aux côtés des communistes comme Andrée Viollis, Georges Soria, André Wurmser et des compagnons de route comme Malraux ou Mauriac. Dès novembre 1936, il assiste aux premiers départs des volontaires français qui vont aller se battre pour la défense de Madrid. La « Centurie commune de Paris » est le premier bataillon des brigades internationales[1].

Sur le front intellectuel, c'est aussi la mobilisation générale. Avec Cassou, Tzara est en contact permanent avec l'Alliance espagnole des intellectuels pour la défense de la culture, où se retrouvent l'écrivain catholique José Bergamín, le cinéaste Luis Buñuel et le poète Rafaël Alberti. Ils se sont tous installés à Valence sous la protection du 5e régiment. On publie des revues, on organise un théâtre d'art et de propagande et on prépare des expositions comme celle du futur pavillon de l'Espagne républicaine pour l'Exposition internationale de Paris. A la première conférence internationale, l'Alliance reçoit plus de 500 délégués venus de plus de 36 pays.

L'Espagne est bien au cœur de toutes les passions du monde. Tzara est partout. Si on en croit Rafaël Alberti, il fait un premier voyage éclair à Barcelone pendant le siège de Madrid[2]. « J'ai participé, raconte Alberti, à une grande réunion publique

---

1. Rémi Skoutelsky, *L'espoir guidait leurs pas, les volontaires français dans les brigades internationales (1936-1939)*, Paris, Grasset (1998). — *La Solidarité des peuples avec la République espagnole*, (Ouvrage collectif), Moscou, Éd. du Progrès (1974).
2. Entretien avec Rafaël Alberti. Cité par Georges Soria, *Guerre et révolution en Espagne, op. cit.*

tenue par des intellectuels catalans à laquelle assistaient des écrivains venus de France, comme les poètes Tristan Tzara et Charles Vildrac, le romancier soviétique Ehrenbourg et d'autres hommes de lettres connus. Cette manifestation consacrée à la défense de Madrid fut très émouvante : elle avait été organisée pour qu'on sache qu'en Catalogne, si Madrid tombait aux mains de Franco, le sort de la Catalogne serait scellé du même coup. » Tzara est bien au cœur du cyclone. La guerre n'est pas loin et toute la ville se prépare déjà à l'affrontement... « Je me souviens, poursuit Alberti, que cette nuit-là, Barcelone était illuminée comme en temps de paix. Il n'y avait pas eu jusque-là, comme à Madrid, de bombardements d'aviation ou d'artillerie. Mais tandis que notre réunion se déroulait, un navire de guerre franquiste ouvrit le feu sur le port et la baie de Rosas. Ce fut là comme un avertissement. Lorsque notre meeting s'acheva, Barcelone était plongée dans l'obscurité et il en fut ainsi jusqu'à la fin de la guerre dès l'heure du "black out". »

De nouveau à Paris, Tzara intervient à la tribune du premier grand meeting pour l'Espagne républicaine organisé à la Mutualité sous la présidence de Vaillant-Couturier[1]. Quelques mois plus tard il accepte le secrétariat du Comité pour la défense de la culture espagnole. Sa poésie est elle aussi marquée par le drame espagnol.

C'est « Espagne 1936 », « Chant de guerre civile » ou d'autres textes qui paraîtront bien plus tard, des incantations chargées de douleur avec à l'horizon la certitude de la victoire et des lendemains qui chantent...

---

1. Jacques Gaucheron, « Tristan Tzara, esquisse pour un portrait », *Europe* nᵒˢ 555-556, juillet-août 1975.

« *Terre battue*
jamais soumise
parmi les multitudes antiques ferveurs
et les fraternités des mythes inassouvis des hommes
le brasier des rires de demain[1]. »

« *Je te vois Collioure tes routes courent autour des*
miennes
et dans le piège de leur couronne d'épines
mon sort retourne désespérément
au temps qui n'a cessé de tirer des marchés
mais autour d'un tombeau aimé il y a des sèches
prisons
là même où naquit la lumière ma lumière[2]. »

Tzara identifie son destin à celui de cette république espagnole en danger. « Espagne mère de tous ceux que la terre n'a pas cessé de mordre ». Sans tomber dans la poésie de propagande, il s'efforce de concilier l'écrivain et le militant.

1. Tristan Tzara, *Midis gagnés* (1946).
2. Tristan Tzara, *La Face intérieure* (1953).

La conscience de l'écrivain

L'année 1937 est terrible. Les nouvelles d'Espagne ne sont pas bonnes. Les troupes de Franco progressent et le gouvernement français choisit la non-intervention. Les républicains ne peuvent compter que sur la solidarité internationaliste. Au sein même du camp républicain la situation est très tendue [1]. On est au bord de l'explosion et l'enthousiasme des premiers mois n'est plus qu'un souvenir. Sur le terrain, les communistes marquent des points. Ils fournissent des canons et des avions. Ils ne se contentent pas de beaux discours et se battent. Ils consolident une véritable organisation militaire pour protéger Madrid et freiner l'avance des fascistes.

Ils en tirent un certain bénéfice face aux républicains et aux socialistes. L'heure est aux commissaires politiques et à la reprise en main. La révolution s'est glacée. Pendant qu'à Moscou Staline liquide une partie de l'ancien parti bolchevique, en Espagne ses partisans mènent campagne contre les anarchistes et les trotskistes du Poum. Les services secrets soviétiques sont à pied d'œuvre. Les purges commencent... Tortures, exécutions sommaires, les

---

1. Hugh Thomas, *La Guerre d'Espagne*, Paris, Robert Laffont (1985). — Pierre Broué, *Staline et la révolution, Le cas espagnol*, Paris, Fayard (1993). — Félix Morrow, *Révolution et contre-révolution en Espagne*, Paris, Ed. La Brèche (1978). — Olivier Todd, *André Malraux*, Paris, Gallimard (2001).

staliniens traquent toute forme d'opposition. L'ensemble du comité exécutif du Poum est arrêté en juin, et le leader André Nin est assassiné. L'affaire connaît un grand retentissement et ternit l'image de la République. Le Premier ministre Juan Negrin, otage des staliniens, justifie la répression par le fait que l'URSS est le seul Etat qui l'aide à tenir militairement. C'est dans ce contexte que Tzara revient en Espagne. Sans états d'âme, il est plus que jamais impliqué dans le combat de la solidarité. Pendant plusieurs semaines, c'est lui qui a organisé le 2e Congrès international des écrivains qui doit se dérouler durant l'été.

Les travaux commencent le 4 juillet dans Madrid en état de siège. Quel contraste avec le premier voyage de 1936. Partout des signes d'épuisement et la présence des hommes en armes. Les délégations étrangères sont surveillées et les écrivains invités triés sur le volet. Pour la grand-messe soviétique le NKVD a utilisé les grands moyens, il n'y aura pas de voix discordantes. Quatre-vingts auteurs représentant vingt-huit nations ont gagné l'Espagne dans des conditions souvent difficiles.

Stephen Spender est venu d'Angleterre avec un faux passeport espagnol sous le nom de Ramos Ramos. C'est lui qui fait partie des premiers orateurs avec Jean Cassou et André Malraux. Le 10, le Congrès reprend à Valence, devenu au fil des mois le siège du gouvernement et le fief des staliniens. La 5e armée quadrille la ville et assure la « protection » du Congrès. Partout, les romanciers, poètes, essayistes ou dramaturges sont reçus comme des invités de marque. Qu'importe, si le NKVD veille, il règne une étrange atmosphère. De la bonne humeur, beaucoup de pagaille et de l'émotion quand on croise des combattants revenus du front. Tard dans la nuit, on discute, on refait le monde, et on se bat avec des mots. On lève le poing en signe de fraternité et on chante *L'Internationale* à tout moment. Tzara fait partie des intervenants aux côtés de José Bergamín ou Mikaïl Kostov. Trop lucide, il ne se prend pas totalement au jeu. Il garde toujours une certaine distance. Il se tait, par exemple, quand le porte-parole de la délégation soviétique s'en prend violemment au traître André Gide et à son *Retour d'URSS*. Il reste néanmoins persuadé qu'il ne fait pas fausse route. Il sait qu'en France le Front populaire agonise et que le successeur de Léon Blum, le centriste Camille Chautemps, n'a aucune sympathie pour l'Espagne républicaine. Ces militaires en armes, et ces militants aguerris sont les derniers remparts contre la peste brune. Son discours est d'ailleurs une rapide justification de ses choix personnels. Et comme toujours, il en profite pour régler leur compte à ses anciens amis surréalistes, sans les nommer : « Il est certain, explique-t-il, que la plupart des écrivains, par leurs origines, et le monde des idées dans lequel ils vivaient, se placent jusqu'à présent à l'écart des luttes sociales. Tout au plus, est-ce le caractère affectif de ces luttes qui a pu les influencer ? Mais au moment où ces luttes latentes se transforment en luttes dynamiques, à ce moment révolutionnaire qui fait éclater les guerres, devant l'embrasement général de tous les éléments d'une civilisation, l'écrivain, s'il ne veut pas courir le risque de disparaître en tant que tel, doit prendre position [1]. » La guerre d'Espagne exige bien, pour Tzara, une participation active pour la défense de la

---

1. Tristan Tzara, « L'Individu et la conscience de l'écrivain », *Commune*, numéro spécial, IIe Congrès international des écrivains n° 49, septembre 1937.

liberté, au sens le plus concret du terme. Son discours est un vibrant plaidoyer pour l'engagement de l'intellectuel. Dans la conscience de l'écrivain révolutionnaire, la fin justifie les moyens. Au cœur du combat, l'acceptation et la discipline demeurent indispensables : « Si le but à atteindre reste le même, la dignité de l'homme dans la conscience et la liberté, il serait criminel d'appliquer à des époques révolutionnaires je ne sais quels principes paradisiaques à revendications immédiates, que la réalité des choses rend impossibles ou nuisibles. C'est pour cette raison que la parole peut devenir une plus terrible arme que les canons les plus puissants. » Et comme s'il s'adressait à un Breton qu'il connaît si bien, il ajoute : « Je sais à quel point, pour un être sensible, le conflit peut devenir aigu, entre la conscience du but à atteindre et le passage nécessaire vers ce but. Il ne s'agit pas d'amoindrir l'homme, de le castrer, mais au contraire, de le mener vers la plénitude. »

Conscient de la réalité sur le terrain, loin des meetings, Tzara ne se fait plus beaucoup d'illusions sur cette révolution en proie au vertige des purges. Epuisé, il rentre sur Paris pour continuer le combat à sa façon. Il s'isole pour écrire, et c'est ce qu'il fait de mieux. Il reste fidèle à l'Espagne et en reparlera longtemps. En 1951, dans un poème dédié aux quarante-quatre prisonniers de Barcelone, il écrit :

« C'est la part de notre vie la première
que tu gardes entre tes mains Espagne
L'oubli ne joue pas dans nos cordes
Nous sommes aux ordres de l'attente
C'est la part de notre vie la plus profonde
Prisonnière de tes bourreaux d'Espagne. »

Tzara a gardé beaucoup de contacts en Espagne.

Il a promis d'envoyer des textes pour *Mora de Espagna*, la grande revue des intellectuels antifascistes. On y trouve au sommaire Bergamín, Alberti ou Machado le poète qui a magnifié la résistance de Madrid. Le secrétaire de la rédaction, Juan Gil Albert, écrit ainsi à Tzara dès le 22 juillet : « Salutation après le voyage ! Nous souhaitons des papiers originaux pour la revue. Nous avons la volonté d'organiser une véritable collaboration étrangère. » Au printemps 1937, avec Vicente Alexandre, il publie « deux poèmes » dont le produit de la vente est reversé intégralement au profit du peuple de l'Espagne républicaine.

Inquisitions

Tzara reste un militant dévoué. Mais pour autant il n'abandonne pas la recherche. L'émulation du groupe surréaliste lui manque. Il aime les débats intellectuels et la création collective. Si Tzara n'est pas un touche-à-tout, c'est un esprit curieux, éclectique. On sait que la philosophie l'a tenté dans ses années de jeunesse et les sciences restent pour lui un domaine de prédilection. Il aime fréquenter les chercheurs, les psychanalystes et les linguistes. Sa bibliothèque garde la trace de cette curiosité et il n'est pas rare de croiser avenue Junot quelques spécialistes a priori très éloignés des rivages de la poésie[1]. Avec Roger Caillois, Tzara est comblé. Ce jeune surréaliste habitué du Cyrano, mais croisé dans le sillage de Crevel, fait partie de ces nouvelles recrues des années 32-33. Tzara est fasciné par son intelligence et ce côté encyclopédiste à la manière des savants du XVIIIe siècle. Caillois lui explique qu'il a l'intention de dégager les ressorts et les structures de l'imaginaire.

Il reproche d'ailleurs aux surréalistes leur modération et leurs éblouissements faciles devant le merveilleux. Lui, préfère prôner la recherche scientifique dans tous les domaines. Tzara apprécie ce discours. Il aime les esprits ouverts, les découvreurs perpétuels.

1. Entretien avec Christophe Tzara.

Les deux hommes acceptent avec enthousiasme de participer aux réunions du tout nouveau groupe d'études pour la phénoménologie humaine. On y retrouve quelques ex-surréalistes comme Monnerot, Unik ou Aragon qui dirige l'ensemble des travaux. Ce dernier est d'ailleurs très clair. Pour lui, il n'est pas question de pousser les expérimentations trop loin. Il s'agit de transposer sur le plan artistique ou scientifique la plate-forme du Front populaire. Via Aragon, le Parti veille à la bonne tenue des exposés. C'est Tzara qui prononce l'allocution d'ouverture[1] où il confirme sa rupture totale avec le surréalisme en reprenant les idées qu'il a développées dans *Grains et Issue*. Le texte est intégralement publié dans le premier numéro de la revue *Inquisitions* dont la couverture a été dessinée par Greta. Le choix des auteurs est assez large puisqu'on peut y trouver une longue communication de Gaston Bachelard sur le « Surrationalisme ».

Les discussions sont nombreuses et plutôt animées. L'exposé de Tzara donne lieu à un débat où Caillois met en cause la théorie sur la pensée non dirigée... « Des forces disciplinées font la force de la pensée, dit-il, la pensée non dirigée correspond à une nostalgie vague, à des instincts de paresse, estimables d'ailleurs. Un objet de conquête, voilà comment la pensée doit envisager le monde actuel. »

Tzara paraît sur la défensive... « J'ai parlé des modes de pensée dans leurs rapports avec la poésie. Pour montrer leurs interdépendances, il m'a semblé nécessaire de les situer dans le cadre historique du développement de l'homme, en prenant pour pôles l'homme primitif et l'homme actuel. Aujourd'hui le penser dirigé domine, sans que le non-dirigé ait dis-

---

1. Tristan Tzara, *Œuvres complètes*, tome III.

paru complètement. Mais l'évolution se poursuit. Je laisse l'histoire faire son chemin, sans préférence pour ma part. »

Tzara, visiblement isolé, défend sa conception de la poésie si éloignée des canons du réalisme socialiste. Quand Unik lui demande si la « poésie activité de l'esprit » domine actuellement, Tzara répond : « Je constate une tendance de la poésie à abandonner la forme. On peut considérer que Rimbaud après avoir abandonné la forme a vécu la poésie dans ses caractères essentiels. » Et quand on aborde les rapports entre sciences et révolution, Tzara met les choses au point... « L'homme de sciences n'est pas forcément un révolté. Quant au terme de "révolutionnaire" l'abus qu'on en a fait et la confusion qui s'y attache, tantôt sur le plan artistique, tantôt sur celui de la lutte sociale sont devenus si fréquents que mieux vaudrait ne plus l'employer sans en préciser le contenu [1]. »

Un débat qui confirme la position originale de Tzara mais qui n'aura pas de suite puisque le groupe se saborde très rapidement. Il n'y aura jamais de numéro 2 à *Inquisitions*.

---

1. Tristan Tzara, *Œuvres complètes*, tome III.

Tzara est toujours très loin de la Roumanie. Le seul lien qui le relie encore à ce pays c'est sa famille. En juin 1936, son père est décédé. Il envoie plusieurs lettres à sa mère, mais il ne part pas... « Pendant tout ce temps, écrit-il, je pensais que si j'avais pu rentrer en Roumanie, cela aurait pu être la seule consolation pour toi. Maintenant avec le nouveau gouvernement, j'espère vraiment que les choses puissent s'arranger ici[1]. » Il ne donne pas d'autre précision. On peut évoquer sa situation financière périlleuse, liée à sa rupture avec Greta, on peut aussi imaginer des difficultés administratives pour obtenir sa régularisation.

Tzara reste un étranger installé à Paris. Mais il explique aussitôt à sa mère que si cette situation devait s'arranger il se déciderait à faire le voyage. « Dans ce cas, précise-t-il, tu peux être sûre que je viendrai te voir et passer quelque temps avec toi. » Il ne tient pas à faire ce retour vers le passé. Ses problèmes personnels il n'en fait pas mention non plus. Pas question d'annoncer sa rupture avec Greta. Juste une allusion à un voyage de Greta et Christophe en Suède pour un mariage...

Financièrement, Tzara envoie toujours de l'argent à Moinesti. Il confirme même qu'il renonce bien à

---

1. Correspondance Tristan Tzara, Bibliothèque Doucet.

la part de son héritage en faveur de sa sœur Lucica qui en a besoin.

Et si Tzara se décide à partir en Europe centrale c'est encore pour marquer sa solidarité et son combat antifasciste. Par calcul politique et par générosité il a adhéré au PEN-Club. A l'origine de cette association se trouve une idée anglaise devenue rapidement européenne puis mondiale. Les PEN-Clubs sont nés au lendemain de la Première Guerre mondiale pour renouer les liens entre écrivains des pays belligérants par l'organisation de réunions amicales[1]. L'idée est séduisante et rencontre un certain succès.

Le gratin du monde des lettres ne rechigne pas à participer à chaque congrès annuel. On se congratule et on lance des messages de paix dans un monde qui veut y croire. On y revendique un apolitisme de bon aloi et une totale indépendance par rapport aux idéologies et aux régimes. On vante l'« Europe des esprits » dont parle Paul Valéry et on se reconnaît dans les institutions de la SDN. Benjamin Crémieux, secrétaire général du PEN-Club français, mais aussi fonctionnaire au ministère des Affaires étrangères, y joue un rôle essentiel face à des Anglais très actifs. La montée du fascisme va corser des débats jusquelà très politiquement corrects. La section allemande « nazifiée » est exclue de la Fédération internationale en novembre 1933.

Le PEN-Club italien, dirigé par le mussolinien Marinetti, est également sous haute surveillance... D'autant qu'en juin 1935, les communistes ont eux aussi lancé leur Association internationale des écrivains pour la défense de la culture, avec le succès

---

1. Nicole Racine, « Les Unions internationales d'écrivains », in *Antifascisme et nation*, Dijon, Ed. Universitaire.

que l'on sait. La guerre d'Espagne impose aux PEN-Clubs de prendre position, mais la Fédération décide de maintenir une attitude de stricte neutralité. C'est la délégation espagnole qui demande un « pacte de non-agression » entre les écrivains ! Les communistes sont loin de toutes ces combinaisons et se mobilisent pour l'Espagne. En cette année 1938, lourde de menace, Tzara est toujours secrétaire général de l'Association internationale des écrivains, mais aussi membre de la section française du PEN-Club.

Avec quelques autres, il tente de renverser le rapport de force pour faire basculer la Fédération. Bataille de couloir et votes de motion se succèdent[1].

En juillet l'AIEDC organise, à nouveau, une grand-messe en plein Paris. Tzara s'occupe pendant plusieurs semaines de toute l'organisation. Dix-sept pays envoient des délégations, et à la tribune les vedettes du monde des lettres ne manquent pas. De Thomas Mann à Bertolt Brecht, en passant par Sinclair Lewis, Aldous Huxley ou José Bergamín. Comme pour les précédentes réunions de ce genre, la gauche anti-stalinienne a été écartée avec soin. La conférence réserve, d'ailleurs, un accueil triomphal à la « Pasionaria espagnole », une stalinienne de choc dont le discours est traduit par Bergamín. Aragon y lance la nouvelle collection qu'il dirige chez l'éditeur Denoël avec L'Espagne au cœur, de Pablo Neruda. On reste en famille. Pour tenter de contrer cette offensive, Breton et Trotski rendent public leur manifeste pour « un art révolutionnaire indépendant ». Nous sommes le 25 juillet 1938 et les deux

---

1. Nicole Racine, « Les Unions internationales d'écrivains », op. cit. — « L'action européenne des PEN-Clubs », in Les Intellectuels et l'Europe, Paris, Ed. Universitaire, Denis Diderot (2000).

hommes ne sont pas tendres avec l'AIEDC : « Sous l'influence du régime totalitaire de l'URSS et par l'intermédiaire des organismes dits culturels qu'elle contrôle dans les autres pays, s'est étendu dans le monde un profond crépuscule hostile à l'émergence de toute espèce de valeur spirituelle [1]. » Et de dénoncer la servilité et le reniement de leurs propres principes par ces intellectuels qui se sont ralliés à Staline. Jamais le fossé entre Breton et Tzara n'a été aussi grand.

Quelques semaines plus tôt, le XVIe congrès du PEN-Club international se déroule à Prague. La délégation française, emmenée par Crémieux, Aveline et Tzara, condamne la neutralité suicidaire de la direction. Alors que le pays est sous la menace hitlérienne, la tension est extrême et on frise plusieurs fois la rupture. Tout le monde se retrouve pour organiser la lutte contre les persécutions dont sont victimes de nombreux écrivains. Le congrès vote une motion présentée par Aveline pour s'opposer à toutes les persécutions de races et de cultures. Les Français proposent également d'ouvrir à Paris une Maison de la culture tchèque et appellent à renforcer les liens avec L'AIEDC. Tzara reste quelques jours à Prague en compagnie de Nezval. Il voit aussi très souvent Adolf Hoffmeister, ce dessinateur proche des surréalistes, avec qui il correspond depuis 1930. C'est une vieille complicité puisque Hoffmeister est aussi traducteur de nombreux textes de Tzara [2]. Ensemble ils parcourent la vieille ville avec ses rues et ses places endormies au pied du château. Ils finissent dans les cafés praguois, derniers

---

1. José Pierre, *Tracts et déclarations surréalistes*, op. cit.
2. Correspondance Adolf Hoffmeister-Tristan Tzara, Bibliothèque Doucet.

moments de tranquillité avant une catastrophe qui paraît inévitable. Ils ne savent pas encore qu'en octobre la France et l'Angleterre s'inclineront pour laisser parader les nazis dans cette ville qu'ils aiment.

De retour à Paris, Tzara retrouve Saint-Germain-des-Prés, son nouveau quartier. Il s'est installé dans un appartement, rue de Lille. Le déménagement de l'avenue Junot a été douloureux, mais la page semble définitivement tournée. Il a encore classé ses papiers et ses livres pour un dernier inventaire. Seul et souvent déprimé, il se fait discret. De temps en temps on peut l'apercevoir à la terrasse des Deux Magots où il donne ses rendez-vous. Sa silhouette a un peu changé et il semble avoir vieilli. La presse ne s'intéresse plus beaucoup à lui ; cependant, en juin 1939, *L'Intransigeant* lui consacre un article assez rapide... intitulé « Visages à la minute ». C'est un instantané sur le Tzara de Saint-Germain : « On le voit solitaire, un peu partout. Les lueurs de son monocle l'annoncent. Il est flegmatique et doux avec un grand sourire patelin, une voix hachée et sonore. Il aime les nus océaniens, les idoles mexicaines, la musique du phono, le tabac anglais, la poésie[1]. » Pour le journaliste, Tzara est bien un écrivain avant tout « c'est surtout la poésie qui l'intéresse, précise-t-il, une poésie toute en finesse et mélancolie ». Mais comme Dada lui colle à la peau, c'est celui que l'on vient consulter sur cette époque... Tout cela semble loin... « On écrit déjà des thèses sur Dada et des journalistes viennent enquêter sur Dada... »

Et c'est encore le passé qui rattrape Tzara en ce mois de décembre 1938 avec une exposition de dessins d'écrivains présentée à la bibliothèque Sainte-

---

1. « Visages à la minute », *L'Intransigeant*, 25 juin 1938.

Geneviève. « Violons d'Ingres[1] » permet de découvrir les dessins d'Hugo, de Baudelaire et de Mallarmé. Ceux de Tzara côtoient les croquis de Cocteau, Crevel, Eluard ou Satie.

Parfois, les anciens compagnons de route dada prêtent leur concours pour la défense désespérée de l'Espagne républicaine. Pierre de Massot[2], qui travaille maintenant dans le cinéma pour la Metro Goldwin Mayer, accepte de participer à un numéro spécial des *Nouvelles littéraires* consacré à l'Espagne sous la direction de Georges Charensol. De Massot comme beaucoup d'autres se lamentent des longs silences de Tzara.

Plus isolé que jamais, il survit sans illusions. Benjamin Fondane ne semble pas lui en tenir rigueur. Alors que la guerre menace, il lui fait parvenir une dernière lettre... « Vous êtes une plume de poésie et vos poèmes me plaisent. Il me semble que si j'avais votre oreille, je pourrais vous dire des choses confidentielles très utiles. Mais je dois passer à vos yeux pour un crétin. Je n'aurai jamais votre oreille. Vous suivez votre destin, tel quel, roulant la plume qui est en vous vers de mystérieux futurs. »

---

1. « Violons d'Ingres », *Paris-Midi*, 22 décembre 1938.
2. Correspondance Pierre de Massot-Tristan Tzara, Bibliothèque Doucet.

Midis gagnés

Tzara, le poète avant tout, se trouve accaparé par la sortie de son dernier livre aux Editions Denoël où travaille son ami Jean Cassou. C'est un petit tirage, mais les exemplaires de tête de *Midis gagnés* comportent six dessins de Henri Matisse.

Comme il le fait souvent avec un plaisir non dissimulé, Tzara a composé son ouvrage avec des œuvres écrites entre 1934 et 1938 ; histoire de bien montrer que l'activité poétique ne saurait se réduire à une classification partisane. Tzara, suivant l'ordre chronologique, regroupe donc des poèmes de facture surréaliste et d'autres où il se pose en solitaire. Aucune rupture, seulement des variations ou des évolutions. On peut y lire en alternance des poèmes en prose, en vers avec ou sans ponctuation. Il souhaite par là confronter et opposer différents modes d'expression relatant une même expérience du sommeil, ou plus exactement du demi-réveil, avec son cortège de visions et de réflexions. Mais le tumulte du monde est aussi présent dans ce livre où transparaît une certaine forme de désespoir. La réalité extérieure s'installe au cœur du discours poétique, de manière discrète. Dans les derniers textes, on peut découvrir quelques méditations sur la destinée collective, la prise de conscience populaire, le sens des « luttes lucides » dont Tzara a le souci. Cependant nous sommes loin de textes partisans, voire de poèmes d'agit-prop. L'histoire fait simplement irruption au cœur de l'œuvre et une espérance collective permet de supporter un désespoir individuel... Mais sur l'ensemble de l'ouvrage, le sentiment d'angoisse reste dominant. Quelles que soient les activités politiques qu'il assume pleinement, Tzara reste voué à l'inquiétude, à « l'angoisse de vivre » pour reprendre une idée déjà exprimée dans *Grains et Issues*. Pour lui toute entreprise collective est trop souvent vouée à l'échec. L'homme se heurte toujours aux systèmes et se retrouve toujours seul face à « cette sale vie mélangée à la mort ». La violence et les provocations dada étaient bien destinées à briser ce cycle infernal. Les appels enflammés du surréalisme n'y ont pas résisté non plus. Le discours de Tzara est sans illusions, ni naïveté.

La jeunesse perdue est son obsession. Elle a « fuit sur des routes veloutées ». Il reste la mémoire et ses images furtives. Dans ses textes, il retrouve des bribes d'enfance, des paysages lointains et des sensations. C'est aussi le moment d'opérer un bilan, un retour sur soi. Et s'il n'y avait pas cette perspective de libération collective, ce sentiment de participer à un combat pour l'émancipation, il n'y aurait que les forces de mort. Dans ce monde voué aux bourreaux à croix gammée, Tzara veut écrire une poésie de la vie, malgré tout[1].

Matisse contacté par Tzara a tout de suite accepté de participer à l'aventure. Dans sa correspondance il fait preuve de compréhension, suivant les indications du poète, respectant la typographie et les dimensions du volume, comme pour étayer les propos qu'il tiendra par la suite au critique Raymond

---

1. Tristan Tzara, *Œuvres complètes*, tome III. — Henri Béhar. Notes.

Eschalier : « Le livre ne doit pas avoir besoin d'être complété par une illustration imitatrice. Le peintre et l'écrivain doivent agir ensemble, sans confusion, mais parallèlement. Le dessin doit être un équivalent plastique du poème. »

C'est Jean Cassou qui rédige le bulletin de souscription des Editions Denoël. Il salue l'évolution personnelle de Tzara. « Aujourd'hui que le scandale est passé et que l'esprit de rébellion souffle dans un autre domaine, il suffit de s'abandonner à ce lyrisme, en oubliant la méthode par quoi il se forma, comme on s'abandonne à la voix de quelque autre poète : et l'on ne peut manquer de se sentir irrésistiblement entraîné par cette puissance massive qui draine d'étranges et somptueuses métaphores, d'étincelants et fugitifs rapprochements. C'est tout un monde lyrique en marche [1]. »

La tension internationale et l'entrée en guerre expliquent le peu de réaction dans la presse. Léon Gabriel Gras, des *Cahiers du Sud*, explique même qu'il a abandonné le livre sur son bureau au moment où toute l'Europe bascule dans la guerre. Il y revient quelques semaines plus tard et reste bouleversé par l'effet que provoquent en lui certaines pages à la lumière des événements récents : « C'est le paradoxe de l'œuvre de Tzara, écrit-il, d'avoir atteint à l'expression en ne la recherchant jamais, en lui tournant systématiquement le dos par un abandon total à l'inspiration, aux divinités de l'absurde et de la folie. Après s'être longtemps perdu et payé de mots, Tzara, depuis *L'Homme approximatif*, a atteint une telle maîtrise de son délire, ou bien au contraire s'est trouvé si invinciblement possédé, qu'il a créé un

---

1. Jean Cassou, *Europe* n° 200, 15 août 1939.

monde personnel, impossible si l'on veut, mais plausible[1]. »

Le critique du *Mercure*, lui, insiste sur le caractère ordonné, presque discipliné de cette poésie : « Si j'osais exprimer un pressentiment, je signalerais une tendance, quoique vague et indistincte, à se rapprocher de disciplines conventionnelles d'avant l'irruption du surréalisme et du dadaïsme tout en prenant soin de pirouetter à bon escient pour éviter une confusion qu'il estimerait fâcheuse[2]. » Ce sont les seules réactions dans une France qui ne pense qu'à la guerre prochaine.

1. *Nouvelle Revue française*, 1ᵉʳ août 1939.
2. Tristan Tzara, *Œuvres complètes*, tome III.

La Fuite

Tout un pays regarde bientôt sans comprendre l'effondrement de juin 1940. Tzara sait qu'il est sur les listes noires du nouveau pouvoir qui se met en place... Etranger, juif, agitateur professionnel et communiste. Cela fait beaucoup pour un seul homme. Sans attendre, il a mis en lieu sûr sa bibliothèque et sa collection d'art africain. C'est tout ce qui lui reste de cette vie qui maintenant bascule dans l'inconnu. En quelques jours, il est déjà loin de Paris. Comme des millions de Français, il part vers le Sud.

Des amis, rencontrés lors de ses fréquents séjours sur la Côte, lui ont proposé de l'héberger et de le cacher du côté de Sanary, dans le Var. Arrivé avec le flot des réfugiés, il se fait le plus discret possible et reste enfermé dans sa chambre pendant plusieurs semaines. Confronté à ce nouveau naufrage, il se met à écrire un long poème dramatique qu'il intitulera « La Fuite[1] ». En racontant l'histoire d'une famille déchirée, il s'attaque à un thème qui l'a toujours obsédé : et si la vie n'était finalement qu'un long déchirement, qu'une suite de divorces et de séparations... Le mouvement de la vie, c'est d'abord la fuite de l'enfant qui doit s'extirper de son milieu d'origine. C'est aussi le divorce des amants confrontés à l'épuisement de l'amour et à leur désir

---

1. Tristan Tzara, *Œuvres complètes*, tome III.

de liberté, c'est enfin la mort des amitiés, la fin d'une génération qui se croyait tellement soudée et complice. A travers le récitant, personnage clé de ce long texte, on croirait retraverser toute la vie de Tzara lui-même. Drôle d'inventaire où les saccages et les échecs l'emportent sur tout le reste. Chaque être vivant ne peut y échapper, mais cette souffrance peut avoir du bon, puisque pour se réaliser il faut une certaine solitude. Inutile d'imaginer un autre destin. La fuite des hommes est comme la fuite du temps : irrémédiable. Elle correspond aussi à cette incroyable fuite de l'Histoire où se trouve précipité Tzara. Tout un pays en déroute, toutes ces familles désespérées, toute cette faillite générale qui pousse un peuple sur les routes ou dans des gares bondées. Avec sa valise, il préfère croire encore que ce cataclysme permettra peut-être un jour la renaissance d'une autre société plus fraternelle et plus juste. Au milieu du désastre qu'est sa vie, et face à ce pays qu'il aime et qui n'existe plus, Tzara se raccroche encore à la petite lumière de l'espoir.

Il veut y croire encore, mais l'Histoire ne tarde pas à le rattraper. Les nouvelles sont mauvaises. Le nouveau gouvernement de l'Etat français installé à Vichy se lance dans une véritable chasse aux sorcières.

Pour montrer leur bonne volonté à l'occupant, Pétain et Laval en rajoutent. Dans chaque discours officiel martelé par la propagande le message est toujours le même, la France qui a porté au pouvoir le Front populaire doit expier ses fautes. Il faut traquer l'anti-France. Tzara le sait, c'est bien la revanche de l'extrême droite antisémite.

Les juifs étrangers sont en ligne de mire. Menacé, il est expulsé de Sanary par la gendarmerie et trouve un refuge provisoire à Saint-Tropez. L'endroit est

agréable, mais on est loin de l'exotisme de la Côte
d'Azur. Il faut survivre comme un clandestin traqué
et envisager un départ en exil. Lui, qui aime ce pays
par-dessus tout, se résigne à prendre des contacts.
Il songe à quelques amis américains croisés, il y a
longtemps, du côté de Montparnasse. Il multiplie les
courriers comme autant de bouteilles à la mer. Virgil
Thomson est de ceux-là[1]. Cinquante ans après, il se
souvenait encore de ce courrier désespéré. Ce grand
copain de Crevel essaie de trouver une solution,
mais il est trop tard. L'étau se resserre définitivement. Tzara est arrêté en 1941 et mis en résidence
surveillée. Par chance, un des fonctionnaires de
police reconnaît l'écrivain et accepte de le laisser
filer. Plus seul que jamais, il fuit vers Aix-en-Provence où il retrouve Greta. Il se cache chez elle pendant plusieurs semaines. A partir de 1942 c'est la
Gestapo qui prend l'affaire en main. On le devine
prêt à tout pour sauver sa peau et le moment venu
se battre. Mais Tzara n'est pas un aventurier, au
sens où l'entendra Roger Stephane. Il ne fait pas partie de ces hommes qui s'engagent au service d'une
cause sans y adhérer. Il est loin de ces héros qui
engagent leur vie plus pour leur propre salut que
pour la victoire. Tzara est tout le contraire : un militant. Bravant la tentation de la solitude, il garde le
contact avec les camarades d'un parti emporté lui
aussi par la tourmente de la défaite et du pacte ger-
mano-soviétique. Pour l'instant la fuite continue.
Aix devenant trop dangereux, il file vers Toulouse
pour trouver finalement refuge à Souillac. Tzara
loue une chambre dans une maison au bord de la
Dordogne, au lieu-dit « Les Cuisines » sur la route

1. Entretien avec Virgil Thomson, Hôtel Chelsea, New York
(1989).

de Sarlat. Il prend ses repas à l'hôtel Couderc tout en essayant de se faire oublier pendant quelques semaines. Les restrictions sont moins terribles que sur la Côte d'Azur, les fermiers de la région approvisionnent l'hôtel. L'endroit est agréable et Tzara n'est pas le seul naufragé. Il croise le Lyonnais animateur de revues Pierre Betz, Jean Lurçat, Roger Vitrac et même André Malraux. C'est un îlot de tranquillité, mais la Gestapo n'est jamais loin[1]. Les nouvelles qui parviennent à l'hôtel sont parfois terribles. Benjamin Crémieux, l'animateur du PEN-Club, a été arrêté à Sanary et envoyé en déportation en Allemagne.

Le cache-cache incessant avec la prison et la mort continue et Tzara a pour l'instant évité le pire. Mais en 1943, quelques collabos parisiens retrouvent sa trace. Le 21 mai, le journal *Je suis partout* spécialisé dans la délation publie un article intitulé « Encore un martyr[2] ». « Depuis quelques semaines un nouvel hôte s'est installé à Souillac, dans le Lot, Tristan Tzara en personne. Pensionnaire du principal hôtel de la ville, il festoie entouré d'une demi-douzaine de coreligionnaires en gémissant sur la persécution fasciste et vaticinant sur la délivrance américaine. L'inventeur du dadaïsme s'était distingué durant la guerre d'Espagne en passant en revue les équipes d'assassins du Guépéou sur les Ramblas de Barcelone. Ce qu'il fait en France et quelles sont ses ressources présentes, voilà ce que l'on aimerait savoir aujourd'hui. Ils sont comme cela une tribu "d'intellectuels" juifs qui vivent grassement en zone Sud ; citons également près d'Arles, le margoulin de la peinture : Waldemar George, il faut croire que la conscience universelle est généreuse... » Cet article

---

1. *Je suis partout*, 21 mai 1943.
2. Entretien avec Francis Crémieux.

oblige Tzara à prendre de nouvelles précautions. Il rentre dans une clandestinité presque totale et renforce ses liens avec les réseaux de Résistance qui commencent à s'organiser dans la région. Il est en terrain connu, beaucoup de communistes s'y retrouvent et les réfugiés de l'Espagne républicaine y continuent le combat.

Les mots pour la liberté

Le temps du silence et de la fuite est révolu. Désigné à la vindicte policière de Vichy, Tzara décide de se battre avec ses meilleures armes, les mots. Il publie plusieurs poèmes dans *Confluences*, la revue lyonnaise dirigée par René Tavernier, qui s'est fait remarquer par son esprit de résistance, dans diverses revues suisses et dans les journaux clandestins comme *Les Etoiles* fondés par Anglès et Aragon en février 1943 à Lyon.

Il envoie également des textes aux *Etoiles* du Quercy fondé plus tard, en août 1944, à Cahors par André Chamson, René Huyghe et Léon Moussinac. L'engagement reprend le dessus et Tzara retrouve ses compagnons de jeunesse Aragon et Eluard. *Une Route Seul Soleil*, dont le titre est à lui seul une profession de foi, est une petite plaquette publiée dans la collection de la Bibliothèque française. On y retrouve d'autres publications comme « Contribution au cycle de Gabriel Péri » d'Aragon, « Sonnets composés au secret » de Jean Cassou, « Les Armes de la douleur » signé Eluard [1]. La plaquette de Tzara contient une notice anonyme de deux pages, d'ordre biographique, qui évoque les choix politiques de l'auteur. Un parcours sans faute qui passe par les

---

1. Gisèle Sapiro, *La Guerre des écrivains (1940-1953)*, Paris, Fayard (1999).

combats dans l'AEAR : « A cette date, le poète soucieux d'un climat égalitaire qu'était Tzara ne se surprit jamais à être en retard ni pour penser, ni pour agir[1]. » Puis on rappelle opportunément son activité en Espagne pour finir par un dernier brevet de résistance : « Dès l'occupation allemande, Tzara se retire d'abord dans le Midi, à Aix-en-Provence, puis dans le Lot et commence à résister par un silence exemplaire. Puis, il s'organise, donne son cœur et ses mains aux besoins de la lutte, se posant en défenseur de l'homme contre toutes les puissances d'asservissement. » Tzara reviendra à la Libération sur cette époque difficile où la poésie est devenue un moyen parmi d'autres pour se battre. « La poésie est plongée dans l'histoire jusqu'au cou », expliquera-t-il. L'histoire crée une nouvelle donne et il paraît impossible de se dérober... « La poésie ne serait pas ce qu'elle est, ce qu'elle n'est pas, si la guerre d'Espagne ne l'avait pas traversée comme un couteau, si Munich ne l'avait pas fait rougir de ce rouge qui est la plus exaltante couleur que nous connaissons encore en ce monde, si Vichy n'était pas la honte où la douleur elle-même s'était souillée du sang de tant d'innocents et si les nazis ne lui avaient donné ce souffle qui a suscité le vent de la révolte insurrectionnelle dont nous sommes encore trop jeunes pour mesurer la portée et la gloire. » Sans jamais donner dans le poème-slogan, Tzara écrit ses chants du désespoir, du silence et de l'aube à venir, tout en aidant, dans la mesure de ses possibilités, les partisans à s'organiser. Pierre Seghers dans son ouvrage de référence consacré à la poésie de la Résistance, note à la fois la discrétion et l'efficacité de Tzara. Il le range parmi « ceux qui ont choisi le silence »,

---

1. Tristan Tzara, *Œuvres complètes*, tome III.

Reverdy, Char et Tzara... « Rageur, ordonné, méticuleux, ardent, Tzara ne veut rien publier. Mais il écrit pour lui, pour extirper de lui l'éclat brûlant, la mitraille du temps qui le déchire, des poèmes qu'il reprendra, les Allemands partis[1]. »

Mais les Allemands sont encore là en cet été 1944, et Tzara se trouve au cœur d'une des batailles les plus difficiles de la Résistance. Les neuf départements qui forment le grand Sud-Ouest ne peuvent espérer une intervention des troupes alliées débarquées en Normandie dès le mois de juin. Dans l'éventualité, plus que probable, d'un autre débarquement allié en Méditerranée, les Allemands devraient s'efforcer de conserver à tout prix le contrôle de l'artère de communication formée par la vallée de la Garonne et son prolongement du canal du Midi. On peut donc penser qu'ils vont s'accrocher le plus longtemps possible à Toulouse. Les unités de la Résistance à l'intérieur de la ville sont désarmées. Restent les maquis de la Haute-Garonne, du Lot et du Tarn. La bataille de Toulouse s'annonce périlleuse, d'autant que la Milice y a concentré toutes ses forces. Le 15 août, les alliés débarquent et les Allemands commencent à évacuer Toulouse. Les maquisards marchent sur la ville où des combats sporadiques ont déjà éclaté[2].

Ces hommes, Tzara les connaît et les aide depuis des mois. Un travail de fourmi qu'il effectue comme à son habitude en toute discrétion. Christophe qui vient de décrocher son baccalauréat a intégré un maquis des FTP[3]. Ses amis, ses proches sont eux aussi engagés dans le même combat. Le fidèle Jean

1. Pierre Seghers, *Les Poètes et la Résistance*, Paris, Robert Laffont.
2. Pierre Bertaux, *La Libération de Toulouse*, Paris, Hachette (1973).
3. Entretiens avec Christophe Tzara.

Cassou, par exemple, qui après avoir organisé un petit réseau de Résistance dès 1940, se retrouve à Toulouse.

Il est à la direction des mouvements unis de Résistance pour le Sud-Ouest puis président du Comité régional de la Libération. En août 1944, c'est lui qui représente la nouvelle République et de Gaulle. Le 20 août, il est au cœur des combats pour la libération de Toulouse. Blessé, il est à l'hôpital quand la foule se presse au Capitole pour acclamer les héros de la liberté retrouvée[1]. Tzara est toujours à Souillac et suit les événements heure par heure. Il parcourt cet éditorial de *La République*... « Aux barricades, aux armes citoyens ! Nos alliés, le monde entier ont les yeux fixés sur nous. Comme en 1793, il faut que notre peuple conquiere sa liberté les armes à la main. » Pour lui, l'heure de la révolution a sonné. On lui raconte les FFI qui quadrillent la ville et la mise en place du nouveau pouvoir insurrectionnel. Mais dans cet inévitable désordre, ce sont les seuls à savoir où ils vont, et Tzara se dit qu'il n'a pas eu tort de choisir ce camp-là. Ces moments de fête justifient amplement tous ses choix des années 30, toutes ces heures passées à préparer des manifestations.

Il se revoit sur les tréteaux de la Mutualité, dans les meetings de l'Espagne républicaine ou dans les réunions interminables de l'AEAR...

Pour l'heure, il brûle d'impatience de se retrouver à Toulouse pour se mettre au service des autorités en place. Il s'y installe dès le mois de septembre. La famille du musicien René Leibowitz l'accueille un moment. Le frère de René s'occupe de chasser les

---

1. « Jean Cassou. Un musée imaginaire », Catalogue de l'exposition de la Bibliothèque nationale (1995).

derniers collabos à partir d'un QG situé dans un ancien bordel réquisitionné[1]. Tzara, lui, est de toutes les réunions du Parti. On le voit à la nouvelle permanence de l'association France-URSS, rue d'Alsace, ou à la rédaction du *Midi libre*. Il y croise Jean-Pierre Vernant, Roger Garaudy, Henri Lefebvre ou André Wurmser. Cassou est en convalescence. Avec lui, il parle de cette espérance révolutionnaire qui les tient.

Comme nombre de leurs camarades, ils espèrent que l'esprit sans concession d'organismes comme le Conseil national de la Résistance, les comités de la Libération, porteurs d'une légitimité née dans la lutte, inspirera le nouveau pouvoir. On évoque les grands ancêtres de la Révolution française et on rêve de convoquer de nouveaux Etats généraux. On sait que le général de Gaulle va faire prévaloir sa conception du rétablissement de la légalité républicaine, excluant tout partage du pouvoir avec des organismes nés de circonstances exceptionnelles. Quand Maurice Thorez débarque à Toulouse, le Palais-des-Sports est beaucoup trop petit pour accueillir la foule ! A la tribune on reconnaît le maire de Toulouse, Raymond Badiou, le commandant de la 17e région militaire et le maître de cérémonie, Roger Garaudy[2]. Dans une salle survoltée, Maurice se veut consensuel. Il en appelle à l'union de tous les Français. Il précise que les armes doivent d'abord servir au front et que l'arrière doit enfin se mettre au travail pour reconstruire le pays. Pas un mot sur les Etats généraux. Tzara comme beaucoup de militants est un peu déçu, mais vite rassuré. *L'Humanité* continue de

---

1. Correspondance René Leibowitz-Tristan Tzara, Bibliothèque Doucet.
2. Pierre Bertaux, *La Libération de Toulouse, op. cit.*

marteler chaque jour qu'il faut tout faire pour assurer le succès de cette initiative. En mai, c'est Thorez lui-même qui recommande à tous les membres du Parti de participer activement aux Etats généraux. Le 23 juin, Tzara est officiellement délégué national pour la région de Toulouse et le 14 juillet il est à Paris[1]. On vient de tout le pays et on se serre les coudes en chantant *La Marseillaise* et en brandissant des cahiers de doléances. Le Parti est toujours d'une efficacité redoutable pour réussir ce genre de rassemblement.

On rejoue 89, mais partout c'est la légalité républicaine qui s'impose. Qu'importe, grisés par leur force, les délégués se séparent avec la certitude que le Parti gagnera les élections.

A Toulouse, dès septembre 1944, Tzara fait cause commune avec les communistes qui se battent pour la renaissance culturelle de la ville. Tout est à faire.

---

1. Entretien avec Francis Crémieux.

Au service du Parti

Tzara est un fidèle du Comité national des écrivains. Dès l'été 1941, sur une initiative d'Aragon, le Parti se lance dans un large rassemblement d'écrivains autour d'une revue clandestine *Les Lettres françaises*[1]. Interrompue par l'arrestation de Jacques Decour, en février 1942, la réalisation du projet n'aboutira pleinement qu'en 1943. Cependant les écrivains qui avaient adhéré au premier groupement continuent de se réunir. Le recrutement en zone Nord s'appuie sur le réseau Gallimard, NRF. Paulhan est en zone Sud, Aragon a pour tâche de regrouper une opposition au régime de Vichy autour des revues dissidentes. Lorsque, en 1943, il entreprend de rassembler un comité clandestin d'écrivains en zone Sud, les réseaux sont là aussi préconstitués et Tzara en fait partie. Aragon est le chef d'orchestre avec un autre ex-surréaliste, Georges Sadoul, en liaison avec la direction du Parti. Toutes les revues légales ou clandestines sont mises à contribution, mais en dépit de ses voyages, l'auteur d'*Aurélien* a bien du mal à fédérer ces petits groupes actifs dans quelques villes. Le CNE zone Sud, dont le quartier général est à Lyon, est une réalité en janvier 1943 avec *Les Etoiles* comme tribune et une maison d'éditions clandestine. Aragon, alias Fran-

---

1. Gisèle Sapiro, *La Guerre des écrivains (1940-1953)*, op. cit.

çois la Colère, est sur tous les fronts et prend tous les risques, mais le succès est là. Le Comité recrute bien au-delà de la sphère habituelle des compagnons de route[1]. On y croise Francis Ponge, le révérend père Bruckberger, Pierre Emmanuel ou Albert Camus. Près de trois cents écrivains ont donné leur adhésion. L'éloignement des milieux littéraires parisiens renforce encore cette diversité. Et puis il y a tous ces jeunes gens pour qui le CNE représente un tremplin vers une nouvelle vie, et peut-être un jour ou l'autre vers le succès à Paris. Les ex-surréalistes gardent alors une aura incomparable. Pierre Emmanuel établit ce lien dans ces « Autobiographies ». « Phalènes attirés par le fanal communiste, certains d'entre nous se liaient d'une amitié plus étroite peut-être, étant moins précise et souvent ambiguë avec ces militants de l'intelligentsia communiste dont beaucoup avaient passé par le surréalisme et restaient des esthètes d'avant-garde, prestigieux par leurs multiples passés. Pour être heureux ensemble, nous multiplions les baisers Lamourette : je rêvais tout haut devant eux, et bientôt comme eux par mimétisme. "Eux du moins me jugent des leurs", me disais-je, un peu trop fort peut-être pour m'en croire tout à fait convaincu. On voit assez combien j'étais jeune. » Aragon, Eluard qui vient lui aussi de rejoindre le Parti et Tzara restent des références et des « modèles » à suivre.

A la Libération, le CNE de la zone Sud fusionne avec celui de la zone Nord. Paris et son petit milieu reprend la direction des opérations. Les écrivains dispersés rentrent petit à petit dans la capitale. Les instances nées de la crise ou promues à la faveur de la décentralisation forcée quittent la zone Sud pour

---

1. Entretien avec Francis Crémieux.

venir s'installer à Paris. A l'euphorie des premiers jours succède rapidement l'incertitude quant à l'avenir. Pour l'heure Tzara décide de rester à Toulouse, une ville qu'il aime et où il a maintenant des attaches[1]. Il est promu vice-président du CNE pour toute la région toulousaine. Fidèle, il continue d'envoyer des articles à certaines revues comme *Le Point* de Pierre Betz. Il s'installe à la délégation de l'information où les projets sont très nombreux. On parle de cinéma, de théâtre et de peinture. Il faut trouver des salles, lancer des invitations, et le public est toujours au rendez-vous.

Avec Henri Lefebvre ils organisent une série de conférences sur la pensée moderne. Jean-Pierre Vernant se charge d'une communication sur l'action de l'URSS en faveur de la paix, Roger Garaudy planche sur le PCF et les intellectuels... Le Centre des intellectuels de Toulouse est lancé, Tzara en est le président. Beaucoup de copains de l'entre-deux-guerres font le déplacement sans se faire prier, comme Stephen Spender, et Jean Cassou est toujours là pour l'allocution de bienvenue. Tzara retrouve un peu dans ces réunions le sentiment de fraternité si lié à sa jeunesse tumultueuse et dont il garde la nostalgie. Certains soirs au milieu de la foule, Tzara se sent grisé. L'électricité brille par son absence, les cafés doivent toujours fermer à 21 heures et le ravitaillement est difficile, mais il a vraiment le sentiment d'être utile et de contribuer à une France nouvelle.

On refuse du monde au ciné-club, il n'y a pas assez de chaises pour le public qui veut entendre Lefebvre parler de Kierkegaard et Heidegger[2].

1. « Jean Cassou, Un musée imaginaire », *op. cit.*
2. Correspondance Henri Lefebvre-Tristan Tzara, Bibliothèque Doucet.

Quant à l'exposition des peintres du XXᵉ siècle, elle a lieu presque à guichet fermé. C'est l'euphorie racontée jour après jour par un autre copain de Tzara, le journaliste Pierre Mazars. Les pages culturelles du *Patriote du Sud-Ouest*, c'est souvent lui qui les écrit. C'est l'organe régional du Front national qui regroupe désormais le Parti et ses alliés. Tzara est très souvent rue Bayard au siège de la rédaction où il connaît tout le monde. Il déjeune au restaurant du FN, tout en préparant des émissions sur les écrivains de la Résistance pour la radio toulousaine. Les journées sont trop courtes dans la ville rose, il n'a pas très envie de retrouver Paris et ses problèmes... Léon Moussinac, dès novembre 1944, est parti en éclaireur [1]. Sa lettre ne donne pas envie de faire le voyage de retour... « J'ai du mal à me réadapter à Paris. Je travaille sans arrêt à remettre la maison en état de marche et ce n'est pas une petite besogne. Je reclasse mes papiers, je sors mes livres, je reconstitue mon carnet d'adresses. Enfin un avant-goût de ce qui t'attend. » Tzara est décidé, il restera encore de longs mois à Toulouse. Paris attendra. D'autant que parallèlement à ses activités au Centre des intellectuels, il peut enfin assouvir sa passion pour la culture occitane.

---

1. Correspondance Léon Moussinac-Tristan Tzara, Bibliothèque Doucet.

Sur le front occitan

Au fil des mois, Tzara s'est totalement intégré à la région. Quand ses activités militantes lui laissent un peu de répit, il fréquente les librairies et cherche à rencontrer tous les spécialistes de l'Occitanie. En toute discrétion mais avec une inlassable curiosité il s'attache à toutes les traditions du Sud-Ouest [1]. Avec ses amis, il participe à l'élaboration d'un projet pour un centre d'études occitanes rattaché à l'Université. Tzara n'est pas sans savoir que cette idée est une nouvelle bataille, car l'enjeu est de taille. Depuis le XIVe siècle, Toulouse possède une académie littéraire, la plus ancienne d'Europe.

Les sept notables du « Consistoire du gai savoir » l'avaient créé pour maintenir la langue d'oc dans sa pureté primitive. Le Collège de la science et de l'art de la rhétorique qui le remplace en 1513 est une tentative du pouvoir central pour imposer la langue d'oïl. L'Académie retrouve ses prérogatives après la Révolution mais devient un repaire d'obscurantistes. En 1940, on y trouve des ministres de Vichy, l'avocat général Lespinasse exécuté à la Libération, et Charles Maurras...

L'Académie disparaît avec l'arrivée des premiers maquisards et les communistes prennent l'affaire en main. Tzara élabore un véritable projet de centre

---

1. Entretien avec Christophe Tzara.

culturel qui doit être soumis à Pierre Bertaux, le commissaire de la République. Le texte se veut consensuel. Il propose la mise en place d'une bibliothèque occitane d'Etat avec comme noyau les fonds catalans de la faculté des lettres, la publication régulière d'éditions critiques des classiques de la langue d'oc, l'encouragement pour un enseignement vivant de la langue d'oc. Tout cela passant par le vote d'un budget conséquent et la récupération de l'hôtel particulier d'Assezat, siège de l'ancienne Académie. On le devine, pour Tzara, derrière ce combat politique, il y a aussi l'envie de se plonger dans une histoire tourmentée... le massacre des Albigeois, les crimes impunis de Simon de Montfort et des barons du Nord envers les peuples d'Occitanie. Un génocide inexpié, exigeant réparation et qui en rappelle un autre, beaucoup plus récent.

Pierre Bertaux, qui a tendance à se méfier de ses amis communistes, décide de temporiser. Il sait que la ville rose est quadrillée par un parti qui se croit en terrain conquis. Tous les moyens sont bons pour essayer de calmer leurs ardeurs.

Dans son livre de souvenirs, Bertaux revient bien plus tard sur cet épisode. Il est d'accord sur le projet mais préfère attendre. « J'étais un peu gêné, précise-t-il, dans le mémoire qu'on me présentait pour la création d'un centre d'études occitanes, par une référence déplacée à l'URSS qu'on nous proposait comme modèle par la protection attendrie qu'elle accorde à la moindre langue, au moindre dialecte de son vaste empire. »

Mais les communistes ne lâchent pas l'affaire aussi facilement et Tzara fait le siège de Bertaux pour obtenir les autorisations nécessaires. De guerre lasse ce dernier cède et le centre peut être lancé. C'est encore Tzara qui se charge de toute l'organisation. Cet épisode n'est qu'un aspect des luttes fratricides qui déchirent les forces issues de la Résistance.

Ainsi à la radio d'Etat, les communistes se retrouvent isolés. On parle même de licenciements, et Cassou s'en mêle...

Fatigué, Tzara s'installe pour quelques semaines avec Christophe dans la clinique du docteur Bonnafé, à Saint-Alban. Soleil et repos avant les épreuves du retour vers Paris. Il y a urgence car Tzara doit récupérer toute sa bibliothèque, ses quelques meubles et retrouver son appartement rue de Lille. Le voyage en train est beaucoup plus long que prévu. En pleine nuit, il faut trouver une chambre en catastrophe. Christophe se souvient encore de l'errance avec les valises dans une capitale complètement vide. Ils trouvent refuge dans un petit hôtel du côté de Saint-Germain-des-Prés, mais il faudra encore plusieurs semaines pour réintégrer l'appartement occupé.

Le naufragé de Saint-Germain

Tzara reprend ses marques tout en essayant de régler les problèmes les plus urgents. Il croise à nouveau quelques amis revenus bien souvent de l'enfer... Marx Ernst, Joseph Sima, Jacques Prévert ou Georges Ribemont-Dessaignes. Dans *Déjà jadis* ce dernier raconte ces retrouvailles : « Quelle émotion, tant de passé retrouvé et aboli en même temps, un présent qui rétablit la liaison... et puis le café de Flore devenu le rendez-vous de tous les rescapés de la tourmente... Tristan Tzara est par là lui aussi... » Une drôle d'atmosphère avec le ravitaillement difficile, les militaires un peu partout et ces prisonniers de retour sur les boulevards. Mais aussi cette envie de continuer à vivre. Ribemont poursuit : « Partout une affluence, une effervescence extraordinaires. Dans tous les milieux et dans les littéraires plus que tout autre, cette ruée, ce débrouillage, des noyautages, ce bluff incessant, simulant la force pour attirer la force à soi, ces prises de position antagonistes au sein d'un même effort, et bientôt ces ruptures. » Tzara n'échappe pas au lot commun. En tant que membre du CNE il participe, de loin, aux débats sur l'épuration qui virent à l'empoignade. Il ne prend pas position mais suit avec attention les appels à la clémence de son ami Cassou. Le clan des « moralistes », comme on les appelle alors, passe à l'offensive. Un écrivain doit-il rendre compte de ses actes ? Où est la responsabilité de l'intellectuel ? Le débat divise le CNE et les portes claquent. *Les Lettres françaises* se font l'écho de réunions mouvementées. Aragon mène la danse avec brio justifiant avec succès la double légitimité littéraire et nationale du CNE. Léon Pierre-Quint est de ceux qui font passer la ligne officielle dans *Les Lettres*... Se réjouissant que les écrivains aient enfin abandonné la posture de « l'art pour l'art », il évoque la dimension subversive de l'art, la révolte contre les institutions telle que l'ont incarnée les surréalistes. Il se félicite qu'ils aient, au moment voulu, su quitter la révolte pour la révolution, s'engager dans la Résistance. « Certains peuvent s'étonner que les poètes jadis anti-nationalistes et révoltés contre la société chantent des "poèmes d'amour en guerre", ceux qui criaient en 1924 : "A bas la France !" Mais cette contradiction n'est sans doute qu'apparente. Ce sont les réalités qui ont changé et non ces hommes. Eux célébraient toujours ce mot de liberté, qui ne fait sourire d'un air moqueur que les vils esclaves. »

Les fidèles de Breton répliquent en évoquant la liberté de l'artiste qui refusera toujours de devenir un propagandiste. Benjamin Peret, dès 1945 dans *Le Déshonneur des poètes*, règle son compte à la poésie nationale d'Aragon et Eluard. Pas question d'entonner les refrains patriotiques du PCF. Tzara se doit d'intervenir dans le débat, lui qui a su maintenir une position médiane. Et comme d'habitude son intervention est d'abord une affirmation poétique avec la publication en 1946 de deux livres. Le premier, intitulé. *Le Signe de vie*, paraît aux Editions Bordas reprises en main par son copain Jean Marcenac. Matisse est de nouveau mis à contribution pour six dessins et une lithographie.

Ce sont des poèmes de la Résistance, des chants

de désespoir et de silence, marqués par le temps du mépris. Ce sont des chants de la clandestinité, écrits en pleine guerre avec toujours une touche d'espoir.

> *« Que le rire déferle alors sur la peine qui monte*
> *marche l'espoir somnambule vers le rempart*
> *de sa force. »*

Sa poésie n'est pas toujours facile et, si le message est clair, Tzara se refuse toujours à écrire de l'agit-prop, même pour la bonne cause. Pour ses détracteurs, il s'en tient à cette poésie « activité de l'esprit » en prise directe sur l'histoire. *Entre-temps* paraît peu après aux Editions du Point du Jour. Quand il retrouve Sonia Delaunay, en décembre 1945, il lui offre le manuscrit en signe de fidélité. Ces textes ont été écrits entre 1928 et la fin 1942, à une époque où Tzara se déplaçait sans cesse dans le Midi de la France.

On y perçoit toute la détresse de l'individu isolé, la douleur et la justification de son silence. Cette poésie savante et spontanée centrée sur des thèmes personnels à résonance collective suscite peu de réactions. Le faible tirage et la nouveauté de la maison d'édition n'arrangent rien. Seul, Georges-Emmanuel Clancier y consacre un article dans la revue *Fontaine* : « Les poèmes d'*Entre-temps* possèdent une unité, une progression interne, une sorte de classicisme dans la sobriété de leurs chances, non pas un classicisme volontairement imposé du dehors, mais découvert au cours même d'une langue patiente, fidèle et sincère expérience poétique. Qu'on y prenne garde pourtant, dépouillement ne veut pas dire pauvreté : Tzara conserve sa violence, son originalité, son humour, le jaillissement d'une riche inspiration d'où l'on ne peut qu'arbitrairement détacher

tel ou tel fragment[1]. » Un beau texte qui salue la
« métamorphose » d'un poète qui passe, avec les
années, « des turbulentes raisons de vivre à l'austère
et difficile raison d'être ». Clancier reprendra ce
texte pour son anthologie poétique *De Rimbaud au
surréalisme* qui paraîtra en 1959 chez Seghers.
Georges Ribemont-Dessaignes reviendra lui aussi
dans la revue *Critique* sur l'évolution de Tzara en
mettant l'accent sur la continuité d'une œuvre où
l'on ne perçoit ni facilité, ni abandon au patriotisme
conquérant des communistes[2].

Mais Tzara ne peut pas en rester là. Ses amis les
plus proches le pressent de monter *La Fuite* sur
scène. Comme au plus beau temps de sa jeunesse
déjà lointaine, il repart à l'assaut d'un théâtre. Avec
le soutien de René Leibowitz et de Michel Leiris
qu'il retrouve à Saint-Germain, il accepte de monter
ce poème dramatique en quatre actes et un épilogue.
Le théâtre du Vieux-Colombier est réservé pour le
21 janvier 1946. Marcel Lupovici donne son accord
pour la mise en scène, et Max Deutsch écrit une
musique originale. Le 18, *Les Lettres françaises*
annoncent l'événement et Charles Dubreuil fait une
longue interview de Tzara. Le journaliste se demande
si avec un tel sujet, abordé de cette manière, Tzara
peut encore toucher le spectateur... « A vrai dire,
répond l'auteur, je ne crois pas que le poète dramatique puisse se poser cette question. Il n'a pas à se
préoccuper des exigences strictement rationnelles du
spectateur. C'est toujours en dehors du mécanisme
intellectuel que se passe l'essentiel. Seule la poésie

1. Georges-Emmanuel Clancier, *Fontaine* n° 61, septembre 1947.
— Entretien avec Georges-Emmanuel Clancier.
2. Georges Ribemont-Dessaignes, « Tristan Tzara, la poésie et la
révolte », *Critique* n° 28, septembre 1948.

371

trouve accès à ces domaines. Il appartient à chacun de se laisser emporter par elle. »

Leiris défend la pièce et fait le forcing à la rédaction des *Temps modernes* pour en publier un extrait. Il menace même de démissionner face à un Jean-Paul Sartre très réservé sur Tzara et son projet. La présentation de Leiris sera finalement publiée par *Labyrinthe*, la revue d'Albert Skira installée à Genève.

Avec *La Fuite*, Leiris trouve un écho à ses propres obsessions. Il y voit l'autoanalyse d'un homme emporté dans la faillite générale de juin 1940. L'expérience « atterrante » de l'exode a permis à Tzara d'acquérir une connaissance profonde plus organique que rationnelle. « Moyennant quoi, poursuit Leiris, il aboutit aujourd'hui à une poésie telle que la pensée y est authentiquement opération de la bouche, profération de l'homme qui fait passer dans les mots tout ce qu'il a senti et perçoit plus nettement le rythme de sa vie parce que chaque mot qu'il dit est le fruit d'un voyage à travers ses viscères, d'une maturation dans leur dédale où il y a plus à apprendre que dans la lumière fixe et désincarnée de tous les paradis. » Pour l'auteur de *L'Age d'homme*, Tzara parle enfin de lui et s'expose sans pudeur. Mais cet enthousiasme n'est pas partagé par beaucoup de monde. La salle est pleine, les réactions sont mitigées. Passons sur la bagarre déclenchée par Isidore Isou et ses amis lettristes. Rejouant les grandes heures dada, ils sont venus rappeler à Tzara les exigences de sa jeunesse et crier à la trahison. Charles Dobzinski fait partie de l'expédition et ressent un certain malaise. Même s'il ne paraît pas convaincu par la pièce, il trouve la manœuvre d'Isou un peu grossière. Tzara garde quand même une certaine aura dans la jeunesse de l'après-guerre.

Ses appels à la révolte sans concession signés

Dada éveillent une réelle curiosité chez ces jeunes gens qui sentent confusément la révolution tant espérée leur échapper. Mais dans une France vouée au culte de ses libérateurs, les brûlots dada sont introuvables. Même le surréalisme paraît lointain et très mal connu. Le monde a bien changé. Maurice Nadeau raconte avec un certain amusement le chahut lettriste dans les colonnes de *Combat*. L'envoyé spécial des *Lettres françaises* résume, quant à lui, l'état d'esprit de beaucoup de spectateurs. Le thème est bien trouvé, la force dramatique des symboles est évidente, mais il signale l'écueil de la pièce « résidant dans la complexité poétique de l'œuvre ». Francis Crémieux, dans *Europe*, rappelle qu'il s'agit de poésie, et non de construction théâtrale...

Même si le texte n'est pas du meilleur Tzara, c'est le grand retour sur la scène parisienne qui compte le plus. Après des années de discrétion et de silence, il est de nouveau présent dans l'arène littéraire, et c'est pour lui l'essentiel. Le soir de la représentation de nombreux anciens amis perdus de vue depuis longtemps sont revenus. Ils ont tous un peu vieilli mais ils sont là. A l'entracte, le bar du Vieux-Colombier prend des airs de Bœuf sur le Toit... On y aperçoit les Delaunay, les Marcoussis, Aragon et sa bande des *Lettres*, Ribemont-Dessaignes en éclaireur, Leiris survolté et un peu plus loin Soupault... Dans son Journal, il note : « Ce soir j'assiste à la lecture d'une pièce de Tristan Tzara. Beaucoup de monde, beaucoup d'amis. Tristan a écrit une pièce de circonstance. Elle est si étrange dans sa sagesse que j'en arrive à me demander si Tzara n'a pas cru que cette sagesse était le plus sûr moyen de scandaliser tout le monde, y compris ses amis. »

Quelques jours plus tôt, Soupault avait retrouvé son ami de jeunesse à un vernissage. Il écrit : « Vu

Tzara, les cheveux blancs, même regard qui perce très loin. Sa voix est changée et comme, selon ma mauvaise habitude, je lui fais remarquer ce changement, il répond : "Mais oui, je n'ai plus la voix d'un tribun, je ne suis plus un tribun". Je proteste, car pour moi, Tzara est toujours cet être explosif qui savait faire crouler les murs et provoquer la colère des hommes. »

Désabusé, peut-être, mais sûr d'appartenir au sérail des écrivains communistes issus de la Résistance. Le journal *Ce soir*, dirigé par Aragon, le rappelle opportunément. C'est le fidèle Pierre de Massot qui rédige le papier intitulé « L'évolution d'un poète ou la route exemplaire de Tristan Tzara[1] ». Un bel article très orthodoxe où de Massot revient longuement sur l'itinéraire. « Je le connais depuis vingt-sept ans, précise-t-il, il n'a pas changé et cependant il n'est plus le même. » Revenant sur Dada, il constate qu'il était impossible de maintenir une attitude uniquement négative. Vint alors le surréalisme... « Tzara s'en tint écarté puis le rejoignit, mais l'ombrageuse dictature que faisait peser André Breton sur ce groupe ne pouvait complaire à une aussi forte personnalité. » Exit Breton, alors commence l'évolution de Tzara. Dans le plus pur style stalinien, de Massot exalte le courage, l'engagement de Tzara avec des formules du genre... « Ce solitaire sent pour la première fois qu'il est solidaire de tous les hommes » ou encore « La sécurité qu'apporte en lui le marxisme a balayé les inquiétudes d'autrefois ». Il passe alors en revue la guerre d'Espagne et la Résistance. S'il salue la publication de *Une Route Seul Soleil* « dont les quatre premières

---

1. Pierre de Massot, « L'évolution d'un poète ou la Route exemplaire de Tristan Tzara », *Ce soir*, 12 août 1946.

lettres désignent l'URSS », il déplore que la poésie de Tzara soit encore trop hermétique au plus grand nombre. « Mais tout laisse prévoir que parallèlement à son évolution philosophique, son évolution poétique à son tour s'achèvera. Nous attendons de lui une œuvre qui sera comprise et aimée de tous les hommes ses frères. » Le message paraît clair : Tzara encore un effort pour être réaliste socialiste !

On devine Tzara impatient de répondre et de prendre part au débat intellectuel du moment. Coincé entre ses camarades du CNE et un Breton de retour des Etats-Unis, bousculé par une jeune génération qui n'a pas de leçon à recevoir des « anciens », Tzara veut faire entendre sa voix. Un voyage en Europe centrale et une conférence à la Sorbonne vont lui donner l'occasion de revenir sur le devant de la scène.

Durant la guerre, Tzara est toujours resté en contact avec ses amis tchèques ou hongrois. Les envois étaient difficiles, mais la Libération change tout. Et puis, de l'autre côté de l'Europe, les communistes sont désormais aux commandes. C'est l'illusion lyrique d'une nouvelle société en construction. Tzara est impatient de partir. Des amis qui connaissent ses difficultés financières lui ont trouvé un poste de chargé de mission au ministère des Affaires étrangères.

Invité par différents cercles d'intellectuels liés au mouvement communiste, Tzara a prévu une véritable tournée en Europe centrale, mais il doit payer ses frais de voyage. Pour l'hébergement il compte sur ses amis, comme le Hongrois Gyula Illyès ou Adolf Hoffmeister qui l'attend à Prague : « Enfin de vos nouvelles, merci pour tout ce vous avez fait pour nous. Ce qui nous manque surtout c'est le contact intellectuel avec la France. » Tzara est attendu avec impatience.

Cependant, pour Tzara, l'Europe centrale c'est aussi la Roumanie. Va-t-il profiter de ce voyage pour retrouver sa famille à Moinesti ? Le 1er février 1946, il envoie une longue lettre à sa sœur où il confirme une tournée de conférences en Suisse, Autriche et Tchécoslovaquie. Comme toujours il explique qu'il pourrait peut-être se rendre à Bucarest. Mais tout reste très flou. « Si tu peux rencontrer Sasa Pana, dis-lui que je serai à Prague au début du mois de mars et que s'il veut m'inviter, il n'a qu'à s'adresser à la légation roumaine ou à Adolf Hoffmeister, le directeur des relations culturelles à Prague (chez qui je vais d'ailleurs habiter). » Sur sa vie, Tzara reste toujours aussi vague. « On m'a fait savoir que vous alliez tous bien, mais j'ai des nouvelles assez vagues et vous vous doutez bien que j'étais très inquiet pour vous pendant toutes ces années d'horreur. Moi j'ai vécu pas mal d'aventures, j'ai été presque tout le temps avec Christophe, qui, vers la fin de la guerre, a été dans un maquis. Pendant toute l'année dernière j'ai été à Toulouse où j'ai rempli une série de fonctions et où Christophe a fait une année d'études de mathématiques sup. A partir d'octobre, nous rentrerons définitivement à Paris. » Revenant rapidement sur ses difficultés pour récupérer son appartement, il évoque sa séparation d'avec Greta en une ligne... « Greta est à Paris, elle ne va pas si mal que cela, mais nous n'habitons plus ensemble. A part ça, je suis en bonne santé et je travaille beaucoup » [1].

---

1. Correspondance Tristan Tzara-Famille Rosenstock, Bibliothèque Doucet.

Voyage dans les Balkans

Pour son premier rendez-vous, Tzara est un invité officiel puisqu'il fait partie de la délégation française au congrès des écrivains yougoslaves. Il est accompagné par Jean-Richard Bloch, un compagnon de voyage idéal. Le nouveau régime de Tito a bien fait les choses. Dans ce pays qui sort à peine de la guerre, les délégations étrangères sont accueillies dans une ambiance de fraternité révolutionnaire. On invoque sans cesse l'esprit de la résistance au nazisme et la construction d'un monde nouveau. Dans une interview qu'il donne à Jean-François Chabrun pour *Les Lettres françaises*, Tzara précise que tout reste à faire dans ce pays ravagé... « Le problème culturel se pose en quelque sorte par son abc : apprendre à se nourrir, se vêtir ou habiter de façon rationnelle, c'est-à-dire passer du stade d'une culture rudimentaire à celui d'une culture populaire moderne[1]. » Tzara ne manque pas de saluer les bonnes intentions du nouveau pouvoir... « La Yougoslavie se rend compte que l'ensemble des phénomènes allant de la religion aux arts en passant par l'hygiène et les mœurs fait partie intégrante de la société nouvelle qu'elle se propose de construire. Il est bien entendu que la littérature, comme les sciences, jouit d'une

---

1. « Interview de Tristan Tzara à travers les Balkans », *Les Lettres françaises* n° 145, 31 janvier 1947.

377

grande liberté dans l'ensemble du mouvement culturel nettement orienté dans un sens populaire. » Pro-
mené par les autorités bienveillantes, Tzara se rend
à Skopje en Macédoine où il donne une conférence
sur les sources révolutionnaires de la poésie contemporaine. Il regrette que l'influence culturelle française
soit beaucoup moins importante qu'auparavant et
constate que ce sont les Anglais qui font le plus d'efforts. « Il est indispensable, poursuit Tzara, que des
envois massifs de livres français parviennent dans les
universités yougoslaves. Ceci d'autant plus que l'on
a gardé là-bas la sympathie la plus vivace, pour la
culture française, pour la tradition révolutionnaire
de notre pays et qu'il règne une grande curiosité
pour notre littérature progressiste actuelle. » Dans
les réunions publiques, Tzara s'aperçoit que l'audi-
toire connaît déjà les poèmes d'Aragon ou d'Eluard.

Tzara se laisse gagner par l'euphorie officielle
avant de se rendre à Budapest. Juste quelques jours
pour saluer les écrivains Maraï ou Illyès. Il y chante
la tradition d'une littérature progressiste et nationale. En liaison avec M. Gachot, le délégué de presse
à l'ambassade, il multiplie les contacts pour le CNE
et promet de faire pression sur les autorités françaises pour faire renaître l'Institut français de
Budapest.

Puis c'est au tour de Bratislava en Slovaquie où
on l'attend pour une conférence à l'université. Julien
Benda doit lui succéder quelques jours plus tard. Il
croise le poète Novomeski, un ancien surréaliste
devenu commissaire à l'Education, ou le docteur
Ponican, le nouveau secrétaire général de l'Association des écrivains qui lui fait les honneurs du château mis par l'Etat à la disposition des intellectuels.

L'étape suivante est Prague. « Une des villes, écrit-
il, qui m'est au monde parmi les plus chères. » Il

y retrouve avec plaisir Hoffmeister qui vient d'être décoré de la Légion d'honneur, Nezval ou Halas. Il est reçu par l'Institut français qui est resté très actif. Toujours pour *Les Lettres françaises* il ne manque pas de rendre hommage à tous ses amis, souvent surréalistes, qui ont fait les mêmes choix que lui. Une dernière pierre dans le jardin de Breton... « Ce n'est pas un hasard que dans tous ces pays en voie de transformation sociale, les écrivains d'avant-garde notamment ont été amenés à prendre parti parce que leurs conceptions esthétiques étaient étroitement liées au problème de la libération de l'homme, ils ont tout naturellement été amenés à combattre l'occupant et à s'associer à la construction d'une démocratie qui ne se contente pas de solutions formelles, mais s'efforce de correspondre aux volontés et aux forces réelles du peuple[1]. » On le voit, derrière l'émotion et la sincérité, Tzara n'hésite pas à utiliser la langue de bois si chère aux staliniens.

Ainsi quand il écrit un bel hommage à deux amis de jeunesse morts en Tchécoslovaquie à la fin de la guerre, Unik et Desnos, il peut même aller jusquelà : « Entre la Vltava et la Hadschin, le printemps de Prague a la violence sans laquelle la beauté de ce pays ardent ne saurait s'accorder au sentiment des habitants. Fiers de leur ville qu'ils ont su libérer, les Praguois regardent l'avenir avec l'optimisme, leur passion pour l'indépendance, leur croyance en un ordre nouveau[2]. »

Il est vrai qu'au moment où sont écrites ces lignes, la chape de plomb stalinienne ne s'est pas encore abattue sur Prague. Mais cela ne va pas tarder.

1. « Interview de Tristan Tzara à travers les Balkans », *Les Lettres françaises* nº 146, 7 février 1947.
2. Tristan Tzara, « Entre la Vltava et la Hadschin », *Les Lettres françaises* nº 103, 12 avril 1946.

La belle cité des hommes à venir

Reste la Roumanie. Tzara a longtemps hésité avant de reprendre le chemin de Bucarest et de renouer avec ce passé si lointain. Lui qui s'est choisi une autre vie ne souhaitait pas revenir en arrière. Trente-deux ans d'absence. Ce qui l'a décidé ce sont ces changements radicaux, cette nouvelle Roumanie qui s'annonce et qu'il a saluée sur les ondes de la radio toulousaine dès 1944. Dans un communiqué retrouvé, il s'enthousiasme : « C'est pour moi aujourd'hui une grande joie de pouvoir de Paris libéré saluer la Roumanie libérée. C'est en Molda-vie, sur les contreforts des Carpates que, il y a plus de quarante-neuf ans, je suis né. Jamais le souvenir de mon enfance passée dans ces pays auréolés par la splendeur du soleil et le mystère du monde ouvert à mes jeunes yeux, ne m'a quitté. Je ne puis évoquer qu'avec émotion ce pays dur, où les valeurs essen-tielles de la vie, sous leur aspect rude et tendre à la fois, si proche de la nature, ont gardé la fraîcheur de la jeunesse du monde[1]. »

Tzara a bien rendez-vous avec lui-même, avec son histoire personnelle, celle d'avant Zurich, d'avant Dada. Pour quelques jours il retrouve Moinesti et

---

1. Tristan Tzara, Communiqué de presse, Délégation régionale à l'information Toulouse (1944). — Le communiqué a été lu à la radio roumaine.

toute la famille. Fêté comme il se doit, l'enfant du pays reste un peu en marge. Gêné, comme étranger dans ce bout du monde où il ne voulait pas vivre.

Il peut mesurer le chemin parcouru. Très rapidement le voyage redevient officiel. Tzara veut croire à ce monde meilleur, mais la réalité est parfois dure à regarder en face. Dans ce pays ruiné où une aristocratie dépassée s'accroche encore à ses privilèges, les communistes n'ont pas gagné la partie. En novembre 1946, le roi Michel est toujours en place et les élections s'annoncent difficiles. Si Tzara fustige pour les *Cahiers France-Roumanie* cette fameuse « caste favorisée et fascisante qui se bat pour conserver ses privilèges[1] », il se laisse encore une fois gagner par l'enthousiasme de ceux qui croient à la Roumanie nouvelle... « Depuis mon départ de Roumanie, explique-t-il, je n'avais fait qu'un séjour de quelques semaines dans mon pays d'origine. Ce séjour eut lieu dans le courant de l'année 1922. Inutile de vous dire que lors de mon récent voyage, j'ai trouvé des changements considérables et une atmosphère bien différente de celle que j'avais connue. La Roumanie est à un tel degré d'évolution qu'elle en est presque méconnaissable. Je la voyais encore lorsque je l'avais quittée : un Etat oriental, refermé sur lui-même, avec de rares éclaircies. Mais voici qu'elle m'apparaît très évoluée, riche du labeur d'un peuple que l'adversité n'a pas abattu et qui a échappé aux régimes d'oppression qu'il a trop longtemps subis. »

Les communistes sont sur tous les fronts. Ils lancent la bataille de la reconstruction, militent pour une réforme agraire et tiennent les usines. L'« agit-prop » bat son plein et les camarades s'attachent

---

1. Entretien avec Tristan Tzara par Denys Paul Bouloc, *Cahiers France-Roumanie* n° 7, février-avril 1947.

381

aussi à résoudre le problème de la « culture des masses ». Tzara a droit aux visites guidées. Dans la banlieue ouvrière de Bucarest, on lui montre le théâtre Gheorghiu-Dej. L'endroit est luxueux, les spectacles de « premier ordre » et le prix des places modique. Tzara découvre les cours du conservatoire ouvrier, un centre de culture dramatique qui monte des spectacles. On l'emmène dans un village. Il est au milieu des paysans pour voir le nouveau théâtre populaire sous la direction d'un écrivain, commissaire politique[1] !

Bien encadré, Tzara est même emmené en Transylvanie. Il visite l'université de Cluj où des professeurs, appelés de Hongrie par le gouvernement roumain, enseignent dans leur langue. Finies les rancunes nationales et les luttes incessantes ! « Là où régnaient le chauvinisme et le racisme destructeur, précise Tzara, la minorité hongroise vit en parfaite intelligence avec le reste de la population. Aux luttes fratricides a succédé la concorde, les castes privilégiées ayant dû renoncer à leurs déplorables manœuvres. » Avec lui, le message officiel passe sans difficulté. L'accueil est toujours chaleureux, et les autorités se font les avocats d'un véritable rapprochement culturel franco-roumain. Un sujet que Tzara connaît bien. Il rappelle sans cesse l'influence de la culture française et note : « tous les grands courants littéraires français ont eu leur reflet chez nos amis roumains, et en ce moment, ils sont suivis, discutés, combattus, tout cela avec la même ardeur ».

Sur les lambris du ministère des Arts, devant un parterre de dirigeants communistes, il se fait le

---

1. *Cahiers France-Roumanie* n° 7, février-avril 1947.

chantre de la culture roumaine, que la France gagne-
rait à mieux connaître.

Infatigable, Tzara multiplie les conférences sur la
« dialectique de la poésie », tout en accordant des
interviews aux journaux de Bucarest[1]. Il revoit aussi
l'ami Sacha Pana qui présente longuement Tzara
dans sa revue *Orizont* de décembre 1946[2].

Certains ne sont plus là, comme Ilarie Voronca
qui a choisi de se suicider en avril 1945 à Paris.
Tzara lui rend hommage dans les colonnes des
Lettres françaises. Il abandonne un moment la phraséologie soviétique pour écrire ce dur constat : « Ce
tragique rappel à l'ordre des choses et des êtres que,
de temps à autre et au prix de leur vie, les poètes
se chargent de jeter comme une protestation dans
l'indifférence et l'âpreté communes, possède la vertu
de ramener notre attention sur la matière instable
dont sont faites les souffrances et l'insécurité de
l'homme. » Et de citer la phrase de Maïakovski :
« La barque de l'amour s'est brisée contre la vie
courante[3]. »

De retour à Paris, Tzara s'enferme quelques jours
pour préparer son grand retour sur la scène littéraire
parisienne. Le franc-tireur a besoin de s'expliquer et
de régler quelques comptes.

---

1. Interview de Tristan Tzara pour le quotidien *Rampa*,
27 novembre 1946.
2. Sacha Pana, *Orizont*, 3e année, n° 2, décembre 1946.
3. Tristan Tzara, « Ilarie Voronca » (un portrait de Voronca par
Alice Halicka accompagne l'article), *Les Lettres françaises* n° 254,
7 avril 1949.

Baroud d'honneur à la Sorbonne

Pour beaucoup, le carton d'invitation est une curiosité. Comme au bon vieux temps, Tzara prend la parole dans le temple de l'université française ! Chez les plus âgés, cela rappelle quelques bonnes soirées agitées, d'autant que le programme promet un beau spectacle avec comme sujet : « Le surréalisme et l'après-guerre ».

Il est impensable que Breton ne réagisse pas. Il a très vite fait savoir qu'il entendait perturber la réunion par tous les moyens. Isolé et affaibli par son exil prolongé aux Etats-Unis, il veut se battre.

Pour lui l'activité surréaliste doit continuer mais le tableau qu'il dresse de la situation en 1947 est sombre. Loin des flonflons de la Libération et des slogans, les staliniens font régner la terreur dans le monde des lettres. Dans les *Entretiens* qu'il publie en 1952, il dénonce « la mainmise de l'appareil stalinien sur la totalité des moyens d'expression qui lui permet de "bâillonner" ses contradicteurs, et de les "déconsidérer dans sa propre presse par le procédé de la calomnie périodique" [1] ». Dans cette campagne, les surréalistes sont les premiers visés vu leur intimité passée avec « certains des intellectuels que le parti stalinien a promus au rang de vedettes ».

---

1. André Breton, *Entretiens*, Paris, Gallimard (1952). — Entretien avec Marguerite Bonnet.

Pour Breton, la situation est claire, la conférence de Tzara n'est qu'un élément de plus d'un vaste complot visant à discréditer le surréalisme et plus généralement toute critique de gauche du stalinisme. Place Blanche, où il a repris ses habitudes, Breton compte ses amis et prépare le pugilat. A l'autre bout de la capitale, au Café de Flore, Tzara prend quelques conseils et met la dernière main à son texte. Les organisateurs, une association paracommuniste, proposent à Breton un temps de parole en fin de séance, ce que Breton refuse.

Le 17 mars 1947, le grand amphithéâtre est donc noir de monde. Les communistes sont nombreux et surtout prêts à tout pour imposer le silence à d'éventuels contestataires. Il y a aussi beaucoup de curieux et quelques jeunes gens venus assister à un combat d'un autre âge. En tout cas Breton est bien là et il n'a rien perdu de sa superbe. Il se tient sur les hauteurs entouré de ses fidèles, prêt à intervenir. A Jean Cassou, le président de séance qui présente son vieil ami Tzara, Breton lance d'emblée : « Nous nous foutons de tout ça, cher Monsieur Cassou. » Les apostrophes fusent : « Breton au *Figaro* ! » Celui-ci vient en effet d'accorder une interview au *Figaro* et les communistes s'en donnent à cœur joie. Le spectacle est dans la salle quand Tzara débute son intervention. On le sent un peu gêné. Malgré le brouhaha, il commence à lire d'une voix monotone un long texte retraçant les aventures intellectuelles du siècle. Parfois cela devient drôle, quand Tzara explique que les principes cartésiens ont préparé le terrain à la Révolution de 1789. Breton l'interrompt : « Ecoutez, Monsieur Tzara parle de Descartes en 1947. » Une voix dans l'assemblée rétorque aussitôt : « Ecoutez, Monsieur Breton parle de lui en 1947. » Le tumulte est tel que Tzara a bien

du mal à finir. Breton arrive même à monter sur
la tribune pour boire dans le verre du conférencier
imperturbable en jetant à la cantonade... « Je peux
encore boire dans le verre de Tzara[1]. »

Pour les communistes c'en est trop. Marcenac et
Crémieux se précipitent, frappent Breton et tentent
de l'expulser. Crémieux nous confirme la scène et
explique qu'il fallait bien se battre contre ces « trotskistes qui n'avaient rien compris à la révolution
russe[2] ».

Ce jour-là, Breton et Tzara s'affrontent pour la
dernière fois directement. Incroyable moment où on
les voit incapables de s'écouter. Mais derrière cette
bataille pathétique, il y a toujours un vrai débat sur
le rôle et la responsabilité de l'intellectuel. On est
loin d'une simple querelle de personnes. A l'impla-
cable réquisitoire de Tzara, Breton ne se contentera
pas d'un chahut. Il répondra de façon précise en
n'éludant aucune question. Le discours de Tzara est
d'ailleurs pour lui sans surprise. Il reprend une série
d'idées qu'il a déjà développées dans ses ouvrages
d'avant-guerre. Il rappelle la filiation historique de
Dada et du surréalisme. Il dresse aussi un bilan acca-
blant du surréalisme avec cette incapacité pour
concilier marxisme et psychanalyse et ses engagements de circonstance. Enfin, il dénonce les dérives
de Breton vers l'occultisme et la magie, une orientation qu'il juge catastrophique puisqu'elle tourne le
dos au matérialisme dialectique et qu'elle éloigne le
poète de l'action.

---

1. Anne-Marie Amiot, « Le surréalisme et l'après-guerre », *Mélusine* n° 17, septembre 1997. — Jean-Louis Bedouin, *Vingt ans de surréalisme 1939-1959*, Paris, Denoël (1961). — Henri Béhar, *André
Breton*, Paris, Calmann-Lévy (1990). — Jean Marcenac, *Je n'ai pas
perdu mon temps*, Paris, Messidor (1982).
2. Entretiens avec Francis Crémieux et Charles Dobzinski (2001).

Tzara prononce bien l'acte de décès du mouvement et récupère cette idée très en vogue à Saint-Germain-des-Prés... Breton est passé de mode. Mais le coup le plus rude porte sur l'attitude de Breton pendant la guerre. Quel qu'en soit le bien-fondé, son départ pour l'Amérique apparaît comme une erreur politique. Car ce rendez-vous manqué avec l'Histoire déconsidère le surréalisme et le sape dans ses fondements mêmes... « Or qu'est aujourd'hui le surréalisme et comment se justifie-t-il historiquement quand nous savons qu'il a été absent de cette guerre ? » interroge Tzara qui poursuit aussitôt... « Après ces événements récents dont l'incontestable portée n'a pas atteint le surréalisme, qui hors de ce monde cherchait une justification à son demi-sommeil béat, je ne vois pas sur quoi celui-ci serait fondé pour reprendre son rôle dans le circuit des idées, au point où il le laissa, comme si cette guerre et ce qui s'ensuivit ne fut qu'un rêve oublié. » Qu'importe si Tzara lui-même a tenté un moment de fuir lui aussi aux Etats-Unis, l'argument est trop facile : Breton est un déserteur ! Les staliniens le font largement savoir. Crémieux précise : « C'était un peu fort, il venait nous donner des leçons et nous insulter, alors que lui pendant la guerre, il était resté caché derrière son micro aux Etats-Unis[1]. »

Dans sa conférence, Tzara va plus loin, en montrant que cette attitude n'est pas un accident de parcours mais qu'elle s'inscrit dans la nature même du mouvement surréaliste. Son récit des dissensions idéologiques qui mènent Breton dans cette impasse est très précis, voire méthodique.

Pour Tzara, la partie qui se joue est importante. Lui qui a toujours veillé à la cohérence de sa pensée

---

1. Entretien avec Francis Crémieux.

et de son action tient à se justifier. Avant même de prendre ses marques dans un monde nouveau, cette conférence est d'abord le bilan de toute une vie. Mais dans cet après-guerre où l'anathème et le simplisme semblent l'emporter, le discours de Tzara ne passe plus. Ses analyses subtiles sur la poésie activité de l'esprit sont inaudibles. Le jeune homme qui dynamitait le langage et réinventait le scandale pour mieux disqualifier ses adversaires n'est plus qu'un homme seul qui parle dans le vide. Lui qui savait mieux que personne déclencher ou récupérer le chahut semble bien dépassé par les événements. Pire, il apparaît pour beaucoup comme un pion dont se sert habilement le parti communiste pour maintenir son hégémonie sur le monde intellectuel. Tzara est trop lucide pour ne pas s'en rendre compte. Il en tire les leçons. Il va opter pour une attitude plus réservée. Il va aussi retrouver la poésie et ce silence qu'il s'était déjà imposé après la mort de Dada.

Mais cet échec ne signifie pas non plus la victoire de Breton. Quelques jours après le pugilat, alors qu'il est en vacances dans les environs de la Chaise-Dieu, il écrit au surréaliste égyptien Georges Henein : « L'intervention à la conférence de Tzara n'a répondu de ma part à rien de prémédité... Ça a été plus fort que moi si je n'ai pu rester impassible [1]. »

Le tour d'horizon auquel il se livre à cette occasion n'est pas optimiste. Non seulement le groupe a du mal à se reconstituer, mais les projets de revue n'aboutissent pas et la jeune génération se montre très critique. Christian Dotremont et Noël Arnaud organisent à Bruxelles une conférence internationale du surréalisme révolutionnaire, qui se considère à l'avant-garde en épousant les thèses staliniennes...

---

1. André Breton. Correspondance Breton-Henein. Cité par Henri Béhar, *André Breton*, op. cit.

Concurrencé par l'existentialisme et le lettrisme, violemment attaqué pour son soutien total au pamphlet de Peret *Le Déshonneur des poètes* considéré comme une insulte à la Résistance, Breton se sent lui aussi isolé. Alors que réapparaissent au Sagittaire *Les Manifestes*, on le voit tenté par l'utopie et l'ésotérisme. Il reste plus que jamais fidèle à cette idée que le poète est avant tout un porteur de clé pour déchiffrer le monde.

Ce qui ne l'empêche pas de rappeler à ses anciens amis qu'on « ne détruit pas l'esprit à coups de piolet ». Histoire de répéter une fois de plus qu'il n'a pas oublié les procès de Moscou et l'assassinat de Trotski. Dans ses entretiens radiophoniques réalisés en 1952 avec André Parinaud, il revient sur toutes les questions soulevées par Tzara dans sa conférence. Il n'est pas tendre avec ceux qui servent de porte-voix au stalinisme, en ajoutant aussitôt : « Il est vrai que j'ai dû me séparer de certains d'entre eux qui m'étaient chers, que d'autres m'ont quitté et qu'il en est dont le souvenir m'assaille encore à certaines heures et je ne cache pas que chaque fois c'est une blessure qui se rouvre. »

Il y a dans cette confession, comme un constat de gâchis face à une aventure qui paraissait exaltante. Tzara et Breton sont désormais très loin l'un de l'autre, mais à l'heure des bilans, ils préparent tous les deux leur anthologie poétique. Celle de Breton est annoncée chez Gallimard, celle de Tzara chez Bordas. Intitulé *Morceaux choisis* le livre s'ouvre sur une longue préface de l'ami Jean Cassou. C'est un regard subtil sur près de trente années de créations poétiques[1]. Revenant sur la fureur dada, Cassou

---

1. Jean Cassou, Préface à *Morceaux choisis*, Paris, Bordas (1947). — « Jean Cassou. Un musée imaginaire », *op. cit.*

insiste sur la sincérité de Tzara : « Aucun calcul et aucune spéculation intellectuelle, même à rebours. Certes il possède une intelligence extraordinairement vive et pénétrante : peut-être même est-ce cette intelligence — laquelle depuis que nous nous sommes rencontrés, c'est-à-dire depuis son arrivée à Paris en 1918, fait mes délices — qui par sa promptitude, sa légèreté et je dirai même son sérieux le défend de rationaliser sa poésie, d'y introduire des intentions intellectuelles. » Et d'évoquer son lyrisme populaire lié à ses origines roumaines, son « romantisme large et chaleureux ». On est loin de la vulgate stalinienne, mais Cassou en conclusion rappelle quand même que le tempérament de Tzara devait changer pour « suivre la voie royale qui va de la révolte à la révolution ».

Inlassable Cassou qui dans le même temps sollicite Tzara pour la défense des prisonniers de guerre et qui se bat pour organiser une exposition FTP au Louvre. C'est également lui qui prend les commandes du nouveau Musée d'art moderne. Chaque fois Tzara fait tout ce qu'il peut pour l'aider. Pas question de renoncer à ce militantisme discret dont il s'est fait une spécialité.

Une ombre au CNE

Au fil des mois le CNE est devenu une véritable institution. Avec l'appui des pouvoirs publics le Comité s'installe dans un luxueux hôtel particulier au 2, rue de l'Elysée. C'est Elsa Triolet qui a trouvé cet endroit que les Américains (tout un symbole) viennent d'évacuer. Le but est bien de concurrencer la vieille Académie française. Le CNE veut représenter la culture française y compris à l'étranger. Le Parti soutient cette nouvelle bataille et tente de minimiser les dissensions internes. Si Mauriac est sur le départ, l'inauguration officielle de la « Maison de la pensée française », le 16 octobre 1947, rassemble encore le monde intellectuel en présence du président de la République, Vincent Auriol[1].

Dans les discours chacun rappelle qu'il s'agit de maintenir l'esprit de la Résistance... Agent culturel de la France nouvelle, le Comité est aussi un organisme d'entraide et un lieu de sociabilité calqué sur le modèle du PEN-Club. Aragon et Elsa y règnent en maîtres absolus, rappelant à ceux qui veulent encore les croire que le Comité reste autonome par rapport au Parti. Mais celui-ci veille au grain. La

---

1. Gisèle Sapiro, *La Guerre des écrivains, op. cit.* — David Comte, *Le Communisme et les Intellectuels français*, Paris, Gallimard (1967). — Janine Verdes-Leroux, *Au service du Parti. Le parti communiste, les intellectuels et la culture (1944-1956)*, Paris, Fayard-Minuit (1983).

presse relaie les appels au CNE comme une véritable bataille politique. Il est vrai que passé l'euphorie de la Libération, les éditions issues de la Résistance éprouvent quelques difficultés. Les succès d'une certaine littérature américaine déclenchent les foudres communistes.

Vercors, Seghers ou Triolet sonnent la mobilisation générale : semaine du Livre français et états généraux de la Pensée française rassemblent les vedettes du CNE. En 1950, Elsa lance la Bataille du livre. Le but est clair : « Etablir un contact direct entre l'écrivain et le lecteur, gagner d'autres milliers de lecteurs au livre progressiste et chasser des foyers, des bibliothèques, des devantures de librairies, toute une littérature de haine, de perversion, de pornographie dont nous inondent les impérialistes américains [1]. »

Ce sont les fédérations du Parti qui prennent en charge l'organisation de ces réunions et la presse du Parti en rend compte largement. Partout, dans les salles des fêtes, aux portes des usines, on tient des stands et on débat. *Les Lettres françaises* publient des communiqués de victoire et alignent des chiffres impressionnants. Tzara est toujours là, payant de sa personne pour assurer le succès de toutes ces initiations. Il se charge également d'accueillir les invités étrangers. Ses contacts à travers l'Europe et son carnet d'adresses sont toujours aussi utiles. Il assure le succès des samedis du CNE avec conférences, lectures, expositions et réceptions. Les écrivains illustres se bousculent. On y voit Ehrenbourg, Simonov, Steinbeck, Illyès... Dans les grands salons de la rue de l'Elysée le Tout-Paris est encore là. Elsa est

---

1. Elsa Triolet, « Se battre pour le livre », *Les Lettres françaises* n° 310, 4 mai 1950.

toujours la grande prêtresse de ces mondanités. Avec son sens de la mise en scène, elle est parfaite pour accueillir, comme chez elle, toute l'intelligence progressiste du monde entier. Aragon est là, efficace et brillant. Un couple détonnant qui déchaîne les passions[1]. Bien plus tard, Aragon reviendra sur cette époque glorieuse... « On s'acharnait sur nous, écrit-il, pour faire de nous des personnages odieux, des pestiférés. En attendant nous étions en ces années 44-45 encore entourés, choyés, fêtés. Les nôtres semblaient encore avoir gagné[2]. » En 1947-48, la situation s'est sensiblement dégradée, mais au CNE on veut encore y croire. Le tourbillon des mondanités continue. Le départ des ministres communistes et la guerre froide ont clarifié les choses. Les démissions très médiatisées de Paulhan et Mauriac n'ont pas entamé le moral des camarades. Dans cette atmosphère de citadelle assiégée, Elsa en appelle à la jeunesse. Elle lance le « Groupe des jeunes poètes » relayée par *Les Lettres françaises*. A nouveau marginalisée après le regain de faveur qu'elle a connu auprès du public pendant les années d'Occupation, la poésie trouve au CNE un lieu d'expression privilégié. De jeunes poètes comme Charles Dobzinski ou Pierre Gamarra y feront leurs premières armes. Les aînés prestigieux, Aragon, Eluard ou Tzara veillent sur ces jeunes recrues, les encadrent et les publient. Dobzinski se souvient encore du Tzara des samedis du CNE : « Il était plutôt discret, du genre éminence grise. Il avait un côté "les jeunes doivent s'intéresser à moi !" Mais la génération qui sortait de la guerre ne connaissait rien au surréalisme et ignorait bien

---

1. Entretiens avec Charles Dobzinski et Jacques Gaucheron (2001).
2. Louis Aragon, *Œuvres romanesques croisées*, tome 9, Paris. Livre Club Diderot.

souvent Dada. Aragon était toujours ahuri par notre ignorance[1]. » Guillevic lui aussi se souvient des rendez-vous du CNE : « J'y allais tout le temps, c'était très agréable. On était sûr de voir des célébrités, des augustes, Aragon, Eluard, Tzara, et tout ça, mais il y avait des gens comme Gaucheron, comme Marcenac, des camarades, quoi[2]. » Lucien Scheller évoque avec un plaisir non dissimulé ces « rencontres poétiques ». « Tzara était un fidèle. Il aimait ces moments. Il était toujours le premier à vouloir lancer la discussion et on bavardait beaucoup. Il y avait une sorte d'excitation générale et les projets étaient nombreux. Mais Tzara restait toujours un peu en retrait, toujours un peu gêné et surtout très prudent. Beaucoup de jeunes gens qui étaient là le connaissaient à peine. Ils n'avaient jamais entendu parler de Dada... Certains étaient des passionnés, comme Jacques Roubaud[3]. »

Sous les lambris dorés, au milieu des buffets, on se prend à rêver. On commente les chiffres faramineux des ventes publiques et on imagine les tirages de traductions pour les nouvelles démocraties populaires ! Aragon gère habilement son petit monde, qui écoute bien sagement Elsa. Un jeu qui agace Tzara, comme d'autres. Janine Bouissounouse qui succède à Elsa en 1951 au secrétariat général du CNE, et qui rompra avec le Parti en 1956, nous livre un témoignage très désenchanté : « L'atmosphère de la rue de l'Elysée avait changé peu à peu et les habituels samedis du CNE étaient devenus pour moi une corvée. Entourée d'un essaim de "jeunes poètes", Elsa Triolet les présidait ; Aragon désinvolte et attentif les

1. Entretien avec Charles Dobzinski.
2. Guillevic cité par Gisèle Sapiro, *op. cit.*
3. Entretien avec Lucien Scheller (1990).

surveillait. Il eût peut-être préféré être ailleurs, mais on le devinait fier de compter encore autant de fidèles dans ses salons, alors que les défections de résistants non communistes s'accéléraient ; ses fidèles, il les observait, les étiquetait, les classait comme un prince ses courtisans. L'indigence de ces réunions me consternait. On ne parlait ni de politique, ni de littérature, ni de peinture, ni de voyage, ni de sports, ni de cinéma. On venait pour saluer Elsa et se montrer à Aragon. Aucune fantaisie, aucun esprit, aucune gaîté, aucun humour... (...) De temps à autre, Paul Eluard apparaissait. Il s'était remarié, il grossissait, il pontifiait, et se ressemblait de moins en moins. Pour effacer l'image de ce maître vénérable, il m'arrivait, rentrée chez moi, de regarder les photos de notre jeunesse [1]. » « Pas du tout », rétorque Dobzinski qui conserve un souvenir assez exaltant de ces après-midi poétiques, « et puis quel plaisir de rencontrer tous ces anciens comme Tzara qui avaient tant de choses à nous apprendre [2] ».

Un autre témoin capital de ces années d'après-guerre, Raymond Aghion, nous permet de mieux comprendre Tzara devenu comme une ombre au CNE [3]. D'origine égyptienne, Aghion fait partie de cette jeunesse dorée qui n'a aucun souci à se faire pour son avenir. Pour lui, comme pour Henri Curiel [4] son cousin, l'Egypte est un pays au charme infini. Dans la douceur des grands appartements familiaux, on pourrait presque oublier la misère environnante. Mais comme ces Parisiens qui découvrent la lutte des classes en lisant Malraux ou Nizan,

---

1. Janine Bouissonnouse, *La Nuit d'Autun. Le temps des illusions*, Paris, Calmann-Lévy (1977).
2. Entretien avec Charles Dobzinski (2001).
3. Entretien avec Raymond Aghion (2001).
4. Gilles Perrault, *Un homme à part*, Paris, Barrault (1984).

nos jeunes gens tout en réussissant de brillantes études, jettent un œil sur Marx. Si la révolution russe les laisse perplexes, la grande pauvreté les révolte. « Une fois qu'on avait ouvert l'œil sur l'invraisemblable, l'immonde misère des gens, explique Aghion, il n'y avait que deux attitudes possibles : ou bien accepter le système, les affaires, l'argent ou bien devenir révolutionnaire. »

A 17 ans, le bac en poche, il peut enfin réaliser son rêve, partir faire des études de médecine à Paris. Un jour ou l'autre, il promet de revenir au Caire avec ses diplômes pour soigner tous ces gens qui en ont cruellement besoin...

A la fac de médecine, il se retrouve au cœur des mobilisations antifascistes. Le quartier Latin est en ébullition et Aghion fait son entrée en politique. Il admire Trotski et milite au sein du groupe socialiste gauchisant de Marceau Pivert. Rentré au Caire en 1938 avec ses copains dont Curiel et Georges Henein, un poète lié aux surréalistes, il lance un hebdomadaire, *Don Quichotte*, dont la fête de lancement a lieu chez la fille de l'avocat du roi Farouk, et permet à ces jeunes gens en colère de se défouler. La rédaction est plus souvent au cabaret Le Tabarin ou dans les bordels qu'au travail. Le journal cesse de paraître au bout de six mois... La guerre précipite l'éclatement du petit groupe. Curiel reste en Egypte, Aghion se retrouve en Palestine où il croise Edmond Jabès. A la Libération, il choisit de s'installer en France. Au Flore il fait la connaissance de Tzara. « Nous étions tous les deux des étrangers médusés par la culture française », reconnaît Aghion ; une véritable amitié commence. Les deux hommes se voient tous les jours pendant plusieurs années.

Ils aiment regarder les jolies femmes aux terrasses et passent une grande partie de leur temps à hanter

les galeries de peinture. Ils fréquentent les marchands d'arts africain et océanien. Tzara est le meilleur des guides. « Il avait un instinct très sûr,
reconnaît Aghion, c'était sa véritable passion et son
but ultime de promenade dans les rues de Paris. »
Le Parti les rapproche aussi. Aghion a pris sa carte.
Lui l'antistalinien des années 30 a changé. « Non,
explique-t-il, le monde avait changé, pas moi. Et
puis chacun était communiste à sa manière. A cette
époque l'URSS était avant tout un levier essentiel
pour la libération des pays coloniaux. Tout était
possible. Tzara, lui, était un communiste sans passion. Il prenait ses distances tout en restant dans la
ligne... Il ne se faisait aucune illusion sur le système
soviétique. Il était simplement reconnaissant aux
communistes d'avoir pris des risques pendant la
Résistance. Pour lui, l'URSS c'était le pays qui s'était
sacrifié pour en finir avec le nazisme. D'ailleurs il ne
faisait pas grand-chose au Parti. Je me souviens
qu'au CNE, il n'était pas une figure de proue. »
    Aghion qui l'accompagne à certains samedis du
CNE le trouve bien réservé... « Il avait une admiration sincère pour Aragon. Il était toujours fasciné
par ses facilités pour écrire. Mais il était toujours
intimidé par le personnage officiel. Il manquait de
naturel et faisait toujours attention... »
    Aghion prend ses marques à Saint-Germain.
Dilettante fortuné et séduisant, il fait quelques
affaires dans le commerce des tableaux. Il devient un
habitué du Flore où il arrive en voiture. Il emmène
fréquemment Tzara sur la Côte d'Azur pour faire du
bateau avec de jolies filles. On s'amuse beaucoup,
mais Tzara garde sa réserve légendaire. « Moi,
raconte Aghion, j'aimais vivre dans l'instant. Lui
gardait toujours une sorte de nostalgie de ses jeunes
années. Cette aventure dada l'obsédait comme un

paradis perdu. Il me disait qu'à cette époque-là il avait un grand succès auprès des femmes... On venait, paraît-il, d'Amérique du Sud pour coucher avec lui... »

Dans le microcosme de Saint-Germain-des-Prés où la guerre des clans fait rage, Aghion et Tzara font partie des staliniens et ne s'en cachent pas. En fin de journée, ils sont toujours rejoints par les camarades de passage comme Claude Roy, Pierre Courtade ou Jean Marcenac[1]. La planète entière défile aussi sur la rive gauche. Beaucoup de communistes italiens, tchèques ou hongrois sont au rendez-vous. On reste en famille. André Thirion qui entre-temps est passé au RPF pour devenir conseiller municipal de Paris se souvient : « J'allais souvent à Saint-Germain-des-Prés. J'y croisais parfois Tzara qui affectait de ne pas me connaître. Un soir il se heurta quasiment contre moi dans le tambour du Flore, car il était myope. Il prit son courage à deux mains : "Thirion, me dit-il, je classe en ce moment des papiers d'autre-fois. J'ai retrouvé des minutes de réunions de 1931. Elles sont généralement d'une écriture que je connais mal. N'est-ce pas la vôtre ?" J'acquiesçai. Nous par-lâmes. Je lui demandai ironiquement s'il était tou-jours satisfait de son orientation politique. On était alors en plein dans le réalisme socialiste. "Ce n'est pas toujours facile, avoua-t-il, Eluard et moi nous devons parfois retenir Aragon. Vous le connaissez. Vous savez qu'il essaie toujours d'en rajouter." Telles furent les dernières paroles que j'échangeai avec Tzara[2] ».

---

1. Claude Roy, *Nous*, Paris, Gallimard.
2. André Thirion, *La Métamorphose des nappes*, Paris, Galerie Marion Meyer (1985).

Les rencontres sont parfois plus mouvementées.
Un soir, Tzara se fait apostropher par Benjamin
Peret, le fidèle de Breton, trotskiste militant. Devant
l'assistance de la Rhumerie martiniquaise, interlo-
quée, Peret se met à crier : « Tzara tu es un flic !
Tzara est un flic ! » Aghion qui assiste à la scène
tente alors de calmer Peret pour éviter le pugilat[1].

Mais il y a un endroit à Saint-Germain où la
guerre froide semble faire une pause, c'est au Catalan, rue des Grands-Augustins.

---

1. Entretien avec Raymond Aghion (2001).

Les nappes du Catalan

La Libération signe aussi le grand retour de Georges Hugnet. Après avoir participé à la publication de *La Main à plume*, une éphémère revue surréaliste clandestine pendant la guerre, il retrouve sa liberté suite à une exclusion fracassante. Qu'importe, il a le goût des beaux tableaux et des reliures rares et il a surtout le sens des rencontres. A Montparnasse puis au Flore, le mercredi à 18 heures, il organise des apéritifs à la manière de Breton. L'amitié très étroite qui l'unit à Eluard lui a permis de se faire admettre dans l'intimité de Picasso. Le peintre illustre plusieurs de ses plaquettes et lui confie même un rôle dans la représentation privée du *Désir attrapé par la queue*. Ils investissent rapidement un « bougnat » situé au 25, rue des Grands-Augustins, à deux pas de l'atelier de Picasso.

Le patron qui ressemble à François Ier est visiblement impressionné par ces visites régulières. Il est vrai qu'avec eux le bar ne désemplit pas. On peut y croiser Leiris, Eluard, Auric, Ratton et Dora Maar qui est encore la compagne de Picasso.

Dans l'atmosphère de la Libération, Hugnet veut en faire un endroit agréable[1]. Il y installe un pianiste et se montre très généreux. Toujours souriant, il accueille tout le monde sans distinction. Camus

---

1. Georges Hugnet, *Pleins et déliés*, Paris, Gauthier éditeur (1972).

400

passe prendre un verre, Gertrude Stein y pique une colère et Cocteau y tente de refaire surface. Même Montherlant fait le détour. Germaine Hugnet y est une hôtesse parfaite. On boit beaucoup et pour s'amuser on prend l'habitude de dessiner sur les nappes. Hugnet en bon collectionneur les ramasse et les classe en fin de soirée.

Picasso est assidu et joue de tout son charme pour séduire l'assistance. Si bien que l'on en vient à appeler l'endroit « Le Catalan », sans qu'aucune enseigne ne l'indique.

Maurice Desailly, le propriétaire, grisé par le succès songe à s'agrandir. Il achète sur le trottoir d'en face une crémerie. Les travaux commencent. Hugnet est chargé de toute la décoration. En avril 1948, il lance les invitations pour le vernissage... Tzara reçoit un joli carton où on peut lire : « Georges Hugnet recevra ses amis le 9 avril 1948 à l'occasion de l'ouverture du bar Le Catalan 16, rue des Grands-Augustins. »

Fidèle, Tzara se retrouve dans la bousculade. Le Catalan est à la mode ! « Le Tout-Paris y vint, raconte Hugnet, j'y organisais des fêtes avec orchestre — Jacques Dieval, Hubert Rostaing, Boris Vian — dont l'une en l'honneur de Lise Deharme. » C'est la grande époque du jazz des caves de Saint-Germain et tout le quartier est pris d'une frénésie de danse et de nuits blanches.

Tzara s'y retrouve plongé, avec un certain plaisir. On le voit parfois accompagné d'une jeune femme suédoise assez jolie[1]. Bien sûr on reste très loin des vraies folies de l'entre-deux-guerres, mais dans les brumes alcoolisées de Saint Germain, la vie continue.

---

1. Entretien avec Raymond Aghion (2001).

Tzara aime beaucoup Hugnet avec son esprit libre et son humour ravageur. Une belle complicité qui résiste aux années. Après la guerre, Hugnet n'avait pas oublié de lui faire parvenir un exemplaire de *Mon vouloir* illustré par Picasso avec l'envoi suivant : « A mon cher Tristan Tzara que je retrouve enfin après un long tunnel au soleil d'une liberté qu'il s'agit de conquérir [1]. »

Si on en croit Thirion, ce sont les communistes purs et durs qui sonnèrent la fin des festivités... « Dès 1952, écrit-il, Le Catalan déclina, l'absence de Picasso, la guerre froide avaient éloigné les staliniens de plus en plus intolérants. Eluard joignant le ridicule à l'odieux se croyait le chantre de la révolution et entamait une autre carrière de poète lauréat en écrivant des poèmes d'une grande médiocrité. Il ne venait plus au Catalan, peut-être était-ce déchoir. »

En réalité, les années de plomb ne font que commencer et ce sont souvent les communistes qui en font les frais. La chasse aux sorcières bat son plein. Raymond Aghion est par exemple obligé de quitter le territoire français pour se réfugier en Italie. On est loin de l'euphorie de la victoire.

En toute discrétion, Tzara se replie sur le Flore en attendant des jours meilleurs. Plus que jamais, la poésie est son refuge.

---

1. Catalogue de la vente Tzara, Drouot, mars 1989.

Parler seul

Durant ces années de l'immédiat après-guerre, Tzara ne cesse de publier des plaquettes de poèmes à petits tirages. Il accorde une attention particulière à la présentation et à l'illustration. *Sans coup férir* paraît en 1949 chez Aubier avec six eaux-fortes de Suzanne Roger. Ecrit en 1947 lors d'un séjour à Saint-Jamet dans le Var, le texte nous raconte l'histoire de deux amoureux. Le poète se place en situation de narrateur et parle d'abord de lui, plaide pour ses erreurs. La nuit charrie pour lui les souvenirs d'enfance, les images morcelées et lumineuses de son passé. Il interpelle le couple, montre un coucher de soleil. Le bonheur, ces jeunes gens ne savent pas toujours en profiter. En contrepoint obsédant, le refrain parle d'un taureau que l'on tue en Espagne. Fidèle à sa conception d'une poésie destinée à être lue en public, Tzara confie son texte à Marcel Lupovici pour une lecture radiophonique en 1950[1]. La même année il publie *Parler seul*, un poème illustré de soixante-douze lithographies originales en noir et en couleurs par Joan Miró. C'est l'éditeur et galeriste Adrien Maeght qui a proposé au peintre une telle collaboration. Le 8 juin 1950, Georges Charensol[2] et Jean Delavèse consacrent leur magazine radiopho-

---

1. Tristan Tzara, *Œuvres complètes*.
2. Entretien avec Georges Charensol (1988).

nique *L'Art et la Vie* à l'événement. Miró raconte la
genèse de l'ouvrage... « C'est un livre que Maeght
m'a proposé. Moi j'étais très enveloppé (sic), pour
cela car c'est le premier grand livre que j'ai pu illustrer, d'autant que c'est avec Tzara qui est un vieil
ami, un des premiers hommes que j'ai connu à Paris
en 1920, un des premiers qui m'a défendu. D'autant
plus que j'ai beaucoup pensé au mouvement dada
qui, à mon avis, a une énorme portée spirituelle. »
Tzara revient lui aussi sur les circonstances de l'écriture de ce texte à Saint-Alban en 1945. Il passe les
deux mois d'été à l'hôpital psychiatrique, invité par
le médecin directeur, le docteur Lucien Bonnafé.
« J'étais pour la première fois de ma vie, raconte
Tzara, en contact avec des malades mentaux. Je dois
dire que ça m'a fait une très grande impression. Je
me suis lié d'amitié avec un certain nombre d'entre
eux. Il y avait des hommes, des femmes et des
enfants et j'ai été extrêmement touché par ce côté
de sympathie qui s'en dégageait, cette quête, cette
demande constante d'humanité que j'ai trouvée chez
eux. Alors lorsque j'ai terminé ce poème, le problème s'est posé à moi de savoir qui pourrait l'illustrer ; or il n'y avait que mon vieil ami Miró qui était
le plus près de cet esprit ; à cause de la fraîcheur de
ses sentiments et de l'univers dans lequel il vit, où il
a mis sa peinture et tout son art. Il sent des racines
très profondes qui rapprochent le plus de l'homme
à l'état de nudité de la conscience. »
Sensible à la souffrance, Tzara s'efforce de se
mettre dans l'état de ces êtres qu'il croise. Il tient
leur discours décousu, ce qui lui fait retrouver naturellement les tournures de déconstruction dadaïste.
Tzara observe leurs regards, leurs gestes, racontant
le dévouement des infirmières, les longues promenades désœuvrées...

A l'occasion de l'exposition de sculptures, objets, peintures, bois gravés et lithographies de Miró, organisée conjointement à la publication de l'ouvrage par Maeght, la revue *Derrière le miroir* faisant en quelque sorte office de catalogue, présente un article de Michel Leiris dont le titre est emprunté à *Parler seul*[1] qui y est analysé comme un livre-objet particulièrement réussi : « Parallèlement aux mots qui sont des graines ("grains et issues" a dit ailleurs Tzara) les signes typographiques, ici, se révèlent capables de germination eux aussi. Rien de plus hasardeux et, à la fois, de plus organisé que ce livre qui est naissance du livre ou création progressive d'un objet dont imprimerie d'une part et vocabulaire d'autre part constituent, semble-t-il, les seuls principes animateurs. Sans doute parlent-ils seuls, ces mots qui s'enchaînent d'eux-mêmes sans loi autre que la poésie, et seuls aussi ces matériaux que Miró met en œuvre : caractères, chiffres, quand ce n'est pas simples points ou traits brefs, marques apparemment quelconques sur le blanc de la page[2]... »

Alain Guérin dans *Europe* fait de cet ouvrage un prototype de l'édition artistique d'après-guerre comparable au *Parallèlement* de Verlaine illustré par Bonnard. Bien plus tard, en 1976, Serge Fauchereau considère que ce recueil est « l'un des meilleurs que Tzara ait publié après la guerre. La tendresse et le feu ont présidé à la composition de ces poèmes ; on y trouvera même des sortes de comptines gentiment farfelues dans un esprit voisin des "chansons" de Soupault[3]. »

---

1. Michel Leiris, « Parler seul », *Derrière le miroir* nᵒˢ 29-30, mai-juin 1950.

2. Alain Guérin, « Poésie », *Europe*, décembre 1950.

3. Serge Fauchereau, *Expressionnisme dada, surréalisme et autres ismes, op. cit.*

Le bestiaire de Miró

En fait, la collaboration entre Tzara et Miró a vraiment commencé bien avant l'aventure de *Parler seul*. En 1946, Miró est loin de la Vieille Europe. Il fait partie de ces exilés installés à New York. Soutenu par son ami le galeriste Pierre Matisse il travaille dans le fameux Atelier 17 de S.W. Hayter, où on croise aussi les Calder, Dali, Ernst, Massin ou Seligman[1]. La première lettre de Tzara, en date du 24 juin 1946, est le début d'une longue série. Par l'entremise de Pierre Matisse, il propose à son ami Miró une première collaboration : « Mon cher ami, j'ai souvent eu de vos nouvelles et je me suis beaucoup réjoui de savoir que vous travaillez bien. Après pas mal d'aventures, je suis de nouveau ici, en bonne santé et en plein travail. Vous rappelez-vous *L'Antitête* ? Il s'agit de faire rééditer en une édition de luxe cet ouvrage. 300 exemplaires et je serais très heureux d'avoir pour cette édition 6 ou 8 eaux-fortes de vous (de format inférieur à 11 × 14)[2]. »

Le 20 juillet, de passage à Barcelone, Miró répond à Tzara. Il est enthousiaste, mais il a besoin de temps... « C'est avec toute passion et amour que je

---

1. William Jeffret, « L'Antitête : the book as object in the collaboration of Tristan Tzara and Joan Miró 1946-47 », *The Burlington Magazine* n° 1079, février 1993. — « Livres surréalistes », Paris, Musée national d'art moderne (1981).
2. Correspondance Tristan Tzara-Joan Miró, Bibliothèque Doucet.

vais faire ces gravures, explique-t-il, mais je vous demande seulement une chose, de ne point me fixer un délai, il faut faire quelque chose de très bien et ce n'est pas en travaillant vite qu'on y parvient, de ceci j'en suis chaque jour plus convaincu. Je dois partir quelques jours à la campagne et je vais emporter votre livre, bien pénétrer dans son esprit et commencer le travail à la rentrée[1]. »

Effectivement, ce n'est qu'en octobre que Miró redonne de ses nouvelles... « Mon cher ami, c'est avec le même enthousiasme que la première fois que j'ai relu votre livre. Les images ont gardé pour moi la même puissance et toujours la même cascade de grelots et de poésie. » Il s'apprête donc à graver les cuivres, préférant la technique des pointes sèches et des burins à « la cuisine de l'eau-forte ».

Tzara répond aussitôt et se montre assez impatient. Très précis sur le plan technique, il approuve les choix de Miró et insiste sur les qualités du travail de l'imprimeur qu'il a choisi : « Comme il y aura 3 petits volumes dans un emboîtage sur un très beau papier (qu'on est en train de fabriquer spécialement), ce petit format fera de ce livre très soigné un objet assez précieux. »

En mars 1947, alors que Miró est reparti à New York, Tzara insiste à nouveau sur les délais... « Inutile de vous dire que l'on a déjà commencé la fabrication du livre et j'aimerais bien qu'il puisse paraître bientôt. » En avril Miró s'excuse du retard pris en expliquant qu'il est très occupé. Il commence à travailler activement aux gravures : « Inutile de vous dire avec quelle joie je le fais (...) Enfin, je crois que nous pourrons faire quelque chose de très réussi,

1. Correspondance Joan Miró-Tristan Tzara, Fundación Joan Miró, Barcelone.

dans l'esprit qu'on veut atteindre, d'un livre précieux et étroitement lié à votre poésie. »

En mai les planches sont terminées, Miró envoie une lettre très détaillée avec toute une série de consignes pour réussir les tirages... « Faites attention à ne pas écraser le relief par le poids de la presse. Ces épreuves sont marquées avec des numéros qui indiquent l'ordre que j'estime suivre dans ce livre... »

Après un délai nécessaire pour étudier la question du tirage, Tzara renvoie une longue lettre pour exprimer sa réelle satisfaction. « Permettez-moi de vous dire en toute sincérité (et non pas pour vous flatter) que votre œuvre me paraît maintenant avoir atteint (toute) sa plénitude que nous sommes quelques-uns à avoir depuis longtemps pressentie. Je suis tout à fait heureux de faire ce livre avec vous et les quelques gens qui ont vu les planches pensent que ce livre pourra devenir le grand livre de ces dernières années. » Souhaitant la venue à Paris de Miró, Tzara se veut rassurant quant à la situation internationale. « Surtout ne vous laissez pas influencer par les racontars des Yankees sur de problématiques conflits : tout cela n'a pas de sens et la répercussion sur la vie telle qu'elle se passe dans nos milieux (intellectuels) est presque nulle. Je ne sais pas si je vous ai dit que j'avais fait récemment quelques voyages à Londres, en Yougoslavie et Macédoine, en Roumanie, Hongrie, Slovaquie et à Prague. De partout, on regarde encore Paris comme le seul centre où il se passe quelque chose. »

Dans sa lettre du 10 juin, Miró prodigue de nouveaux conseils pour réussir parfaitement les tirages. Toujours attaché à l'idée de faire un livre unique il propose même de faire un tirage de grand luxe très limité. « Il faut pousser ce livre jusqu'à en faire un objet très précieux, tel que je l'avais envisagé dès le début, ne négliger aucun détail et avoir recours à toutes les ressources que nous ayons en main. » En juillet, Miró après avoir beaucoup travaillé avec Hayter envoie les planches et les épreuves : « Je crois, écrit-il, avoir obtenu le résultat que je me proposais d'atteindre dès le début. » Perfectionniste et ouvert à toute suggestion, Miró attend les remarques de Tzara.

Il s'agit bien d'une vraie collaboration et d'une complicité sans faille. D'ailleurs, le peintre laisse carte blanche au poète pour trouver les couleurs pour les parties travaillées au pochoir. Il propose simplement des couleurs « éclatantes ». Tzara paraît enchanté. Fin juillet 1947, il renvoie une lettre très technique concernant les différents tirages de tête, mais commence par ce joli compliment : « Je vous écris encore tout enthousiasmé de votre travail qui ouvre les horizons nouveaux et vous introduit dans un monde de contes tenaces et merveilleux. Tous ceux qui ont vu vos essais partagent mon enchantement. Aussi s'attend-on à un livre qui sera peut-être parmi les plus beaux publiés depuis longtemps. » Au final les planches de Miró dévoilent une série de personnages lunaires avec des aplats de couleurs vives. Ce bestiaire imaginaire complète à sa façon le texte de Tzara pour former une véritable osmose poétique.

En ce mois de juillet 1947, Tzara n'est pas mécontent de s'afficher en compagnie de Miró pour un travail aussi exigeant et aussi abouti. D'autant que le peintre est toujours, de loin, membre de la galaxie surréaliste. Il participe à l'exposition internationale du surréalisme qui débute le 7 juillet à la nouvelle galerie Maeght, rue de Téhéran. Mais il ne fait pas le déplacement, indiquant qu'il est trop occupé pour venir à Paris. On comprend, alors, l'empressement de Tzara qui souhaiterait vivement sortir le livre en même temps que l'exposition, histoire de faire un beau pied de nez à ses détracteurs de la place Blanche qui l'accusent d'être passé avec armes et bagages dans le camp des réalistes à la mode soviétique.

Tzara ne manque pas d'aller faire un tour rue de Téhéran en compagnie d'un proche de Miró, James Johnson Suveeny. Il écrit aussitôt à son ami new-yorkais que ses tableaux sont « réellement ce qu'il y a de meilleur dans cette entreprise ».

Tzara a mis beaucoup de temps à récupérer son appartement de Saint-Germain-des-Prés. Le 22 juillet 1947, il écrit encore à ses parents pour leur dire qu'il vit à l'hôtel, rue de Condé. « Cela m'embête, je ne m'y sens pas bien et j'ai du mal à travailler. » Il faut attendre l'année suivante pour qu'il leur annonce la bonne nouvelle : « J'ai enfin récupéré mon appartement, mais on m'a volé beaucoup de choses. Je dois faire des travaux parce qu'il est dans un état désastreux. »

Malgré une situation financière difficile, il continue à faire parvenir de l'argent à Moinesti. Et s'il prévoit d'aller passer ses vacances d'été en Suisse, c'est qu'il est invité par des amis... « La situation n'est pas parmi les meilleures », conclut-il [1].

De nouveau installé au milieu de ses collections, Tzara fait corps avec son appartement. Les jeunes gens qui le rencontrent à cette époque-là sont tout autant impressionnés par l'homme que par le décor. Jacques Gaucheron est de ceux-là... « Je ne peux pas représenter Tzara sans l'environnement qui fut le sien. Un univers feutré de livres, de statues et de tableaux parmi lesquels il était de façon indiscernable l'érudit curieux, le critique savant, l'amateur

---

1. Correspondance Tristan Tzara-Famille Rosenstock, Bibliothèque Doucet.

éclairé soucieux de son plaisir et des valeurs de qualité et de rareté. »

Charles Dobzinski confirme ce portrait, mais se veut moins lyrique. « Son appartement n'avait rien de bourgeois. C'était pour lui un lieu de travail. Tout était un peu négligé. On y trouvait une bibliothèque basse avec beaucoup de très beaux masques africains. Dans la pièce du fond il y avait la fameuse bibliothèque. Mais tout cela restait très simple [1]... »

« Il avait pris des habitudes de vieux garçon, explique Aghion. Il était content d'être tranquille dans son désordre familier. Et là au milieu de ses sculptures africaines, il aimait vous initier [2]... »

Georges Haldas qui prépare avec René Lacôte un livre sur Tzara pour la collection « Poètes d'aujourd'hui » chez Seghers, raconte ces moments d'initiation passionnée au 5, rue de Lille : « C'était, il n'y a pas si longtemps, à la tombée du jour. Tzara avait déniché un remarquable petit blanc de Bourgogne et nous avons pour la centième fois, peut-être, parlé de la poésie. Je sentais dans la manière de parler de Tzara, que toute une vie de concentration intense n'avait émoussé ni ses facultés d'étonnement ni cette allégresse presque juvénile, suivie d'un temps lourd de réflexion [3]. » Et après avoir évoqué Max Jacob, Eluard ou Desnos, Tzara se levait pour aller chercher les épreuves d'*Alcools* qu'Apollinaire avait corrigées de sa main et dans lesquelles il est directement visible que le poète avait soudain pris la décision de bannir systématiquement toute ponctuation de son recueil. On le sait, le dada brûleur d'idoles est aussi depuis toujours un homme qui a un sens très précis

---

1. Entretien avec Charles Dobzinski (2001).
2. Entretien avec Raymond Aghion (2001).
3. René Lacôte et Georges Haldas, *Tristan Tzara*, Paris, Seghers (1952). — Bibliothèque Doucet.

de la conservation des documents littéraires et au-delà même de la compétence acquise. Avec Gauche-ron on peut parler de « culte passionné des brouil-lons et manuscrits ».

En cette année 1950, Lacôte et Haldas se rendent souvent rue de Lille. Dans une première lettre datée de février, Lacôte fait part de son plaisir. « Je suis ravi de pouvoir m'exprimer sur votre œuvre et le rôle décisif que vous avez eu dans toute notre poésie. Il y a des années que je rêvais d'une telle occasion[1]. »

Le texte est sans cesse corrigé par Tzara lui-même. Lacôte se veut ambitieux, tout en restant dans la ligne officielle du Parti : « Je voudrais que ce petit livre soit avant tout ce qu'il doit être : la révélation d'une œuvre plus déterminante que toute autre pour le lecteur, qui ayant lu vos poèmes croyait pouvoir vous situer à l'aide des indications sommaires qui traînent partout. L'essentiel n'a jamais été dit par la critique. »

Malgré toutes les bonnes intentions du monde, le résultat paraît mince et se contente d'accréditer l'idée bien-pensante d'un Tzara qui passe logique-ment de la révolte à la révolution. On a droit à un énième règlement de compte avec Breton et ses proches : « Il va sans dire, précise Lacôte, et nous le disons que Nadeau est un âne. » Tout cela ne va pas très loin et Tzara s'en rend compte. Il prend bien soin de conseiller à Lacôte de se référer aux docu-ments d'époque pour éviter tout contresens. Le jeune homme s'empresse de lui écrire : « Je viens d'aller à la Bibliothèque nationale, mais elle reste très pauvre dans le domaine dada et surréaliste. Ma

---

1. Correspondance René Lacôte-Tristan Tzara, Bibliothèque Doucet.

413

bibliothèque vous ravirait. Il ne manque rien d'essentiel. Soyez pleinement rassuré. » Le livre paraît en 1952. Tzara est au Panthéon Seghers aux côtés d'Aragon et d'Eluard.

L'homme qui vit désormais à plein temps au 5, rue de Lille, a beaucoup changé. Il a vieilli. Jacques Gaucheron nous trace un portrait bien loin du jeune garçon au monocle de Montparnasse[1]... « Tzara avait une mauvaise vue. Il avait troqué le monocle contre des lunettes aux cercles épais et noirs qu'il retirait pour lire de près. Le nez dans le livre, et quand il relevait la tête on découvrait un regard très clair dans des yeux pâles (...) Regard un peu vague à cause de la myopie, dans lequel passait une sorte d'interrogation naïve qu'il fallait apprendre à lire comme le reflet d'une immense tendresse. »

Tzara reste un homme simple, peu enclin à plaire et ne recherchant pas la communication immédiate. Dans ce bureau, où il reçoit ses invités, il écoute et médite. Mais, poursuit Gaucheron, « tout changeait brusquement avec la voix. L'accent roumain dans sa voix grave surprenait un peu. Le début d'une conversation, par le ton, par le jeu de l'accent prenait un tour doctoral vaguement, puis Tzara s'animait, sa parole se précipitait. Il entrecoupait ce qu'il avait à dire de brèves interrogations bourrues du genre : "C'est vrai, non ?" si impératives en vérité qu'on n'avait pas trop envie de ne pas être d'accord. Tzara souvent bougonnait, s'indignait. Sa voix pouvait alors s'éclaircir de passion ou de colère, ses jugements pouvaient devenir tranchants et sans périphrase ». « Là, au milieu de ses fétiches, il peut déclamer des poèmes, convaincu que la parole se fait

---

1. Jacques Gaucheron, « Esquisse pour un portrait », *Europe* nos 555-556, juillet-août 1975.

dans la bouche. » Gaucheron se souvient qu'à ce moment précis, « sa voix se faisait plus profonde encore, infiniment sérieuse et calquée sur la matière sonore ». Souvent seul, Tzara continue de rêver de livres rares et précieux.

La vivante liberté de la découverte

Il y a chez Tzara une attention extrême aux œuvres graphiques, non seulement quand il s'agit de l'illustration de ses œuvres, mais également quand il s'agit d'aller comprendre ce qui, dans la peinture, peut se faire de neuf, de saisissable poétiquement.

Pour lui, la poésie est aussi présente dans l'expérience vécue des peintres, là où elle s'exprime silencieusement. Dans cette longue méditation, Tzara croise souvent Picasso. Des premières années montmartroises aux séjours à Vallauris en passant par l'atelier des Grands-Augustins, Tzara est toujours là, discret et attentif. Régulièrement, il publie un article pour saluer l'évolution du peintre[1]. Il est vrai que leurs chemins sont parallèles. Il y a chez l'un et chez l'autre, un même désir de nier les représentations conventionnelles du monde. Il s'agit d'aboutir à une nouvelle organisation du tableau ou du poème. Picasso pratique d'abord le grand mélange des genres que Dada a très tôt revendiqué. « Souvent les tableaux de Picasso évoquent des sculptures de même que ses sculptures répondent à des représentations picturales. Le Catalan est un inventeur génial. Son cheminement passe par les arts primitifs et

---

1. Georges Boudaille et Jean Raoul Moulin, *Picasso*, Paris, Nouvelles Editions françaises (1971). — Pierre Daix, *La Vie de peintre de Pablo Picasso*, Paris, Ed. du Seuil (1978). — Roland Penrose, *Picasso*, Paris, Flammarion (1982).

s'avance en utilisant les expressions les plus poussées. » Il cristallise donc les deux optiques sous lesquelles Tzara envisage l'art, à savoir l'expression anonyme de certaines civilisations et le message individuel des créations modernes.

Le travail de Picasso se renouvelle constamment. Il procède par « ces fulgurantes surprises de l'esprit qui ont contribué à assainir l'atmosphère viciée de la complaisance artistique ». C'est l'heure des rêves et des expériences surréalistes. Le peintre illustre ce livre qui restera comme l'un des plus réussis de Tzara : *L'Antitête*. La complicité est totale. Quand arrive la guerre d'Espagne, Tzara écrit des discours et la peinture de Picasso devient sanglot et cri. Les *Femmes qui pleurent* rappellent que l'art n'est pas un acte gratuit. Tzara se lance dans une lecture idéologique tant chez lui l'art de faire a dépassé les limites du beau pour se révéler comme un acte de penser.

En 1948 dans un article intitulé « Picasso et la peinture de circonstance [1] », Tzara entreprend une analyse de la peinture moderne à la lumière de facteurs économiques : « Avec le morcellement de la propriété et du capital et l'individualisme qui en découle, la peinture perd de plus en plus son caractère monumental, pour à son tour se morceler, servir de support esthétique à une société formée d'intérêts contradictoires, mais dirigée vers le profit et l'exploitation des hommes. En même temps se réveille une conscience révoltée contre cet état de choses dégradant, conscience qui se répercute dans la peinture. Né de l'observation, de l'expérience ou de circonstances, le tableau d'idées est à ce moment celui

---

1. Tristan Tzara, « Picasso et la peinture de circonstance », *Le Point*, Souillac, octobre 1952.

qui, sorti de la conviction intime d'un créateur, prend la forme d'une profession de foi. » Tzara a déjà été plus inspiré. On se bornera à constater qu'il salue l'œuvre engagée d'un artiste qui, comme lui, dans son domaine, n'a jamais sacrifié la forme pour le fond.

En 1950, Picasso est loin de Paris. Il s'est réfugié dans une villa rose sur les hauteurs de Vallauris. Il relance la poterie et aime les baignades et la plage avec ses enfants. Souhaitant remercier la municipalité pour son hospitalité, il donne à la ville une statue en bronze : *L'Homme au mouton*. Pour la dévoiler au public, le dirigeant communiste Laurent Casanova fait le voyage avec Eluard et Tzara. C'est d'ailleurs ce dernier qui rédige le compte rendu de l'événement dans *les Lettres françaises*... Il se surpasse : « Il est superflu d'analyser le balancement plastique qui a présidé à la conception d'une œuvre d'art aussi universelle. Seule sa signification importe, la sensibilité qu'elle exprime, la direction qu'elle entend imprimer aux sentiments de l'homme à un moment donné de l'histoire. » Créé en pleine guerre de Corée, *L'Homme au mouton* apporte au monde « la foi solide dans la pérennité de la joie humaine [1] ».

La même année, *De mémoire d'homme* marque une nouvelle étape dans cette complicité. Le livre paraît chez Bordas avec une suite de neuf lithographies de Picasso [2]. Une indication portée sur le manuscrit laisse entendre que le recueil a été entrepris en septembre 1947 à Saint-Jeannet et achevé le 14 août 1949 à Saint-Guénolé. Une lettre adressée à

---

1. Tristan Tzara, « Picasso et *L'Homme au mouton* », *Les Lettres françaises*, 10 août 1953.
2. Tristan Tzara, *De mémoire d'homme*, Paris, Bordas (1950).

Picasso vers la fin de juillet 1949 nous précise les intentions de Tzara. « Mon cher P. Je suis depuis environ une semaine ici et j'ai les yeux encore tout pleins de l'exposition de tes toiles. Aussi ai-je tenu à te dire que l'effet qu'elles m'ont produit est du plus merveilleux. Il n'y a que les imbéciles qui ne se rendent pas compte d'un renouvellement aussi complet des moyens d'expression, une telle liberté d'esprit et l'amour des choses et des formes qui s'exprime avant tant de franchise, font de cette exposition un nouveau point de départ. (...) En dehors du plaisir réel que tes tableaux m'ont procuré, ils me donnent des raisons nouvelles de persister dans mon propre travail et j'ai la certitude de ne pas être le seul à penser de cette manière. C'est te dire combien dans les circonstances actuelles l'idée de faire un livre avec toi est importante pour moi [1]. » Tzara résume ensuite en quelques lignes la trame de son poème et poursuit « ... je pense que cela te donnera une idée générale de ce poème basé sur le principe que toute exaltation ne peut se manifester qu'à la suite d'un désespoir. C'est à travers des hauts et des bas que la vie continue dans une action dramatique faite de contrastes. Mais le poème n'a rien de philosophique et après tout c'est possible que je sois le seul à y voir cette explication ».

La presse communiste salue la publication du livre. Tzara semble définitivement admis dans le cercle assez étroit des poètes du Parti. *Les Lettres françaises* ouvrent le festival d'éloges avec un long article de Jean Marcenac. Partant du fait connu de tous, l'assimilation de Tzara à Dada, il montre que ce mouvement « est une protestation par l'absurde

---

1. Correspondance Pablo Picasso-Tristan Tzara, cité par Henri Béhar. — Tristan Tzara, *Œuvres complètes*.

contre l'absurde de la guerre ». L'écroulement de la
société n'étant pas intervenu, Tzara a cherché de
plusieurs façons comment rester fidèle à son espoir
de révolte absolue, itinéraire que retrace *De
mémoire d'homme* : « C'est là, sans doute, ce qui
émeut le plus profondément dans cet admirable
poème, que de voir combien sous le haut secret de
ses mots, il nous dit une vie pareille à tant de vies,
une vie d'homme qui cherche durement, difficilement, à travers l'impatience, l'ennui, le malheur, la
solitude, les petites joies, les graves expériences et
les espérances folles, à travers deux guerres et dans
l'incendie renaissant de la démesure, le chemin de
l'espoir raisonnable et du bonheur possible[1]. » Ana-
lysant chaque chant, Marcenac évoque « cette belle
prose, saugrenue, cynique ou badine, nourrie d'humour et ponctuée soudain, comme un point d'orgue,
par quelque phrase profonde et longtemps reten-
tissante ». Si le radicalisme poétique aboutit au
désastre et au silence, Marcenac salue la prise de
conscience d'un « poète qui apprend à parler la
langue commune à tous. (...) Ainsi marche le poète
à la reconquête du monde, du temps, de la vie, passant de ses histoires à l'histoire, insérant sa mémoire
dans la mémoire commune aux hommes, oubliant
que, seul, il ne savait que perdre, pour retrouver le
temps de tous ». Alain Guérin dans la revue *Europe*
est lui aussi très satisfait par les efforts de Tzara
« pour être compris d'un plus grand nombre[2] ».
Même satisfaction dans *La pensée*, sous la plume de
Jacques Gaucheron qui se félicite qu'il n'y ait « pas
de fatalité de Dada dans l'œuvre de Tzara. *De*

---

1. Jean Marcenac, « Tristan Tzara et la fleur du printemps des
hommes », *Les Lettres françaises*, 8 mars 1951.
2. Alain Guérin, *Europe*, juin 1951.

mémoire d'homme est justement cette œuvre qui rend caduque toute analyse antérieure et tout jugement formulé[1] ». Reprenant la phraséologie des camarades, Gaucheron se félicite lui aussi que Tzara soit reparti « au pas des hommes » et évoque cette poésie qui est « un baromètre sensible du temps qu'il fait, un temps encore incertain et menacé d'orages, mais voyez l'arc-en-ciel... ».

Claude Roy, toujours dans *Europe* est un peu plus subtil : *De mémoire d'homme* est une somme, non seulement de plaisirs que Tzara peut dispenser, mais aussi des enseignements qu'il accomplit, et que son œuvre de théoricien développe (...) Tzara court au rendez-vous des hommes libérés[2]. »

---

1. Jacques Gaucheron, *La Pensée*, mai 1951.
2. Claude Roy, *Europe*, juin 1951.

Guerre froide

En 1953, Tzara est à Rome pour une conférence sur Picasso. Son ami Sandro Volta, correspondant de *La Stampa* à Paris l'accompagne. Sous les auspices du Parti l'accueil est chaleureux. Tzara n'a jamais caché sa passion pour l'Italie[1]. Sur les terrasses romaines, on parle de la situation politique et on profite des premiers rayons du soleil du printemps. Tzara a préparé avec soin cette intervention où il reprend un thème qui lui est cher : un historique détaillé des rapports étroits entre poésie et peinture. Après un détour par les impressionnistes et les fauves où l'on croise Baudelaire et Manet, il s'attarde longuement sur l'amitié entre Apollinaire et Picasso.

Songeant au jeune homme qu'il était dans ces années-là, il écrit : « C'est en 1905 qu'Apollinaire publie un retentissant article sur Picasso dans *La Plume*. Si l'un est âgé de 26 ans et l'autre de 25 déjà, le ton dont use Apollinaire à l'égard de son ami fait pressentir leur domination qui s'impose aux jeunes d'alors comme un fait indiscutable[2]. » Avec un plaisir évident il raconte, citations à l'appui, « le bouillonnement » d'un siècle à venir, ce « dynamitage spirituel qui fera éclater les cadres des manières

---

1. Entretien avec Raymond Aghion (2001).
2. Tristan Tzara, *Œuvres complètes*.

habituelles de voir et de sentir ». Des *Calligrammes* aux *Demoiselles d'Avignon* en passant par la *Prose du Transsibérien*, Tzara explore le choc des avant-gardes, où poésie et peinture se mêlent pour la quête d'un nouveau regard sur le monde. Dada avec « son goût pour la confusion des genres littéraires et des catégories esthétiques » est une étape essentielle. Le surréalisme est exécuté en quelques lignes.

C'est surtout la guerre d'Espagne qui retient lon-guement l'attention de Tzara. « Ce fut pour beau-coup d'entre nous le signal qui éveilla la conscience politique, c'est-à-dire la transposition sur le terrain pratique de la lutte pour les revendications humai-nes. » La leçon se veut ici d'une orthodoxie sans faille. Les audaces de l'avant-garde et les blessures de l'Histoire mènent logiquement à un art en prise avec la réalité du monde... « A la poésie planant dans des sphères éthérées, à la poésie passive, uni-quement instrument de jouissance intellectuelle, s'oppose dorénavant la poésie vivante qui tire ses racines du sol imprégné de la sueur et de la misère humaine, la poésie de l'espoir, en un avenir plus juste et plus beau. A la poésie dédiée à la mort, conçue dans la détresse irrémédiable, qui par son silence métaphysique, justifie l'état actuel des choses Picasso oppose, ensemble avec une large fraction de la poésie française contemporaine, une pensée humaine, reflet des aspirations de larges masses au bien-être et à la paix. »

Tzara donne toujours des gages au Parti. Il accepte de participer à la rédaction de la brochure *Pourquoi je suis communiste*. Une belle brochette d'intellectuels y expliquent le sens de leur adhésion au parti de la classe ouvrière... La journaliste Simone Téry y vante les vertus morales des camarades, l'avocat Paul Vienney rappelle qu'il est venu au

communisme par opposition à la guerre, et le spécialiste de l'Education Henri Wallon y précise son attachement au marxisme. Quant à Tzara il se veut
laconique... « Le Parti Communiste Français, en se
proposant de mener à ses aboutissants les principes
de la Révolution de 1789, est le seul capable de donner à l'homme d'aujourd'hui le moyen de réagir, de
penser et de s'unir en vue de conférer au monde la
forme sociale appropriée à son évolution historique.
La pensée, par ailleurs, ne saurait s'accommoder des
contradictions internes de la société actuelle qui
faussent les conditions nécessaires à son développement naturel. » Mais derrière les professions de foi
et les appels enflammés, chacun s'interroge sur la
réalité du régime soviétique. Officiellement le Parti
maintient un soutien sans faille à la dictature stalinienne. Aragon qui rentre d'URSS, où il a eu un
malaise dans sa chambre d'hôtel, courbe l'échine
dans la douleur... Tzara prend ses distances sans
jamais rompre. Les quelques informations divul-
guées par l'auteur des *Communistes* font froid dans
le dos... La terreur est sans limites et frappe tous les
éléments du Parti. Dans les salons cossus du CNE,
Aragon fait bonne figure. Elsa explique à qui veut
bien encore l'entendre que la faute en revient à l'en-
tourage de Staline[1].

A la mort du vieil homme, en 1953, on comprend
la grande discrétion de Tzara. Il évite soigneusement
toute déclaration à la gloire du petit père des
peuples. Aragon s'en sort par une pirouette en
publiant le portrait iconoclaste du Maître par
Picasso à la Une des *Lettres françaises*, histoire de
révulser les dévots du Comité central... Chacun son
style.

---

1. Pierre Daix, *J'ai cru au matin*, Paris, Robert Laffont (1976).

Humour dada

A huit ans d'intervalle, Tzara a l'occasion à deux reprises de revenir aux sources. En 1950, il répondra aux questions de Georges Charbonnier. L'émission est diffusée sur la « chaîne nationale », la radio d'Etat de l'époque[1]. Et là, très loin de la langue de bois officielle, il se découvre tel qu'en lui-même. Son message est d'autant plus décapant qu'il ne s'embarrasse d'aucune précaution. Oui « Dada fut un mouvement subversif d'idées communes à une certaine jeunesse pendant la Première Guerre ».

Non seulement il assume cette révolte pure, mais il en précise la portée : « Dada est né de la recherche d'un absolu moral. Ce n'est pas moins l'homme dans la totalité de son expression qu'il s'était assigné comme centre de ses préoccupations. »

Revendiquant l'humour, le scandale et la négation, il ajoute qu'il fallait bien « déblayer les perspectives et rendre à l'homme la puissance de son libre épanouissement ». Assumant aussi sa participation active au surréalisme, il regrette que le mouvement ait « fini par se fondre dans l'ensemble de la vie littéraire. Mais du même coup il a perdu son humour ». Son ultime coup de griffe il le réserve à la jeune génération. Alors que les problèmes de

---

1. Tristan Tzara, « Entretien avec Georges Charbonnier », Radio nationale, 3 février 1950.

l'heure sont autrement plus graves, il dénonce les nouveaux carriéristes qu'il croise à Saint-Germain-des-Prés. « De nos jours, explique-t-il, en littérature, il n'y a que des papes. Ceux qui ne le sont pas rêvent de le devenir. Non pas que l'exercice de la poésie ne soit pas une des activités les plus sérieuses qui soient, mais en se cantonnant dans une attitude préten-tieuse, nos jeunes littérateurs ne font que souligner leur naïveté. Un peu plus d'humour ne ferait pas de mal. »

En 1958, il accorde une longue interview à son vieux copain Georges Ribemont-Dessaignes[1]. Le pari est risqué, car Ribemont est tout sauf un embaumeur professionnel. On le connaît avec son esprit caustique, son sens critique et son indépen-dance de franc-tireur. Tzara joue le jeu et pour la première fois accepte de se dévoiler.

Quand Ribemont lui demande de revenir sur les circonstances de la naissance de Dada, il ajoute... « Dada est sorti d'une grande confusion intellec-tuelle, commune à une bonne douzaine de starlettes de la littérature et de l'art, mais il semble certain qu'il n'aurait pas joui d'une existence aussi brillante si tu ne lui avais insufflé un tel dynamisme dès le départ. »

Sans faire l'historique de Dada, Tzara revient avec quelques anecdotes sur l'aventure. « L'impatience de vivre était grande, le dégoût s'appliquait à toutes les formes de la civilisation dite moderne, à son fonde-ment même, à la logique, au langage, et la révolte prenait des formes où le grotesque et l'absurde l'em-portaient de loin sur les valeurs esthétiques. »

Entre Tzara et Ribemont la complicité semble une

---

1. Tristan Tzara, « Entretiens avec Georges Ribemont-Dessai-gnes », Radio nationale, 21-28 février 1958.

évidence. On les imagine sans peine en train de sourire en se souvenant de telle ou telle bagarre. Quand Tzara, par exemple, évoque l'affaire du Congrès de Paris et les propos injurieux de Breton, Ribemont intervient aussitôt : « Oui, je m'en souviens. C'est Breton qui, dans le feu de ses réactions toujours violentes et d'une passion toujours indépendante de la réalité historique, fut l'auteur des attaques dont tu parles. Mais personne n'avait d'ailleurs à les relever car elles étaient à tel point gratuites qu'on ne pouvait s'y tromper. »

Revenant sur la guerre et la Résistance, Tzara répond longuement et sans ambiguïté : « J'aurais menti à moi-même si j'avais essayé de me soustraire à la réalité ambiante dans laquelle nous étions tous plongés. Si le sens de ta question est celui de savoir comment d'une attitude défiante envers l'action des hommes à l'époque Dada, je suis arrivé à attribuer à cette action sur le plan révolutionnaire une grande importance, je ferai remarquer qu'un certain humour m'a toujours fait considérer la littérature comme une activité sinon négligeable, du moins insuffisante à remplacer les manifestations de la vie, l'amour par exemple (...) Je veux dire qu'entre la grandeur qu'elle suppose exprimer et le fait de la vie quotidienne, son insuffisance est patente. (...) Mais mon espoir restait d'autant plus vivace que mon parti pris anarchisant me le cachait entièrement. Il a fallu une longue suite d'expériences personnelles pour que je découvre dans l'action de certains hommes le développement possible d'une vie qui vaudrait la peine d'être vécue. La lutte pour ce but est le support personnel qui m'aide à vivre dans ce monde détestable. »

Obstiné et fidèle à ses choix, Tzara reste un homme libre. Quand Ribemont lui fait remarquer que son évolution est quand même « étonnante », puisque parti du jeu de massacre Dada il arrive à être l'un des « tenanciers de l'art engagé », Tzara s'emporte... « Je me permettrai de faire une objection au terme "art engagé" que tu emploies et dont on se sert couramment dans le langage de la critique. Il n'y a pas d'engagement du poète envers qui que ce soit. Il ne peut y avoir d'engagement qu'envers l'ensemble de la vie dans la mesure où le poète reconnaît dans l'homme le centre de ses préoccupations. »

Il y a longtemps que Tzara ne nous avait pas habitués à une telle franchise... Mieux, il fait partie de ceux qui ne renient rien. Ainsi, en 1952, en pleine période d'hystérie stalinienne, il rend hommage à son ami dada Kurt Schwitters[1] avec lequel il n'a jamais vraiment cessé de correspondre. Le texte est rédigé pour le catalogue d'une exposition à la galerie Sidney Janis de New York. C'est Marcel Duchamp qui se charge de la traduction. Le portrait qu'il trace de l'agitateur Schwitters pourrait aussi s'appliquer à lui-même : « Une personnalité aussi entière que celle de Schwitters se refuse à se laisser contenir dans le moule des formules définies. Il intervient dans sa composition une telle multitude d'éléments et tant de variété que nous nous voyons obligés, dans ce cas précis, de corriger notre manière sommaire d'envisager un phénomène de vie en incorporant un homme dans la généralité de l'espèce. » Tzara préfère les êtres inclassables, indépendants. Retrouvant les accents de sa jeunesse mouvementée, il note... « Schwitters est de ces dadas qui ont contribué à

---

1. Tristan Tzara, « Kurt Schwitters », Catalogue de l'exposition Schwitters, New York, Galerie Sidney Janis (13 octobre-8 novembre 1952).

déniaiser les notions d'art, à en dévoiler la mystification. Il est de ceux qui ont décapité de sa majuscule auréolée, le mot "art" et qui l'ont remis au niveau des manifestations humaines.» Schwitters reste pour Tzara un homme «intègre et sensible», une «conscience» dans un monde où le conformisme et l'aveuglement semblent l'emporter. C'est cette fidélité qui peut émouvoir chez lui. Comme un bel entêtement à ne jamais trahir les choix de ses 20 ans.

Solidaire et silencieux

Tzara s'est éloigné des réunions pesantes du Parti... Mais cela reste la famille qu'il s'est choisie. Pas question de rompre. Quand on aperçoit son nom dans la presse communiste, c'est souvent un geste de solidarité. Ainsi, il reste en contact avec les associations de soutien aux antifranquistes.

L'Espagne est plus que jamais sous la botte du dictateur Franco qui a bien négocié l'après-guerre. Tzara est un fidèle, il participe à de nombreuses réunions de soutien au Parti communiste espagnol devenu clandestin[1]. On le retrouve aussi sur le front turc où il met en place le comité de défense de l'écrivain Nâzim Hikmet. Il multiplie les interventions pour le faire sortir de prison. Quand il le présente aux lecteurs des *Lettres françaises*, il en profite pour rappeler qu'une poésie de combat ne sacrifie pas forcément la forme pour le fond... « Il a réussi, non seulement à incorporer les aspirations du peuple dans une forme accessible à tous, mais à renouveler le domaine de la poésie turque en lui conférant le caractère éminemment moderne qui reflète le monde et notre temps. Il fait œuvre de novateur. » Et il ajoute pour mieux diffuser son message : « La nouvelle réalité qui prend naissance et qui est la marque de l'authenticité de la poésie, peut dès lors s'intégrer

---

1. Entretien avec Raymond Aghion (2001).

dans le fond culturel de l'humanité et agir comme un levier important pour la transformation du monde[1]. »

Dans les meetings, il se fait discret et certains le prennent facilement pour un original dépassé par les événements. Le jeune Edgar Morin est de ceux-là. « Au sortir de la séance, raconte-t-il, je rencontrai Courtade et Tzara qui prenaient l'apéritif au Montana. Volubile, je leur racontai l'histoire. Au moment où je m'indignais de je ne sais plus quelles inepties en disant "C'est grotesque, c'est contraire au bon sens", Tzara m'interrompit sévèrement :

— le Marxisme n'a rien à voir avec le bon sens.

— Mais, bafouillai-je, je veux dire la raison.

— Tu as dit "bon sens".

Eberlué, je quittai ce vieux dingue[2]. » « C'est vrai confirme Jacques Gaucheron, il s'était de lui-même marginalisé. Son aspect physique n'arrangeait rien. C'était un petit homme austère, calme, réservé. Il avait un côté notaire de province. Il avait l'air un peu perdu au milieu de tous ces militants professionnels. Son silence était d'ailleurs pesant. Il ne disait rien sauf s'il était en confiance[3]. »

De loin, mais comme un crève-cœur, Tzara suit les débats qui divisent le Parti. Les révélations du XXe Congrès du PCUS sèment le trouble chez les camarades. Assassinats, tortures..., le système stalinien n'a plus rien à voir avec le paradis radieux longtemps montré dans les films de propagande. En silence, Tzara contemple le désastre. S'il n'a jamais vanté les mérites du petit père des peuples, il a longtemps pensé que les problèmes rencontrés dans la

---

1. Tristan Tzara, « Nâzim Hikmet », *Les Lettres françaises*, juin 1953.
2. Edgar Morin, *Autocritique*, Paris, Ed. du Seuil (1970).
3. Entretien avec Jacques Gaucheron (2001).

construction du socialisme étaient inévitables. Il fallait en passer par là pour avoir des lendemains qui chantent.

L'affaire yougoslave avait déjà été un premier avertissement. Sa longue complicité avec Cassou devenu « titiste » l'avait incité à prendre du recul. Le drame de la Hongrie lui impose de revenir sur le devant de la scène politique.

Le sourire de Budapest

En octobre 1956, Tzara est invité à Budapest par l'Union des écrivains hongrois. Avec quelques poètes il a participé à l'adaptation française des poèmes d'Attila Jozsef réunis dans une plaquette par l'éditeur Pierre Seghers. Joseph Kosma et Jean Rousselot le retrouvent sur place.

Ce dernier est un témoin essentiel[1]. Il se souvient de l'accueil toujours chaleureux et surtout de cette atmosphère de liberté qui règne à Budapest. Il y a toujours les visites guidées entre le Musée d'Art pour une rétrospective des maîtres étrangers du XIXe et du XXe et le festival Bartok à l'Opéra. Mais l'essentiel se passe dans ces réunions souvent informelles, dans les usines. Pour la première fois, les gens parlent et expriment leurs mécontentements et leurs espoirs. Pour Tzara c'est un véritable choc et la confirmation de ses inquiétudes sur la dégénérescence des pouvoirs communistes en Europe centrale.

Même dans les cercles les plus officiels, la contestation s'exprime ouvertement. Les vieux bureaucrates semblent dépassés par une lame de fond qui traverse toute la société hongroise et ce ne sont pas des fascistes qui organisent le mouvement. Les reportages de *L'Humanité* sont des faux grossiers. La délégation française est ainsi guidée par un jeune

---

1. Entretien avec Jean Rousselot (2001).

écrivain, Tibor Tardos, un ancien résistant, qui ne cache pas ses sympathies pour le mouvement de contestation.

Après une dizaine de journées très instructives, Tzara est bien décidé à crever l'abcès. Plus question de se taire et d'accepter sans broncher les reportages de *L'Huma*. Il sait qu'il risque l'excommunication, mais qu'importe... Il accorde une longue interview à l'agence de presse hongroise[1]. Le texte est largement diffusé et commenté dans les journaux de Budapest. Chaque mot est soigneusement pesé et Tzara prend soin de rappeler les quelques éléments positifs d'un régime issu des grandes espérances de la Libération... Les paysans ne manquent de rien et les ouvriers vont au théâtre !... Mais très rapidement il raconte la chape de plomb, les difficultés de la vie quotidienne et cette incroyable envie de liberté. Il revient longuement sur la fronde des intellectuels, ces « porte-parole de toute la population ». Non, la Hongrie n'est pas victime d'une conspiration contre-révolutionnaire fomentée par la CIA C'est tout un pays qui reprend la parole après avoir subi « un conformisme et un dogmatisme d'Etat ». Les intellectuels expriment la révolte d'une population « qui ne se contente plus des formules acquises dans les journaux, de ce formalisme bureaucratique qui ne tenait plus compte de ses besoins ».

Dans le même temps, il apporte son soutien au gouvernement d'Imre Nagy qui tente depuis plusieurs semaines de répondre à ce désir de changement : « Je ne veux pas entrer dans le détail des événements qui se sont produits en Hongrie, mais il

---

1. Tristan Tzara, « Un écrivain français parle de la portée internationale des événements de Hongrie », Communiqué du bureau de presse hongrois, 16 octobre 1956.

faut constater qu'un pays auquel on dit la vérité dans une presse libre, un pays dont le gouvernement a su courageusement et franchement prendre la tête de la nouvelle orientation et tirer les conclusions logiques du XXe congrès de Moscou, ne peut que bénéficier du nouvel espoir et du nouvel élan donnés ainsi aux forces créatrices du peuple. »

Tzara sait que le reportage qu'il a envoyé aux *Lettres françaises* ne sera pas publié. Alors il écrit cette phrase sacrilège... « J'ai voulu dire tout cela dans notre presse littéraire, en racontant ce que j'avais vu en Hongrie, mais malheureusement on ne m'en a pas donné la possibilité. Je regrette vivement que nous soyons obligés de lire la presse bourgeoise pour être informés de l'évolution politique actuelle en Hongrie et dans d'autres pays socialistes. »

Jean Rousselot est bien le dernier témoin de ces moments : « Je n'étais pas membre du PC mais j'ai beaucoup appris au contact de Tzara. Il était lucide. Il était très critique vis-à-vis du système stalinien. Et curieusement, ce voyage l'avait libéré. Lui, si discret avait retrouvé ce goût pour les interventions publiques [1]. »

Le communiqué du bureau de presse hongrois est repris par l'AFP, et *Le Figaro*, comme prévu, cite de larges extraits de l'interview de Tzara sous le titre : « Il faut lire la presse bourgeoise pour savoir ce qui se passe en Hongrie. » François Fejtö y annonce de « nouvelles dissidences chez les écrivains communistes français » et ajoute : « l'intérêt de la prise de position de Tzara vient du fait qu'elle concrétise pour la première fois le sourd mécontentement qui règne chez les intellectuels communistes français ». Et de mettre ouvertement en cause Aragon, qui

---

1. Entretien avec Jean Rousselot (2001).

garde la haute main sur la presse littéraire du Parti :
« Ne désire-t-il aucunement donner une large publicité aux faits et gestes des écrivains hongrois[1] ? »

L'intéressé fait la sourde oreille et c'est le secrétariat du Comité central qui publie, le 20 octobre, un
communiqué laconique : « 16 octobre, le bureau de
presse hongrois a recueilli et diffusé la déclaration
d'un membre du parti à son retour d'un voyage en
Hongrie. Toute la presse bourgeoise a publié longuement cette déclaration pour alimenter ses cam-
pagnes anticommunistes et antisoviétiques. Le
secrétariat du Comité central regrette l'attitude du
bureau de presse hongrois. »

Il est vrai que l'interview de Tzara est reprise par
toute la presse, du *Monde* à *France-Soir* en passant
par *Franc-tireur*... Dans *France-Observateur*, Edgar
Morin revient longuement sur les déchirements de
l'intellectuel communiste à l'heure de Budapest. « Le
propre de la psychologie du militant stalinien est la
passivité politique totale à l'égard de l'appareil dirigeant (...) Au sein de cet univers toute critique active
est devenue une utopie, un danger, une faute (...)
Dès que sa critique s'affiche, elle terrifie l'intellectuel
du PC, car elle ressemble exactement à ce qu'il a pris
l'habitude de dénoncer comme anticommunisme.
Ces intellectuels sont donc épouvantés de dire la
même chose que les exclus[2]. » Pour lui, l'affaire
Tzara est originale puisque sa déclaration ne s'est
pas faite à l'intérieur de l'organisation, ni même à
l'extérieur, mais bien à l'étranger, via le bureau de
presse hongrois.

Les analyses du *Figaro littéraire* sont moins sub-

---

1. *Le Figaro*, 21 octobre 1956.
2. Edgar Morin, « L'heure zéro des intellectuels du PCF », *France-Observateur*, 25 octobre 1956.

tiles. Sous le titre « M. Tristan Tzara entre en rébellion », la journaliste s'en prend violemment à Aragon... « M. Aragon est dans une situation bien difficile. On connaît son idolâtrie de Staline. On connaît les positions qu'il a prises. Il a soutenu les camps de concentration et voilà que les nouveaux dirigeants ont révélé la cruelle et sanguinaire oppression de Staline. M. Aragon au mépris de la science a défendu les thèses de Lyssenko. M. Lyssenko a été limogé. C'est un incroyable refuge que le silence quand on a accumulé tant de fautes contre l'esprit, la vérité et l'humanité. Mais on comprend que le pétulant M. Tzara ait rué dans les brancards. »

Le 24 octobre, Tzara est convoqué au siège du Parti. C'est Laurent Casanova qui se charge du rendez-vous[1]. Rien ne filtre de cet entretien, cependant on peut penser que Tzara reçoit l'ordre de se taire et de rentrer dans le rang. Début novembre, après la réunion du Comité central, le Parti durcit le ton. L'évolution politique en Hongrie et l'expérience Nagy sont désormais clairement condamnées. A huis clos, on règle les comptes et on en appelle à une discipline sans faille. Mais des oppositions se manifestent au grand jour. Tzara n'est pas seul. Des dirigeants comme Pierre Hervé ou Claude Morgan, des intellectuels comme Claude Roy, ou Aimé Césaire, le député écrivain de la Martinique, ont fait part de leurs réserves[2].

Tzara a-t-il vraiment décidé de se taire ? Depuis son retour à Paris, il n'a rien dit et refusé toute nouvelle interview. Il est quand même annoncé parmi les 90 personnalités qui doivent participer à la

---

1. Correspondance Laurent Casanova-Tristan Tzara. Lettre du 24 octobre 1956, Bibliothèque Doucet.
2. « Le PCF durcit sa position », *France-Soir*, 8 novembre 1956.

grande vente annuelle du CNE au Vel' d'hiv, le
10 novembre. Toutes les gloires du Parti sont invi-
tées, de Vailland à Jean Effel en passant par Aragon
ou Seghers...

Si Tzara accepte de se rendre à la grand-messe
c'est qu'à l'évidence il a décidé de rentrer dans les
rangs. Breton, qui depuis plusieurs semaines
constate que l'histoire lui donne raison, l'a bien
compris.

Par l'intermédiaire du journal *Combat* il signe une
déclaration des intellectuels et universitaires français. Le texte un peu solennel sonne comme une
revanche et comme un appel à son vieux copain qui
s'est fourvoyé pendant tant d'années [1]. « A l'association nationale des écrivains hongrois qui a adressé
aux intellectuels du monde entier un appel pathétique, on voudrait donner ce suprême apaisement :
il sera demandé un compte rigoureux de leur attitude à ceux qui leur auront refusé le témoignage de
leur solidarité au même titre qu'à ceux qui continueront à pactiser avec les assassins. Les joyeux butors
du Kremlin sont aujourd'hui démasqués. La déstali-
nisation n'était qu'un piège, le plus sordide qui fut
jamais. La parole est à ceux qui y ont cru ou ont
feint d'y croire : Tristan Tzara qui se fit ici le premier porte-parole de la revendication hongroise. » Il
est vrai qu'à l'heure où Breton rédige ces lignes, les
chars de l'armée rouge sont déjà dans Budapest. La
révolution hongroise est rapidement écrasée dans le
sang. Alors Breton lance un dernier appel à Tzara...
« Conjurons les écrivains et les vedettes dès maintenant annoncées comme participant à la vente du

---

1. « Déclaration des intellectuels et universitaires français ». Le
texte est signé par Jules Romains, Henri Mondor, David Rousset,
Hervé Bazin, Armand Lanoux et André Breton. *Combat*, 6 novembre
1956.

CNE, de s'abstenir d'y participer de manière à ôter tout lustre à une manifestation dont les instigateurs restent aux ordres des bourreaux du peuple hongrois, des fossoyeurs de la liberté[1]. »

Tzara ne peut pas faire un tel cadeau à Breton. Il se rendra à la vente du CNE et s'abstiendra de tout commentaire. Quand un journaliste lui demande sa réaction face à la tournure dramatique que prennent les événements à Budapest, Tzara se contente de dire qu'il n'a pas suffisamment d'informations pour réagir. Il ne veut pas donner l'impression qu'il passe du côté de tous ces anticommunistes qui se déchaînent. Les socialistes, par exemple, qui récupèrent habilement l'appel au boycottage du CNE en utilisant Tzara... « Le père de Dada, l'ancien surréaliste rentrant de Budapest approuve l'action des écrivains révoltés. Le grand public mal informé peut ignorer que Tourisme et Travail, l'Union des femmes françaises, le mouvement de la paix, le CNE sont manœuvrés par des mains staliniennes destinées à préparer le terrain pour que la France devienne un jour une nouvelle Hongrie[2]. »

Mais pour autant, Tzara n'a pas l'intention de réintégrer le Parti sans rien dire. Il accepte de signer un long texte en forme de réponse à un appel d'écrivains soviétiques approuvant l'intervention de l'armée rouge contre le « déchaînement de la terreur fasciste ». Répondant point par point, les signataires parmi lesquels des compagnons de route célèbres, Claude Roy, Janine Bouissonnouse, Gérard Philipe, Vercors, ou Sartre dénoncent le grand mensonge des Soviétiques et insistent sur les conséquences désastreuses concernant la gauche française. « Dès main-

---

1. André Breton, *Combat*, 6 novembre 1956.
2. *Le Populaire*, 9 novembre 1956.

439

tenant un prix très lourd a dû être payé en Occident pour l'intervention soviétique. Ce ne sont pas seulement les milieux intellectuels qui sont bouleversés. La classe ouvrière se trouve à nouveau profondément divisée, la majorité des travailleurs de l'Europe occidentale condamne l'attitude de votre gouvernement[1]. »

Alors que la répression s'intensifie en Hongrie, Breton multiplie les appels comme « Hongrie soleil levant » et les meetings de solidarité. Aragon, qui, en public soutient la normalisation, fait de nombreuses démarches pour obtenir la libération de plusieurs écrivains emprisonnés, et Tzara choisit à nouveau le silence et se retrouve plus seul que jamais.

---

1. *France-Observateur*, 29 novembre 1956.

Le paria

Jean Rousselot est l'un des derniers à défendre l'attitude de Tzara. Dans un article publié par *France-Observateur* en décembre, il revient sur le voyage à Budapest[1]. Il précise que tous les intellectuels qu'il a croisés « professaient leur attachement à l'idéal socialiste », mais qu'ils « avaient le désir de mettre fin à la tutelle culturelle, économique et militaire exercée sur leur pays par la Russie ». Il rappelle que Tzara partageait l'opinion des insurgés et regrette que la presse communiste ne lui ait pas donné la possibilité de s'exprimer... Aujourd'hui il approuve totalement ces prises de position, et souligne bien les risques que prenait Tzara : « A son retour, on se méfiait de lui. Il s'était mis de lui-même hors du Parti. C'était très dur pour lui. Il se retrouvait isolé comme un paria. »

Tzara est devenu un renégat auquel on ne dit plus bonjour. Christophe, son fils, se souvient encore de ces gens qui détournaient leur regard pour éviter de le croiser. « C'était très pesant. Et lui en souffrait beaucoup. Ce n'est pas facile d'être rejeté par sa famille de pensée[2]. »

Aux terrasses de Saint-Germain, c'est un pestiféré

---

1. Jean Rousselot, « Les intellectuels hongrois méritent notre amitié et notre respect », *France-Observateur*, 6 décembre 1956.
2. Entretien avec Christophe Tzara (2000).

pour les camarades qui sont restés dans la ligne. Jacques Gaucheron est de ceux-là, et pense toujours que « l'intervention soviétique a transformé un simple mouvement de protestation en une véritable contre-révolution[1] » Le Parti avait donc raison de ne pas céder. « C'était un engrenage fatal, poursuit-il, avec Tzara on en a beaucoup discuté. Il était inflexible. D'ailleurs, il redevenait un peu dada. Il s'enflammait, parlait fort et se fâchait. Pour lui, c'était une grande cassure et une grande souffrance, car il faut bien l'avouer, beaucoup de camarades n'étaient pas tendres avec lui. Vous savez à l'époque, on ne faisait pas dans la dentelle... » Francis Crémieux confirme ces impressions et se souvient. « En 56, avec ses prises de position il s'est totalement marginalisé. Lui, l'homme de café et de discussion était devenu très irascible. Il était très critique vis-à-vis du Parti. Il se mettait en colère... On ne pouvait plus discuter avec lui[2]. »

Raymond Aghion qui l'accueille bien volontiers dans sa nouvelle galerie de peinture du 202 boulevard Saint-Germain garde le souvenir d'un homme terrassé. « Il était brisé et avait du mal à réagir. Cette solitude lui pesait beaucoup mais il avait le sentiment d'avoir fait son devoir. Il voulait avant tout rester cohérent envers lui-même. Pas question de se renier ou de trahir ! Malgré les difficultés il restait toujours très attentif à la situation politique. Avec lui je parlais souvent de la guerre d'Algérie et des combats pour l'émancipation du Tiers Monde. On percevait là-bas des signes d'espoir[3]. »

Ainsi en 1960, Tzara sort à nouveau de sa réserve

1. Entretien avec Jacques Gaucheron (2001).
2. Entretien avec Francis Crémieux (2001).
3. Entretien avec Raymond Aghion (2001).

pour signer « La déclaration sur le droit à l'insoumission dans la guerre d'Algérie [1] ». Il fait partie des
121 qui bravent la censure gouvernementale.
Contacté par Maurice Nadeau, il accepte de prendre
publiquement une position qui l'éloigne encore un
peu plus d'un parti communiste bien timoré sur la
question algérienne. Le texte des 121 n'est pas un
simple appel pour la paix en Algérie, mais va beaucoup plus loin en considérant qu'il est justifié de
refuser de prendre les armes contre le peuple algé-
rien. Il précise aussi que « la cause du peuple algé-
rien, qui contribue de façon décisive à ruiner le
système colonial, est la cause de tous les hommes
libres ». Dans la liste des signataires Tzara croise
quelques vieilles connaissances comme Théodore
Fraenkel, Henri Lefebvre, André Masson, Michel
Leiris, Pierre de Massot, sans oublier André Breton.

---

1. José Pierre, *Tracts et déclarations surréalistes, op. cit.*

L'Aventure Dada

En pleine crise hongroise, Georges Hugnet met la dernière main à la version définitive de son étude sur Dada. Pour Tzara c'est un vrai bonheur d'échapper aux vicissitudes du temps présent pour se replonger dans ces années d'exaltation et de folies en tous genres. Même s'il regrette souvent de n'être que le « père de Dada », cette aventure reste la grande passion de sa vie. Hugnet, son cadet, est le compagnon idéal pour raconter et essayer de comprendre cette entreprise de révolte absolue. Erudit, ironique et spirituel, Georges avec sa femme Myrtille travaillent à partir de l'énorme documentation conservée par Tzara. Myrtille se souvient encore des journées de recherche au milieu des dossiers et des éditions originales au 5, rue de Lille[1]. « Il était absolument charmant toujours prêt à aider. Il ne donnait pas l'impression d'être seul et désabusé. Au contraire, il avait une énergie incroyable. Je faisais un véritable travail de recherche et parfois même de traduction. Tzara possédait beaucoup de documents inédits. Le soir venu, Georges écrivait et moi je tapais l'ensemble à la machine. » Les délais sont assez courts car le livre doit sortir en même

---

1. Entretien avec Myrtille Hugnet (2001).

temps qu'une exposition organisée par la galerie de l'Institut en mars 1957[1].

Tzara accepte de rédiger une préface intitulée « Dada contre l'art ». Le texte est un jugement à la fois posé et clairvoyant. Tzara a voulu faire une synthèse rigoureuse, sans parti pris et surtout sans trahir les activités tapageuses de sa jeunesse. C'est aussi un avertissement pour tous ceux qui dégénèrent vers le carriérisme ou la bureaucratie. « Le mépris de Dada, écrit-il, pour le "modernisme" se basait surtout sur l'idée de relativité, toute codification dogmatique ne pouvant mener qu'à un nouvel académisme (...) Se prononçant pour le mouvement continuel et la spontanéité, Dada qui se voulait mouvant et transformable, préférait disparaître, plutôt que de donner lieu à la création de nouveaux poncifs (...) Dada ne prêchait pas, car il n'avait pas de théorie et c'est comme action que désormais il faudra considérer ce que l'on nomme communément art ou poésie. »

Le 21 mars au soir, la petite galerie fait le plein. Les anciens sont là. Dans la foule on reconnaît Hans Richter, Man Ray, Raoul Hausmann, Gabrielle Buffet, Picabia, Philippe Soupault ou Marcel Duchamp. Loin de l'esprit ancien combattant, on est heureux de se retrouver et surpris de voir ces objets dada exposés comme de véritables œuvres d'art.

Cinquante ans après, les jeunes gens ont pris un coup de vieux mais ont conservé leur humour. Tzara n'est pas le dernier à plaisanter. Soupault se souvenait bien de ces ultimes retrouvailles à deux pas du quai de Conti. « On n'était pas près de rentrer à l'Académie française ! Beaucoup d'entre nous

---

1. Georges Hugnet, *L'Aventure Dada*, Paris, Galerie de l'Institut (1957).

n'avaient pas transigé avec les Honneurs et les responsabilités. Nous étions toujours révoltés, liber-
taires pour la vie[1]. »

Le matin même, d'autres jeunes gens avaient fait
parvenir aux agences de presse le communiqué suivant : « Vous aurez quelque chose de drôle à photographier. Nous faisons partie du mouvement
littéraire "jarriviste" et nous manifesterons contre la
dégénérescence des dadas[2]. » A 16 h 30 précises, un
véritable commando fait irruption dans la galerie.
Ils repèrent le métronome de Man Ray sur lequel on
peut lire « objet à détruire » et s'emparent d'une
toile du même Man Ray représentant une sorte de
damier dans lequel sont piqués des champignons de
billard. En criant « Vive la poésie ! Vive la peinture !
Vive l'art véritable ! », ils se précipitent avec leur
prise dans le square Honoré-Champion situé juste
en face de la galerie. L'un d'eux sort alors un pistolet
22 long rifle et tire plusieurs coups de feu sur le
tableau. La petite troupe détale mais les visiteurs de
la galerie ont alerté la police qui, aussitôt sur les
lieux, rattrape les jeunes « vandales » et les emmène
au commissariat. Man Ray obtient qu'on les libère
sur-le-champ. Devant les journalistes et un public
plutôt réjouis, l'auteur du tableau détruit explique
alors qu'à leur âge il en aurait fait autant... « Au
fond, ils ont eu une saine réaction. » Dans un tract
diffusé pendant leur attaque surprise, les « jarrivistes » précisent dans un style purement dada... « Jamais plus nous ne tolérerons ces expositions de
vermoulures, en quoi se résume l'action de Tristan
Tzara et de ses comparses et qui constitue en plus
d'une imposture, un crime contre l'intelligence et la

1. Entretien avec Philippe Soupault (1982).
2. Entretien avec Myrtille Hugnet (2001).

culture. Ne vous en déplaise Messieurs les dadaïstes et autres dandystes, une nouvelle jeunesse, exigeante, sincère et farouche est aux portes de vos temples de carton. Une jeunesse qui n'accepte pas et entend profiter de sa jeunesse pour balayer les restes morbides de vos avortements [1]. »

Myrtille raconte l'anecdote avec toujours autant de plaisir : « Ces petits coups de revolver nous avaient remis dans l'ambiance de l'époque. C'était vraiment drôle. » Elle a conservé son exemplaire de *L'Aventure Dada* avec un frontispice « Dadamode » réalisé pour l'occasion par Man Ray. Tous les « dadas » y ont laissé un autographe à commencer par Georges Hugnet qui précise que ce livre n'existerait pas sans Myrtille... Quant à Tzara il a longtemps conservé dans sa bibliothèque le premier exemplaire de l'édition de luxe avec cet envoi :

> « *A Tristan Tzara*
> *Cet exemplaire A. Cela va de soi*
> *Parce qu'*
> *A tout seigneur, tout honneur...*
>   *Georges Hugnet* [2] »

---

1. *France-Soir*, « VIᵉ à Paris », « Six *Jarrivistes* tirent des coups de feu sur un tableau dada ». Collection Myrtille Hugnet.
2. Catalogue de la vente Tzara, Drouot, mars 1989.

Le fascisme ne passera pas

Une nouvelle fois, la politique rattrape Tzara. 1958, le pouvoir à Paris est sur le point de s'effondrer et l'armée fait la loi à Alger. La IVᵉ République est presque morte. De Gaulle en homme providentiel manœuvre pour récupérer un pouvoir à ramasser. Tzara approuve la position du Parti qui dénonce un coup de force fasciste. Il est de toutes les manifestations. Aghion se souvient : « Il était persuadé que la république était en danger... Il retrouvait les accents de l'entre-deux-guerres, du temps de l'Espagne. Le 13 mai, il a fallu que je le calme, il était réellement paniqué et se préparait déjà à la guerre civile[1]... »

Le renégat a l'impression de retrouver sa famille dans l'épreuve. Pendant plusieurs jours c'est la mobilisation générale. Les militants se préparent à l'affrontement... Le fascisme ne passera pas... Même les plus modérés, comme Courtade, cèdent à cette démesure. Quand débute la campagne pour le référendum constitutionnel qui va fonder la Vᵉ République, le Parti s'imagine qu'à défaut de barrer la route à de Gaulle dans la rue, il va le battre par les urnes ! C'est l'illusion lyrique, dans les meetings on parle de 60 % de non. En réalité le Parti est seul contre tous. Le 27 septembre, c'est la douche froide. Les 83 % de oui assomment les militants rassemblés

---

1. Entretien avec Raymond Aghion.

448

pour écouter les résultats. Tzara est encore là et peut mesurer l'ampleur d'une défaite historique. Les manifestations contre le coup de force ont peut-être rassemblé du monde, mais les Français sont loin de penser que de Gaulle est un fasciste. Tzara, comme les autres, contemple l'incroyable décalage entre un parti muré dans ses certitudes et une population qui ne croit plus à la langue de bois stalinienne.

Comment être crédible quand on défend la démocratie et la république et que, dans le même temps, on approuve la répression de Budapest ? Non, de Gaulle est loin d'être un émule de Mussolini. Le réveil est douloureux et c'est Thorez lui-même qui, en octobre, dans *L'Express* sonne l'heure de l'autocritique.

Quand il écrit à sa famille, Tzara reste très évasif sur la situation en France. « Comme vous avez eu l'occasion de l'apprendre, écrit-il, ici la situation n'est pas excellente[1]. » Et comme d'habitude, il trouve toujours un prétexte pour expliquer qu'il ne peut pas se rendre en Roumanie. « Moi, je me débrouille pas si mal que cela, bien que je me sente de temps en temps assez fatigué. Je suis très occupé et j'ai dû renoncer cette année à me rendre en Roumanie où j'avais été invité. J'y viendrai peut-être l'année prochaine. » Il préfère aller en Espagne pour passer une partie de l'été au soleil.

Loin de la politique, il retrouve à nouveau les chemins de la poésie. Il aime en parler avec de jeunes poètes qui le sollicitent souvent. Dans son appartement, non loin de sa bibliothèque, il paraît intarissable. Georges Emmanuel Clancier le rencontre en 1959[2]. Pour Seghers, il prépare alors son Panorama

1. Correspondance Tristan Tzara-Famille Rosenstock, Bibliothèque Doucet.
2. Entretien avec Georges Emmanuel Clancier (2002).

de la poésie, de Rimbaud au Surréalisme. Il s'en souvient encore... « J'étais assez impressionné, je connaissais bien son œuvre. J'étais surtout très amateur de sa fameuse théorie : "La poésie est une activité de l'esprit". Ce qui était bien chez lui c'est qu'il aimait la poésie en tant que telle. On était loin du communiste borné. Pas question de faire de la poésie un instrument au service du Parti. Alors on pouvait discuter. » Clancier revient souvent rue de Lille et reprend le fil de la conversation. « Je me rappelle qu'il faisait l'éloge des petits romantiques, comme Pétrus Borel, il voyait en eux les prédadaïstes... » Clancier est un homme ouvert qui fréquente aussi bien le communiste Guillevic que Frénaud, très critique vis-à-vis du Parti. « Tzara était comme moi, précise-t-il, sans sectarisme, sans esprit de chapelle. Mais surtout, il n'y avait aucune tricherie chez lui. Il ne jouait pas un rôle. Il était sincère. D'ailleurs, cela se voit à travers sa poésie qui m'a toujours paru authentique. »

A Clancier, Tzara fait part de sa découverte de Villon, avec cette envie de tout reprendre à la source.

Anagrammes de Villon

« Que l'homme même qui, il y a près d'un demi-siècle, fondait le mouvement Dada, soit aujourd'hui ce chercheur qui de Villon à Rabelais s'attache à démontrer que l'obscurité des textes tient essentiellement à notre ignorance et des conditions sociales des écrivains et de leur biographie, sera un jour un grand sujet d'étonnement et d'étude[1] », déclarait Aragon dans *Les Lettres françaises* en présentant, le premier, quelques pages inédites de Tzara sur Théodule, le fils de Rabelais. Il est vrai que voir le chantre de la spontanéité poétique s'adonner à de savantes recherches sur les poètes de la Renaissance a de quoi surprendre.

On l'imagine plongé des journées entières dans ses ouvrages, étudiant scrupuleusement la versification et la linguistique. Lui qui a détruit mieux que personne les conventions poétiques semble nous dire au terme de son aventure que l'artiste obéit toujours à des règles précises dont on soupçonne mal toute l'importance. Tzara le provocateur est aussi érudit[2]. Isolé du monde depuis 1956, il travaille avec une régularité exemplaire. Ses découvertes sur Rabelais ou Villon, il les garde pour lui et ne publie rien à ce sujet. Ses amis de l'époque ont même du mal à le

---

1. Louis Aragon, *Les Lettres françaises* n° 1000, 24 octobre 1963.
2. Henri Béhar, « A mots découverts », *Europe*, juillet-août 1976.

451

voir. Aghion ou Gaucheron se souviennent qu'il
déclinait souvent des invitations prétextant qu'il
était très occupé. Lui qui reproche volontiers à Breton son goût prononcé pour l'occultisme et le secret
ne procède pas autrement. Aghion pense plutôt qu'il
y avait chez lui comme un « dégoût du monde »,
un effacement volontaire pour mieux se retrouver.
Cependant, on connaît bien l'inlassable curiosité de
Tzara. Du passé, il n'a jamais fait table rase. Dans
sa jeunesse tumultueuse, il a subi l'influence majeure
de Lautréamont et Rimbaud. On se souvient aussi
de sa passion pour Apollinaire ou Tristan Corbière.
Si le provocateur semble mettre le feu à la grande
tradition littéraire, le poète a une solide culture personnelle. En 1949, il écrit une longue préface pour
une édition des *Poésies* de Villon. Ce qui n'est pas
très étonnant, puisque l'auteur du *Testament* fait
partie de la grande famille des poètes maudits. Villon le mauvais garçon, le voyou qui dérange. Tzara
en fait d'ailleurs le précurseur de tous ceux qui parti-
cipent à la tradition révolutionnaire. Mais comme
pour Jarry, il n'insiste pas sur l'image convenue et
préfère s'attarder sur une œuvre singulière.

Il découvre une poésie qui dépasse les thèmes
conventionnels du Moyen Age sans pour autant
s'adapter aux règles de son temps. Ce qui passionne
Tzara, c'est l'éternelle rébellion d'une jeunesse qui
cherche sa place dans une société répressive. Dans
les combats de Villon, pour se défendre et imposer
son cri en jouant au plus fin avec la censure, il
retrouve le jeune homme qu'il était. Villon ou la passion d'une jeunesse qui ne courbe pas l'échine, telle
est l'obsession d'un Tzara qui n'a jamais accepté de
vieillir. Par-delà toutes ces recherches qui peuvent
désorienter par leur aridité, il y a cette volonté de se

perdre pour croiser encore et toujours l'ombre de la jeunesse qui se révolte.

Mais dans ce rendez-vous avec Villon, il y a aussi l'aboutissement d'une longue réflexion sur les mots et le langage. On se souvient que le jeune poète roumain manipulait à plaisir les signifiants pour en faire jaillir une sève nouvelle. Dans les fumées du Cabaret Voltaire, il aimait déjà manipuler le vocabulaire, briser les langues. Dada savait utiliser des bribes de langues africaines, des comptines roumaines et des aphorismes en bon français. A chacun d'en déchiffrer le sens et d'y trouver sa vertu poétique... Tzara a toujours préféré brouiller les cartes et jouer avec les mots pour mieux faire apparaître leur qualité plastique. Sur ce terrain-là, il apparaît logique qu'il s'intéresse à Villon.

Le mauvais garçon aime, à sa façon, jouer avec les codes et les mots. On connaît le phénomène [1] qui permet une autre lecture possible : c'est une anagramme découverte jadis par un certain Lucien Foulet dans le *Testament*. Le vers qui « est ramply sur les chantiers » contient en effet, en ordre dispersé, toutes les lettres propres à reconstituer le nom d'Itiers Marchant, serviteur du duc de Berry ayant joué un rôle important, semble-t-il, dans l'aventure villonesque. Sous le sens manifeste de la strophe, court donc un sens latent qui permet au poète de déjouer toutes sortes de censures. Or, Tzara est passé lui-même par une expérience du même ordre.

En 1943, sous le titre *Une Route Seul Soleil*, il brandit à la face de l'occupant un sigle fort, significatif. Le poème lui-même se déchiffre grâce à quelques clés. Derrière un être solitaire, réfugié au

---

1. Henri Béhar, *op. cit.*

453

cœur des forêts, on perçoit la présence sinistre de tueurs et le rayonnement d'une foi révolutionnaire.

Pour Villon, Tzara se lance dans un véritable jeu de piste qui va lui prendre plusieurs années. Les manuscrits conservés à la Bibliothèque Jacques-Doucet révèlent une somme de recherches considérables. Il ne nous appartient pas de savoir si Tzara parle vrai sur Villon. Aux spécialistes de le dire et éventuellement de reprendre certains éléments de ce travail. D'autant que cette longue enquête s'accompagne d'un nombre important de suggestions concernant la genèse de l'œuvre, l'âge, la vie même de Villon et les personnes qui l'accompagnent.

Emporté par sa passion dévorante, Tzara fait parfois quelques longs détours chez Rabelais.

Inutile de préciser que cet engouement pour l'anagramme en laisse plus d'un perplexe. Clancier, par exemple, n'arrive pas à comprendre cette « étrange agitation ». Gaucheron est plus sceptique encore... « A la fin, il ne parlait plus que de ça. C'était une sorte de folie qui le coupait du monde. »

Rarement, Tzara quitte son repaire pour retrouver quelques vieilles connaissances au Flore. Il est pourtant sollicité. Quelques jeunes Américains, d'autres « mauvais garçons » pour qui Dada reste une référence absolue, essaient de le rencontrer. Corso, Gysin, Burroughs, Ginsberg débarquent à Paris du côté de la rue Gît-le-Cœur. La « beat generation » part à la rencontre des grands ancêtres[1]. Ils font le siège de Cocteau, prennent un verre à la Promenade de Vénus où Breton réunit ses derniers fidèles et s'invitent chez Tzara. Gysin ne les trouve pas franchement drôles, mais reste très fier de les

---

1. Correspondance Grégory Corso-Tristan Tzara, Bibliothèque Doucet.

avoir croisés. Ce dernier prolonge à sa manière dans les années 70 les expériences dada. On se souvient du poème composé par Tzara en prenant au hasard dans un haut-de-forme les mots d'un article de journal. Gysin imagine le « cut up », un procédé de coupure et de collage textuel, largement utilisé par son copain Burroughs. Au cours d'une rencontre, Tzara s'étonne de cette reprise... Gysin lui répond sans hésiter : « Parce que vous ne l'avez pas assez bien fait, parce que la vraie signification du problème n'a pas été explorée. Les méthodes de Dada sont valables tant que les structures économiques, politiques et sociales demeurent les mêmes. Ce que nous opérons c'est un système de coupure à l'intérieur du système, pour brouiller le fonctionnement des médias. » Un soir, c'est Paul Bowles, l'auteur d'*Un thé au Sahara*, qui passe rue de Lille... « J'étais très impressionné par Paris. J'ai été dîner chez Tzara. Je n'avais pas l'impression d'être en face d'un mythe. Je n'ai pas été déçu, pas surpris non plus. Je savais que son vrai nom était Samy Rosenstock, un vrai nom du Bronx, même si Tzara était de Bucarest[1]. »

Ces contacts avec la jeunesse lui prouvent au moins que rien n'est jamais totalement perdu et que Dada n'est pas vraiment mort.

---

1. Jean-François Bizot, « Underground », Paris, *Actuel*. — Denoël (2001).

L'Afrique

Tzara ne s'est jamais contenté d'être un expert ou un spécialiste d'art africain. Dans « L'art des peuples noirs » qu'il rédige en 1955 pour la revue *Démocratie nouvelle*, il rappelle que l'art « ne saurait exister que basée sur un fond culturel solidement planté dans la vie nationale ». Et qu'on ne compte pas sur lui pour se cantonner à la critique d'art.

Pour lui, l'Afrique actuelle ne peut se confondre avec l'art ancien nègre : « Il serait illusoire de croire à une continuité harmonieuse qui ferait le jeu de ceux qui préfèrent son immobilisme à la marche de l'histoire. » Il en profite pour dénoncer cet ethnocentrisme européen qui ne veut voir dans l'art nègre qu'exotisme et barbarie. La découverte de cet art a permis à la notion de civilisation de s'élargir et de s'étendre désormais à toute une série de peuples qu'une idéologie de classe prétendait ranger parmi les classes inférieures. Pour lui, l'entrée de l'art nègre dans le domaine culturel universel est bien le signe d'une libération très prochaine des peuples noirs. Une nouvelle fois, Tzara démontre que l'art n'est pas déconnecté du réel. Très au fait de l'actualité des mouvements de libération, il sait que le monde est en train de changer. Son rôle d'intellectuel est d'être aux côtés de ceux qui se battent pour leur liberté.

Aussi accepte-t-il, malgré son état de santé, de se rendre en 1962 au Congrès international de culture africaine qui doit se dérouler à Salisbury, en Rhodésie. Certes la manifestation organisée par des fondations privées et des personnalités anglaises et rhodésiennes reste très œcuménique... Franck Mc Ewen le directeur de la Galerie Nationale est très clair sur ce point : « Notre idée ne relève ni de la politique, ni du nationalisme, ni du racisme, mais elle demeure dans son concept profondément africaine. Elle touche à des valeurs permanentes, aux contributions de l'Afrique à nos temps modernes et à la connaissance d'une culture nouvelle en plein essor. » Et il ajoute cette précision qui ne peut que satisfaire Tzara : « La sympathie que nous ressentons à travers les manifestations artistiques d'un peuple inspire compréhension et confiance en son avenir. »

Pour Tzara, cette mobilisation internationale en faveur de la culture africaine est une première étape. Les organisateurs ont pris soin de ne froisser personne en invitant des personnalités qui connaissent bien la culture africaine[1]. En tout, une soixantaine de délégations en provenance des quatre coins du monde. Parmi les Français on trouve de vieilles connaissances de Tzara comme Georges Salles ou Michel Leiris. Sur le programme, on se borne à évoquer les valeurs esthétiques qui ont exercé une influence sur les arts du XXe siècle. Et sur ce point, Tzara a beaucoup de choses à dire.

Deux ans de préparation et un budget important ont été nécessaires pour réaliser ce projet. Pour Tzara, l'arrivée à Salisbury est un moment d'émotion. Il est fatigué, mais enthousiaste à l'idée de découvrir enfin l'Afrique. Cependant dans cette ville

---

1. Dossier de presse (Collection Christophe Tzara), « Congrès international de culture africaine » (1962).

457

où les buildings ne sont pas rares, on est loin des images d'Epinal sur l'Afrique. La National Galery où se déroule le festival ressemble à une maison de la culture ultramoderne. C'est la vitrine d'une Afrique nouvelle en plein essor.

Tout semble parfaitement organisé, avec un cycle de conférences, une série d'expositions et un festival de musique où même le fameux Jazz Hot Club de France est programmé au milieu des groupes traditionnels africains et des écoles de samba...

Tzara participe à tous les débats, découvre le grand musée et l'école d'Art. Toujours aussi curieux, il s'informe sur la réalité sociale et politique d'une Rhodésie voisine de l'Afrique du Sud où l'apartheid est une humiliation permanente pour les populations noires. Quand il revient à Paris, il accorde une longue interview à Charles Dobzinski pour *Les Lettres françaises*[1]. Davantage que l'influence de l'art nègre sur les cubistes et Picasso — sujet maintes fois exploré — c'est la persistance d'une vie tribale en Rhodésie qui retient justement l'attention de Tzara. C'est une « sorte d'exutoire à l'influence occidentale, la vie tribale exprime d'une manière imagée la politique actuelle, la volonté d'indépendance de ces pays ». Tzara fait alors remarquer que la richesse de la vie culturelle des Noirs, leur musique, leur exubérance forment « un contraste extraordinaire » avec le mutisme des tenants de l'apartheid, ces « nazis de l'Afrique du Sud ». On le voit ici, Tzara ne désarme pas. De retour à Paris, c'est son état de santé qui lui donne des signes d'inquiétude. Epuisé, il ne quitte plus beaucoup son appartement de la rue de Lille où Christophe le retrouve le plus souvent.

---

1. « Propos sur la culture africaine », *Les Lettres françaises* n° 1010, janvier 1964.

La petite musique dada

En novembre 1963, une jeune journaliste de *L'Express*, Madeleine Chapsal, sollicite une interview[1]. On réédite les manifestes Dada, elle souhaite en parler avec lui. A bout de souffle, il veut rassembler ses dernières forces.

Impossible de renoncer. Dada, la jeunesse, la révolte, il a encore envie d'en parler. Madeleine Chapsal raconte cette ultime rencontre : « De Tristan Tzara, je ne savais qu'une chose : il a redoublé une syllabe et il est devenu célèbre (...) Quand quelqu'un dit "Dada" nous pensons aussitôt "Tzara". Quant à ce que recouvrait réellement le mot "Dada" je ne le savais qu'approximativement. J'ignorais tout de Tzara lui-même, son origine, sa vie et s'il était encore vivant... J'enquêtai : Tzara où est-il ? A ma surprise, on me répondit : tout près. En fait, il habitait rue de Lille, dans l'immeuble qui jouxtait celui de Jacques Lacan ! Quelques jours plus tard, j'y étais. Tzara me reçut dans sa chambre, non loin de son lit. Ses yeux étaient bordés d'un cercle bistre, sa voix faible et au premier instant, je me sentis gênée d'être venue déranger un homme si manifestement atteint. Mourant. Mais Tzara m'encouragea d'un sourire et il me pria de m'asseoir avec beaucoup de

---

1. Madeleine Chapsal, *Envoyez la petite musique*, Paris, Grasset (1984).

459

douceur. Très vite, j'eus le sentiment qu'il se foutait éperdument de sa mort (...) J'entrepris de lui parler de ce qui allait lui survivre, son œuvre. Tout de suite, je sentis à quel point son esprit demeurait vivant et en mouvement. »

Madeleine tombe éperdument sous le charme. Le vieux monsieur est un jeune homme. Evoquer Dada lui rend le sourire et l'énergie. « Bientôt, explique-t-elle, nous bavardions comme deux copains, sur l'art, sur sa place actuelle dans la société, la littérature. Nous vivions les mêmes incertitudes, les mêmes aspirations. »

Tout y passe, l'amour, la poésie, la révolution. Quelques semaines plus tôt, elle a croisé Breton qui lui a dit la même chose. Et pourtant quelle différence... « Leurs mots d'ordre étaient identiques. Mais leurs façons de les vivre opposées. Breton croyait à l'importance d'être un grand homme. Il s'était forgé une légende qu'il défendait pied à pied (...). Tzara, lui, fuyait tout ce qui ressemblait à la pétrification. Il était malade, bien sûr, mais je sentais en lui une volonté délibérée d'effacement. Non par modestie, mais pour mieux jouir de tout : de l'instant, d'une émotion, d'une idée, d'une rencontre, d'un mot, d'un jeu, de la nouveauté... En somme Tzara était libre, bien plus que Breton. Sa seule présence me stimulait. Je me sentais bourrée d'énergie et je m'apprêtais à lui proposer d'aller voir ensemble des films, des expositions de peinture, de photographies, pour qu'il m'aide à mieux déchiffrer les lignes de force de l'avenir... »

Effectivement, quand on parcourt l'interview, on est surpris par cette acuité pour saisir l'actualité du moment. Affaibli, isolé, Tzara garde un regard neuf sur le monde qui change autour de lui.

Il évoque *L'Année dernière à Marienbad*, le dernier Resnais, la société de consommation à l'améri-caine, l'évolution du continent africain et les leçons qu'il nous donne. Il évoque tout ce qui le passionne, la préhistoire, l'archéologie, les arts anciens, Villon, Rabelais... Quand il se souvient de Dada, il prend bien soin d'éviter les leçons de morale façon ancien combattant. Il rappelle simplement que Dada « ne faisait aucune concession à la situation, à l'opinion, à l'argent ». Quand Madeleine Chapsal lui demande quel intérêt présente pour lui la réédition des Mani-festes, il répond immédiatement : « Aucun. » Eton-née, elle lui demande ce qu'il pense de ces textes... Il précise alors : « Je ne les aurais pas écrits comme ça aujourd'hui, les idées sont mêlées à la poésie, il y a de la fantaisie, de la naïveté, c'est attendrissant. Mais je trouve drôle de voir combien tant d'idées révolutionnaires à l'époque sont aujourd'hui passées dans le commun. »

Pour une fois Madeleine Chapsal n'a pas à sup-porter un vieillard pontifiant. Epuisé, Tzara lui demande d'arrêter l'interview en la réinvitant un autre jour. « A peine venais-je de le découvrir qu'il fallait déjà le quitter ? J'avais le sentiment d'avoir tellement besoin de lui. En fait, il m'avait donné l'es-sentiel. De tous les écrivains que j'ai approchés, Tris-tan Tzara est celui qui m'a dit le plus vite et avec le moins de mots ce que je cherchais à entendre. La petite musique qui vous invite à mettre en action vos propres rêves. Sans en référer à personne... »

Il n'y aura pas de nouvelles visites rue de Lille. Tzara meurt un mois après, le 24 décembre 1963. Le bureau politique du PCF apprenant la nouvelle décide d'envoyer une délégation rue de Lille. Tou-jours prompt à tout récupérer, le Parti propose d'or-ganiser un enterrement officiel au Père-Lachaise.

461

Christophe Tzara refuse et préfère un enterrement strictement privé au cimetière Montparnasse.

Pour accompagner Tzara, on retrouve tous ses plus fidèles amis venus déposer une simple fleur. Il n'y a ni cérémonie, ni discours. Le Parti délègue Léo Figuères, alors secrétaire du Comité central. *L'Humanité* publie une brève le lendemain sans commentaires. Dans la petite foule présente, on reconnaît Cassou, Soria, Marcenac, Leiris, Illyès, Caillois, Sadoul, Dobzinski, Moussinac ; témoins de toutes les vies de Samuel Rosenstock.

La Cage, 6 mars 2002.

BIBLIOGRAPHIE DE TRISTAN TZARA

La Première Aventure céleste de monsieur Antipyrine, *Zurich, Collection Dada (1916)*.

Monsieur Aa l'antiphilosophe *(1916-1924)*.

Lampisteries *(1917-1922)*.

Vingt-cinq poèmes, *Zurich, Collection Dada (1918)*.

Cinéma Calendrier du cœur abstrait Maisons, *Paris, Collection Dada, Au Sans Pareil (1920)*.

De nos oiseaux, *Paris, Kra (1923)*.

Sept Manifestes Dada, *Paris, Jean Budry (1924)*.

Minutes pour géants *(1924-1932)*.

Mouchoir de nuages, *Paris, Galerie Simon (1925)*.

Indicateur des chemins de cœur, *Paris, Jeanne Bucher (1928)*.

L'Arbre des voyageurs, *Paris, Editions de la Montagne (1930)*.

Piège en herbe *(1930)*.

L'Homme approximatif, *Paris, Fourcade (1931)*.

La Fonte des ans *(1931)*.

Le Puisatier des regards *(1932)*.

Où boivent les loups, *Paris, Cahiers libres (1932)*.

Le Désespéranto *(1932-1933)*.

L'Antitête, *Paris, Cahiers libres (1933)*.

Abrégé de la nuit *(1934)*.

Grains et Issues, *Paris, Denoël et Steele (1935)*.

Les Mutations radieuses *(1935-1936)*.

La Main passe, *Paris, G.L.M. (1935)*.

La Deuxième Aventure céleste de monsieur Antipyrine, *Paris, Editions des Réverbères (1938)*.

Midis gagnés, *Paris, Editions Denoël (1939)*.

Une Route Seul Soleil, *Toulouse, Comité National des Ecrivains (1944)*.

Ça va, *Cahors, Centre des Intellectuels (1944)*.

Le Cœur à gaz, *Paris, G.L.M. (1946)*.

Entre-temps, *Paris, Point du Jour (1946)*.

Le Signe de vie, *Paris, Bordas (1946)*

Terre sur Terre, *Genève, Trois Collines (1946)*.

Vingt-cinq et un poème, *Paris, Fontaine (1946)*.

Morceaux choisis, *Paris, Bordas (1947)*.

La Fuite, *Paris, Gallimard (1947)*.

Le Surréalisme et l'Après-Guerre, *Paris, Nagel (1947)*.

La Dialectique de la poésie *(1947)*.

Midis gagnés, *Nouvelle édition augmentée, Paris, Nagel (1948)*.

Phases, *Paris, Seghers (1949)*.

Sans coup férir, *Paris, Jean Aubier (1949)*.

L'Antitête, *Paris, Bordas. Réédition de luxe en trois volumes (1949)*.

Parler seul, *Paris, Maeght (1950)*.

De mémoire d'homme, *Paris, Bordas (1950)*.

La Première Main, *Alès, P.A.B. (1952)*.

La Face intérieure, *Paris, Seghers (1953)*.

Picasso et la poésie, *Rome, de Luca (1953)*.

A Haute Flamme, *Paris, Alès, P.A.B. (1955)*.

Le Temps naissant, *Paris, Alès, P.A.B. (1955)*.

Le Fruit permis, *Paris, Caractères (1956)*.

Frère Bois, *Alès, P.A.B. (1957)*.

La Rose et le Chien, *Alès, P.A.B. (1958)*.

Œuvres complètes, *Paris, Flammarion (1975-1982)*.

Premiers Poèmes. Traduction Claude Sernet, *Paris, Seghers (1965)*.

INDEX

ABBOTT, Bérénice : 130.
ACHARD, Marcel : 174.
AGHION, Raymond : 395-397, 399, 402, 442, 448, 452.
ALBERT-BIROT, Pierre : 65.
ALBERTI, Rafaël : 329-330, 336.
ALLÉGRET, Marc : 96-97, 174.
APOLLINAIRE, Guillaume : 56, 64-68, 72, 77, 78, 81, 84, 91, 97, 159, 190, 212, 262, 412, 422.
ARAGON, Louis : 42-43, 76, 81-82, 84, 87-88, 91-92, 97-100, 104, 110, 114, 116-117, 120-121, 123-124, 129, 139-140, 149, 158, 183, 199, 200, 213, 245, 253, 257-258, 260-262, 273-275, 277-278, 297, 314, 315, 316, 318-319, 338, 342, 355, 361-362, 369, 373-374, 378, 391-393, 394, 397, 435, 437-438.
ARLAND, Marcel : 186, 232.
ARP, Hans : 39, 41, 45, 49, 53, 72, 77, 98, 105, 111, 122, 125-126, 143, 145-147, 158, 283.
AURIC, Georges : 90, 97, 118, 132, 162, 171, 179, 255, 400.
ARTAUD, Antonin : 240, 242.

BAADER, Johanes : 45-46, 147.
BACHELARD, Gaston : 338.

BACHER, Hugo : 29.
BALL, Hugo : 29, 37, 38, 40-42, 47, 49, 52-54, 56-57, 66.
BARBUSSE, Henri : 100, 209, 239, 257, 316.
BARON, Jacques : 121, 149, 215.
BARON, François : 121, 215.
BARRÈS, Maurice : 81, 87, 123-124, 198.
BATAILLE, Georges : 223, 245-248, 325-326.
BAUDELAIRE, Charles : 20, 262, 288, 345, 422.
BEACH, Sylvia : 73, 130.
BEAUMONT, comte Etienne de : 131, 149, 167-169, 174, 181, 195, 224.
BERGAMÍN, José : 329, 334, 336, 342.
BETZ, Pierre : 353, 363.
BLOCH, Jean-Richard : 291, 318, 377.
BLUM, Léon : 132.
BLUM, René : 132.
BOUISSONNOUSE, Janine : 394, 439.
BOUSQUET, Joë : 266.
BRANCUSI, Constantin : 108, 132, 134-137, 228.
BRAQUE, Georges : 72, 212, 224, 228.

465

TABLE

Impression réalisée sur CAMERON par

BUSSIÈRE CAMEDAN IMPRIMERIES

GROUPE CPI

à Saint-Amand-Montrond (Cher)
pour le compte des Éditions Grasset
en octobre 2002

Composition : Nord Compo

Nº d'édition : 12525. — Nº d'impression : 024678/4.
Dépôt légal : octobre 2002.

Imprimé en France

ISBN 2-246-61001-X